La collection

ROMANICHELS

est dirigée par

André Vanasse

Le pavillon des miroirs

La publication de cet ouvrage a été rendue possible grâce à l'aide financière du ministère des Communications du Canada, du Conseil des Arts du Canada et du ministère de la Culture du Québec.

XYZ éditeur
1781, rue Saint-Hubert
Montréal (Québec)
H2L 3Z1
Téléphone: 514.525.21.70
Télécopieur: 514.525.75.37

et

Sergio Kokis

Dépôt légal: 2ᵉ trimestre 1994
Bibliothèque nationale du Canada
Bibliothèque nationale du Québec
ISBN 2-89261-105-9

Distribution en librairie:
Socadis
350, boulevard Lebeau
Ville Saint-Laurent (Québec)
H4N 1W6
Téléphone (jour): 514.331.33.00
Téléphone (soir): 514.331.31.97
Ligne extérieure: 1.800.361.28.47
Télécopieur: 514.745.32.82
Télex: 05-826568

Conception typographique et montage: Édiscript enr.
Maquette de la couverture: Zirval Design
Photographies: Nicolas Kokis
Tableaux: Sergio Kokis

Sergio Kokis

Le pavillon
des miroirs

roman

XYZ
éditeur

Romanichels

à André,
Nicolas
et Ilse,
mes copains.

Ils dorment
Ils sont tous couchés
Ils dorment
Profondément.

Manuel Bandeira

1

Je suis encore petit. Lili aime se frotter contre moi l'après-midi quand on fait la sieste. Elle ôte ses culottes qui sentent fort en disant que c'est parce que le bébé a fait pipi dessus. C'est bon et irritant à la fois ; je me laisse faire sans protester. Je la trouve jolie, ma petite tante, surtout lorsqu'elle ne se fâche pas, qu'elle soupire et me serre entre ses jambes moites. La chaleur de la chambre fermée et une fatigue étrange me poussent vers le sommeil. Ça sent le bébé qui dort, la sueur et les culottes de Lili. Lorsque je me réveille, qu'elle n'est plus là, je ne me souviens de rien. Seules les odeurs persistent, mélangées à celle de la moisissure qui envahit les murs. Le soleil frappe de biais les battants fermés des jalousies et tisse des raies brillantes de poussière dans la pénombre humide. Très forte envie de pisser. Le même jeu se répète presque tous les jours ; ensuite je me lève las, paresseux.

Il n'y a rien à faire dans cette maison, pas de jouets. Je traîne sous les lits ou je regarde par la fenêtre, c'est tout. Le bébé est encore trop jeune pour jouer et mon frère aîné n'aime pas mes jeux. C'est comme ça depuis toujours, nous sommes un ensemble éparpillé. Plus tard, le bébé sera un peu plus mon compagnon, surtout les fois où le grand l'aura frappé. Nous vivons tous entassés dans l'appartement et nous dormons dans la même chambre; seule Lili dort par terre dans le salon. Mais il manque quelque chose pour que ça fasse une famille. Chacun paraît occupé à son propre ennui.

Lili vit avec nous, mais ses quinze ans la poussent vers la rue. Dès qu'elle a fini d'aider ma mère, elle sort pour respirer. Souvent aussi le soir, lorsque l'avenue est vide d'autos et que les bars ne sont pas encore fermés. Elle vit dans une irritation constante, quelque chose de physique qui la fait se fâcher dès qu'elle n'a plus le bébé dans les bras. Elle est sa marraine. Le parrain est saint Antoine, celui des causes perdues, pour que Lili se trouve un mari le plus vite possible. C'est étrange comme parfois elle peut être si douce lorsqu'elle n'est pas la proie de ses tentations. Mais c'est plutôt rare. Comme il vaut mieux qu'elle ne sorte pas seule, et que le bébé encombre en ces occasions, elle m'emmène dans ses promenades nocturnes. J'aime beaucoup ça, même s'il faut rester très sage et ne pas avoir l'air d'être dans le chemin des autres. Je me laisse faire car je sais que le vendeur de cigarettes va me donner des boîtes de cigares vides pour jouer, derrière le comptoir, pendant qu'il s'assoit avec Lili. De belles boîtes qui sentent bon, en bois rouge, entourées d'étiquettes colorées. Chaque fois j'en emporte quelques-unes, pour moi et pour l'aîné. Entre nos mains, elles deviennent des bateaux, des autobus, des maisons ou même des monstres.

Ici, ça sent très fort le tabac, et aussi la sciure de bois qui couvre le plancher et la vieille bière qui coule encore des tonneaux empilés. Faut pas trop me salir, ni trop parler. Mais à mesure qu'ils se mettent à rire et à se chatouiller, ils m'oublient tout à fait. Les clients qui boivent sont parfois bruyants, il y en a même qui se battent. D'autres connaissent aussi Lili et viennent lui offrir des limonades. Pendant ce temps, je ramasse des capsules de bière pour ma collection, en m'éloignant sans qu'elle s'en aperçoive. Je vais bavarder avec les ivrognes attablés, ceux qui ne sont pas méchants, qui savent que je suis avec Lili. Dès que j'ai mes boîtes à cigares, que mes poches sont pleines de capsules et que j'ai bu ma limonade, alors je commence à trouver le temps long. Si long que parfois je m'endors dans un coin en attendant qu'elle ait fini de bavarder. Pauvre Lili, ces sorties l'épuisent. Nous revenons tous les deux par les rues vides, à pas rapides parce qu'il est tard, que je m'endors et qu'elle est nerveuse. Je ramène mon butin, content de la soirée. Lili ne reçoit que des paquets de cigarettes. C'est plus petit, donc plus pratique pour les garçons qui les mettent dans les poches de sa jupe, bien au fond, en la chatouillant. Chacun ses jouets.

Lili me laisse perplexe. Je ne sais jamais ce qu'il faut faire pour éviter qu'elle ne se fâche. J'ignore ce qui provoque ses colères, mais il vaut mieux que je m'éloigne. À d'autres moments, elle peut être gentille comme tout, alors que je m'attends plutôt à recevoir une bonne raclée. Tiens, à la fête de saint Antoine, par exemple. Nous y allons chaque année. C'est un endroit qui fait peur. Le couvent du Largo da Carioca est une espèce de grande forteresse qui s'élève à pic au-dessus de la place, sans fenêtres, en stuc jaunâtre, presque une prison. Le jour de la fête, très tôt le matin, la place est envahie par une multitude de femmes gémissantes. Elles y vont pour prier et pour toucher le bas de la robe du saint, en caressant les cuisses de plâtre de la statue. Les moines font semblant de ne pas voir ces choses. Un peu par pitié devant leur désespoir. Mais aussi parce qu'elles remplissent l'écuelle de billets froissés et humides de sueur provenant des bas-fonds de leur lingerie. Tout le monde sait que c'est à saint Antoine qu'il faut s'adresser quand on veut un homme, il est très efficace. Et chez nous, parmi les sœurs de ma mère et ses amies, il est l'objet d'une fidélité à toute épreuve. La preuve, il est le parrain du bébé. Et c'est peut-être pour ça que Lili ne lâche pas le petit. Elles se sentent un peu gênées d'aller seules à cette kermesse des vieilles filles, alors elles m'en font toujours profiter. L'événement n'est pas sans danger, car la foule se bouscule beaucoup. C'est une masse féminine fondant au soleil, bigarrée et nerveuse. Portant des couleurs voyantes, elles sont toutes voilées: voile blanc pour les vierges, noir pour les veuves et les femmes mariées, bleu pour les autres. Les maris se fâchent quand leurs femmes vont voir le saint, mais c'est plus fort qu'elles.

Il faut attendre longtemps avant de pouvoir s'approcher de l'escalier du couvent où se forme enfin une queue plus organisée. Comme je suis petit, je me fais écraser dès le début par d'énormes fesses, des seins qui m'assaillent de toutes parts. Je suis piétiné, palpé, enveloppé d'odeurs pénétrantes, tout en essayant de m'accrocher aux jupes de mes tantes pour ne pas être emporté par ce flot haletant. Puis il y a cette chaleur qui avive l'impatience des femmes, ce soleil à pic et, pire encore, cette vision si désagréable de toutes celles qui sont arrivées plus tôt et qui montent déjà la mince échelle vers l'intérieur de la muraille. C'est le sauve-qui-peut. Comme si la foule devenait une formidable bête, jalouse de la place des premières arrivées, se débattant de peur que le saint ne soit déjà bouffé tout cru lorsque arrivera son tour. La poussée se fait alors par vagues successives, telle une marée déchaînée. Évidemment, je m'égare, je disparais, je traîne, il faut revenir me chercher, je suis emporté au loin pendant que les tantes essaient de me tirer à nouveau vers elles. On m'écartèle, on me griffe, on m'attrape par les cheveux tandis que j'essaie de ne pas perdre mes souliers. Une horreur à n'en plus finir, jusqu'à ce qu'on atteigne enfin la petite passerelle métallique. Je m'attends toujours au pire, et j'y ai droit en effet: on me donne des tapes sur le crâne, des coups de coudes osseux dans le visage, on me pince les bras et le dos. Littéralement écrasé par des masses graisseuses comprimées dans les tissus et les gaines, je me sens alors comme les morceaux de canne à sucre entre les engrenages de la presse à jus.

Mais je survis. Bien que mes agissements ralentissent leur progression, je ne suis pas vraiment puni en conséquence. Très curieux. À la maison, je peux pourtant recevoir de méchantes raclées sans même savoir pourquoi. Je pense que les affaires du cœur ramollissent les femmes, comme dit mon père. Et qu'en plus la fête de saint Antoine est une chose sacrée, comme ma mère réplique toujours pour contrer le sourire blasphématoire du vieux. Peut-être un mélange de tout ça. Il y a aussi, sans doute, la disposition à la charité qu'apporte la proximité de cette statue de plâtre peinte en couleurs roses sous la soutane de bure. Je crois que s'il y avait des hommes dans la foule, ça tournerait au meurtre. Mais entre femmes, chacune se contente de pousser en se pensant meilleure que la voisine.

La vague continue, morose et puissante à la fois, comme une baleine égarée dans un marécage. Toutes sortes de femmes, riches et pauvres, jeunes et vieilles; seules les Noires les plus misérables ont dû rester à la maison pour travailler.

Le temps passe, la sueur colle les cheveux sur le front, je me laisse emporter sans plus résister. Un dernier moment de bagarre pour atteindre la passerelle et c'est la montée le long du mur, déjà plus civilisée, avec des regards triomphants et dédaigneux vers la foule qui se presse encore sur la place. On arrange les voiles, on essuie la sueur, les visages se recomposent, les mains se collent en prière et on m'oublie.

Soudain l'obscurité totale remplace le soleil aveuglant. Le couloir est frais comme un souterrain, étroit, sinistre même. La pression des ventres derrière ma tête d'enfant s'atténue et j'ai froid dans le dos. Le bavardage cesse. Le visage sévère, les femmes se mettent à prier et à rêver. L'image du mâle adoré illuminée par les cierges forme déjà une tache jaune au fond du long passage. Dans cette approche lente, effleurant les parois étroites, ma tête devient lourde: odeur d'encens, fumée de chandelles, tout ça mêlé aux parfums sucrés, aux relents de sueur et à d'autres choses encore. Mes yeux brûlent de plus en plus parce que j'essuie les larmes avec mes mains moites, et la fumée devient plus épaisse à mesure qu'on s'approche du saint.

Je le vois mal. Son visage et le petit Jésus qu'il tient dans les bras disparaissent presque parmi les mains avides tâtant ses pieds, cherchant à monter sous la bure, frénétiques. D'en bas je vois nettement les mains des femmes qui sont à ma hauteur, qui descendent le long des jupes en pressant les cuisses, le sexe, tremblantes. Lili a envie de faire pipi et elle se tord les jambes en embrassant les pieds du saint. L'image se laisse faire, l'air béat, mais les visages des femmes prennent de drôles de formes, hagards, les coins des lèvres un peu tordus, parfois les langues pendantes et les yeux dans le vague. Le moment est grave, je sens la tension dans l'air. Le moine reste impassible à côté de l'image, en tendant l'écuelle et en marmonnant des trucs en latin pour ne pas succomber à la tentation.

On me tire soudain vers l'avant avec des gestes brusques, rompant le charme de mes premiers moments mystiques. Je me sens un peu mal à l'aise et j'ai peur, sans savoir au juste de quoi. S'éloignant du saint, la cohue débouche dans l'église pour la prière. Je suis alors laissé à moi-même; je flâne parmi le troupeau en regardant les images, les sculptures, les peintures et les reflets d'or de cet intérieur baroque. Sous la lumière pâle, les cierges scintillent face aux étoiles dorées des murs bleus. On respire mieux. Dans le silence, un murmure de prières soupirées comme la pluie qui cesse. Parfois un vagissement qui s'échappe d'une de ces têtes voilées en contrition, lointain, suivi de son écho apaisant. L'acte est accompli par ce désir mélancolique d'un prince charmant qui habite chaque pensée. Je déambule, curieux, découvrant la beauté des lieux, tâtant les bancs sculptés, polis par de nombreuses générations de culs insatisfaits. Les images à l'intérieur de leurs niches ondoient dans le clair-obscur des cierges tremblotants, pendant que l'encens répand ses effets narcotiques sur les paupières lasses. Nous partons à pas lourds par l'autre porte du couvent sans que les femmes se souviennent de mes méfaits. Elles sont devenues très gentilles, douces. Et on m'offre même une glace qui coule le long des doigts, visqueuse sous la chaleur du soleil.

2

La chaleur moite d'autrefois n'existe plus que dans ma mémoire. Ici les fleurs de givre couvrent les vitres d'une dentelle épaisse, grise, qu'il faut gratter avec insistance et qui s'embue aussitôt. Le froid intense des longs janviers. Pas de neige. Les rues sont d'une couleur indéterminée, blanc sale des glaces tassées, ici et là des taches ocre de rouille et d'urine. Un mince vernis de bitume patine le tout, égalisant les surfaces et arrondissant le coin des trottoirs. Une vieille neige d'il y a longtemps est restée là, durcie, pressée, lissée. Les reflets sont mats; parfois quelques plaques cassées, épaisses, exhibent des arêtes féroces. Le ciel est d'une couleur vieux plomb oxydé, mais il ne tombe rien. Le soleil de travers qui tranche le monde en diagonales se fait rare pendant cet hiver.

Vu de l'intérieur, tout semble figé. Mais je sais que le vent est là. Il est toujours là. Hormis le cliquetis sporadique du chauffage, le silence est total. Si total qu'il prend la forme d'un bourdonnement sourd dans ma tête. Si j'y prête attention, le bruit du tabac qui brûle dans ma cigarette devient clair comme un feu de broussailles. Je reste ainsi enterré dans un sous-sol, protégé par les fondations de la maison couvertes de glace. C'est comme si le monde n'existait plus.

Le facteur est déjà passé, je l'ai vu. En fait, je le guettais; je l'attendais comme toujours, rien que pour me montrer prêt, pour ne pas sursauter si jamais des lettres arrivent. Mais il ne m'apporte rien, sauf les factures et les dépliants publicitaires. Malgré ça, je l'attends et je suis toujours déçu. Il n'y a personne pour m'écrire. La dernière lettre de là-bas, il y a au moins quinze ans que je l'ai reçue. J'ai beau commander des livres par la poste, ce n'est jamais comme des lettres. Je ne sais même plus quelle sorte de lettre me ferait plaisir, ni ce que je peux attendre. Des nouvelles étranges, des révélations, quelqu'un qui se souvienne, ou encore une invitation que je refuserais par habitude. N'importe quoi, pourvu que ce soit une lettre personnelle. Mais rien. Alors, je le guette, un peu gêné de le faire. Une fois qu'il est passé, je peux rester en paix. Pour oublier ma déception, je réchauffe un autre café et j'allume une cigarette.

Je regarde encore par la fenêtre. Le monde gris et sans contrastes de l'hiver est figé, suspendu dans une sorte de ouate vaporeuse. Il ressemble d'une certaine façon aux quelques vieilles photographies que je conserve de mon enfance, elles aussi figées, flétries. J'ai beau scruter ces clichés couleur sépia, mon passé demeure fermé. Tous les efforts de la mémoire ne produisent qu'un pâle reflet de ce qui fut. Même l'image de celui qui est moi me reste étrangère, artificielle. Il est vrai que j'ai fini par ressentir une certaine tendresse envers ce petit garçon, par le trouver en quelque sorte sympathique, sans plus. Ces photos sont la seule preuve que cette enfance a bel et bien existé, quelque part, dans le temps, loin de la vision froide qui me parvient par la fenêtre givrée.

Dans cette existence d'exilé qui est la mienne, seules certaines images mentales insolites gardent les couleurs et le mouvement qu'elles avaient au moment où elles se sont imprimées dans mon esprit. Comme des traumatismes. Il n'y a plus de récit qui les accompagne, le passé vécu s'est estompé, mais curieusement ces images qui m'obsèdent sont restées d'une exubérance sauvage. Ces spectres, cette légion de personnages vibrants de lumière m'assaillent à tout instant pour exiger réparation. Certains hurlent, se contorsionnant à la manière des paralytiques, ou restent accroupis, se cramponnant à leur corps dans une souffrance silencieuse et pathétique. D'autres ne sont que des visages, des déguisements. Parfois c'est le carnaval, parfois le carême. De nombreux cadavres: des corps inertes, des morts anonymes dans un décor sans pompe. Froids, gris aux reflets cobalt, ou vert de chrome tournant au violet. Il y a des enfants, beaucoup d'enfants avec des ventres gonflés et des corps rachitiques. Qui rient pourtant et qui courent, à la façon des vrais enfants. Des pustules, des dents cariées, des nez qui coulent. Celui-ci suce un morceau de sucre brun, cet autre tend la main vers une fillette déjà gênée malgré la robe qui montre ses fesses. Des vieilles toutes sèches qui sentent le tabac, la sueur et le café. Tout ça et des milliers d'autres images se mettent en branle dès que je ferme les yeux, inlassablement, dans un fandango infernal. C'est drôle comme l'extérieur des choses peut être si peu important comparé à ce qu'on voit les yeux fermés.

Je baisse les stores pour ne pas être dérangé. Mon travail est clandestin. Sous la lumière crue des réflecteurs, je peux alors me consacrer à mon vice. C'est ainsi que j'ai réussi à les dompter, ces images, qui sont si rébarbatives devant les artifices de la raison. Je les peins. J'en fait des feux follets: en devenant une pâle lumière, la pourriture sous-jacente perd un peu de son énergie. Autrefois elles me tenaient entièrement. J'étais leur créature. Elles apparaissaient à leur gré sans que je puisse me défendre, toujours à l'improviste. La poussière fine du temps qui brouille les détails de la mémoire n'était pas suffisante pour les rejeter dans le passé. Plus maintenant. En devenant objets plastiques, mes images se sont disciplinées. Je reste, certes, un peu éparpillé. Malgré l'apparence extérieure posée que je me donne, l'intérieur demeure trop mouvant. Toujours possédé, car les images ne se taisent pas; elles refusent de glisser en arrière, comme une sorte de mauvaise conscience interpellant le présent, ou une dépression à l'envers.

Mon atelier est disposé de telle façon que je reste dans un coin sombre, assis à ma table pour recevoir les reflets directs des peintures. Tout s'illumine alors dans ma rétine. La fumée du tabac contribue à créer des effets sur les surfaces figées; un peu comme la chaleur qui montait du sol brûlant semblait mouiller les formes sous le soleil de là-bas. Ces tableaux posés contre les murs sont autant de masques derrière lesquels je me place pour capter ces visions qui se dérobent, qui se soustraient tout en se dévoilant. Certes, cette lumière figée, purement reflétée, n'est pas la vie. Elle n'est qu'une sorte de théâtre, une pure abstraction, mais les images des revenants peuvent ainsi apparaître, et je ne suffoque plus. Le seul artifice que j'ai trouvé.

La paix avec ces éblouissements qui me hantent a été faite au prix de tout le reste. Cela ne m'a pas trop coûté puisque, d'aussi loin que je me souvienne, j'ai toujours été un homme des souvenirs. Un prisonnier des cinémas imaginaires, sans envie de m'évader. Les murs, je les porte en moi. Même si je fais attention au présent, c'est toujours en le confrontant aux images du passé; à tel point que le nouveau finit par perdre son intérêt. J'éprouvais, jadis, un certain désir de sortir de ma solitude. Je me contente maintenant de passer inaperçu, de fuir les sollicitations, de faire le caméléon, de ne pas trop prendre au sérieux les ardeurs de mes semblables. La solitude, derrière une apparence de marionnette, constitue la seule position confortable dans mon cas. Pendant ce temps, mes images extériorisées sur des surfaces peintes deviennent moins étrangères, presque miennes, bénignes en fin de compte car je suis à leur service.

Baisser les stores de l'atelier, c'est comme fermer les yeux pour me laisser glisser vers un réel plus brillant, pour fuir dans un monde où la grisaille disparaît, où la couleur des tableaux avive et réchauffe l'air ambiant.

Le fatras qui m'entoure est formidable: une collection d'images bien réelles qui s'amoncellent à la façon d'un gigantesque carnaval. Partout. Contre les murs, les unes sur les autres, enroulées ou encore tendues, empilées, enfermées dans des boîtes, ficelées dans des classeurs, dessinées, gravées, peintes, esquissées, lavées, sèches ou encore brillantes d'huile, sur des plaques de bois ou de zinc, sur de la toile, du papier ou d'énormes panneaux de bois pressé. Des vagues gribouillis de mon enfance j'ai glissé, sans même m'en rendre compte, vers cette jungle colorée, habitée par des multitudes de reflets humains. Mon sous-sol devient ainsi pyramide, enfermant le cortège funèbre de mes images métamorphosées en simples momies colorées.

Dans cette activité solitaire, d'autres apparitions se créent par un effet d'excitation mutuelle. En devenant faiseur d'images pour canaliser le flot de cette inondation stagnante, j'en fait un torrent. Qu'importe? Maintenant je travaille sans même y penser, la tête vide, en laissant les choses se succéder automatiquement. J'applique le frein ici et là pour ne pas perdre le contrôle, par peur de devenir fou. Cela se crée tout seul. Et je me laisse bercer par le mouvement, comme autrefois je suivais le courant couché au fond d'une chaloupe: je touche à peine les rames pour ne pas revenir vers la berge ni m'écraser contre les rochers.

3

Mon père ne veut rien savoir des histoires de nègres ni de curés. C'est pour ça que je ne peux pas parler avec lui. Les autres non plus ne veulent pas répondre à mes questions. Je suis trop petit. Si je continue à parler de ces choses, je recevrai une raclée comme je le mérite. Espèce de dévergondé !

Mais les femmes ne s'occupent pas de moi et crient seulement en passant, sans haine. Elles sont trop contentes de la visite au monastère, sûres de trouver un mari durant l'année. Un vrai mari, épousé à l'église et pour toujours. Robe blanche, nuit de noces de vierge et l'envie gravée dans les yeux de toutes les autres, qui resteront vieilles filles ou pire encore. Parce qu'en fait depuis hier il est certain que l'homme viendra, la Noire édentée l'a garanti. Ma mère questionne, gourmande, curieuse des détails, histoire de savoir si l'amant promis la veille correspond bien au mari qu'enverra saint Antoine. Elle veut tout savoir, et les amies discutent à n'en plus finir: l'envie d'uriner, les sensations éprouvées en touchant les cuisses du saint, les pensées durant la prière, la couleur des yeux du moine qui recevait l'argent, s'il était beau, s'il était poilu... Tout ce bavardage ponctué de rires nerveux et de petits cris, entrecoupé de plusieurs visites aux toilettes. Il faut que Lili prenne de l'eau sucrée parce qu'elle n'en peut plus; toute cette fatigue, la vivacité de ses désirs, ces sensations fortes vont finir par déclencher une crise.

— Vite, de l'eau sucrée. Une infusion! Non, plutôt la bouteille d'éther. Pour la calmer... Vite! cette pauvrette se meurt! Ah, ces hommes, quelle malédiction, quelle ingratitude... Va-t'en, petit dévergondé; qu'est-ce que tu fais là, tout le temps à nous espionner? Méchant! T'es tout le temps dans le chemin des autres. À fouiner comme ça, tu finiras mal... Sournois, effronté!

On me cogne un peu sur le crâne, quelques tapes au hasard pour que je m'écarte. Rien de bien grave. Ce n'est pas après moi qu'elles en ont. C'est la crainte d'être une fois de plus déçues malgré les nouveaux rêves qui foisonnent depuis hier soir. Parce que la Noire édentée ne blague pas. Avec elle, c'est du sérieux, des affaires intimes avec les esprits de la *macumba**: ça touche directement le corps et elle voit l'homme promis au fond du verre. Je l'ai vu de mes propres yeux à un moment où elles étaient trop distraites au cours du rituel. Ça fait un peu peur aussi, mais pas autant que la foule des femmes aux abords du couvent. Plutôt étrange, comme une sorte de peur des fantômes, car les yeux de la vieille se mettent à rouler, elle parle une langue bizarre et ses seins s'animent lorsqu'elle danse.

Les femmes de la maison, surtout ma mère, semblent croire davantage à cette vieille qu'au moine. Je ne sais pas pourquoi mais, moi, j'ai plus peur de la visite au couvent. La vieille m'amuse. Toute la journée d'hier a

---

*   Culte animiste afro-brésilien (rituel nago ou yoruba).

été consacrée à l'attendre, à préparer des choses à manger et à surveiller les nuages dans le ciel. Il faut la lune, c'est très important. S'il pleut, tout est gâché; ça mouille et ça ramollit avant l'heure. La vieille ne peut alors rien voir. Ou bien l'homme des rêves ne pénètre pas. Je me suis efforcé de faire le bon garçon pour qu'elles m'oublient. Et dès que la vieille est arrivée, elles m'ont tout à fait oublié. Une vieille énorme, noire comme un téléphone, et avec de gros yeux qui deviennent encore plus saillants quand elle me regarde. Des yeux rouges, presque bruns, mais pas méchants; surtout lorsqu'elle rit avec ses rares dents tachetées de bleu. Un rire colossal et grave qui surprend et fait sursauter. Je ne la regarde que de loin. Ses gencives roses aussi sont énormes, se détachant sur le fond noir de la peau comme une fleur mouillée. Tout le reste est blanc, la couleur des esprits: sa robe, ses souliers, sa culotte qu'elle montre en secouant ses jupes pour se rafraîchir; tout, même les pains au tapioca qu'elle a apportés. Des galettes bizarres, que les femmes font chauffer encore à la poêle pour qu'elles deviennent toutes sèches et qui, selon ma mère, goûtent l'hostie. Blancs aussi les tissus qu'elles étendent partout pour marcher nu-pieds pendant le rituel de la Noire.

Tout a lieu sur le balcon arrière, là où l'on étend le linge pour le faire sécher, à côté de l'armoire à glace et du réduit où dort Maria, la bonne. C'est à ciel ouvert pour qu'on voie les étoiles. Tout le monde est content, ça va marcher, comme chaque année lorsqu'il ne pleut pas, à coup sûr. La négresse attire chez nous d'autres femmes encore, d'autres amies de ma mère et des cuisinières du voisinage. C'est une spécialiste de l'eau de lune, une chose très sérieuse qui a lieu la veille de la fête de saint Antoine. Dans l'eau illuminée par la lune, la Noire fait apparaître le visage de l'homme promis, ou bien elle désigne celui qui est secrètement amoureux. Peut-être bien qu'elle est capable de rendre un homme amoureux, je n'en suis pas sûr.

Elles se pressent tout autour, déjà tard dans la nuit, toutes lumières éteintes. D'abord des chandelles sont allumées dans les coins de la pièce. Leur lueur faible, mouvante, jette des ombres mobiles sur les murs dès que la Noire se met à danser. Elle se déplace en chantant autour d'une large bassine que Maria utilise pour se laver. Mais là, Maria n'est pas dedans, et l'eau de la bassine est très claire, brillante, d'une couleur jaune, puis bleu foncé dès qu'elles éteignent les chandelles. De sa voix rauque aux tons geignards, la vieille emprisonne alors la lune dans cette eau qui devient sacrée comme celle que bénit le curé. Seulement l'eau bénite de l'église, il ne faut pas pisser dedans ni en frotter entre les cuisses; on en effleure à peine le visage, lorsqu'on fait le signe de croix. L'eau de lune est plus forte, comme une sorte de remède de pharmacie qu'il faut utiliser avec soin. Ensuite la Noire fait quelques prières et verse le blanc d'un œuf dans la bassine. Les autres femmes rallument les chandelles, et même plus de chandelles encore, pour bien voir. La bouche de la Noire se met alors à briller, rouge d'incantations. À ce moment précis, une des femmes s'accroupit et urine quelques gouttes dans la bassine. Elle lève bien sa jupe pour ne pas se mouiller, en montrant ses fesses et sa chose pleines d'ombres et de reflets d'eau de lune. Lorsqu'elles sont plusieurs à vouloir un homme, on doit mettre de l'eau dans d'autres bassines, des assiettes ou des verres, pour qu'aucune ne mélange son homme avec celui d'une autre. Cela cause parfois de drôles d'incidents: elles sont trop nerveuses, se bousculent, renversent l'eau sacrée et pissent par terre.

C'est alors que je risque le plus d'être découvert, quand je ne peux m'empêcher de rire, et les coups peuvent être terribles. On m'expulse, et c'est certain que ma mère va me fouetter, car il ne faut pas se moquer des choses sacrées.

— Crux credo, cette peste va finir en enfer! Fils du démon! Satan!

Parfois, ce n'est même pas moi qui ai ri. Mais mon grand frère se cache plus vite, s'échappant innocemment pendant que je suis trop occupé à distinguer les détails dans l'obscurité. Ou alors, j'oublie le danger et je m'approche trop pour regarder les formes que prend le blanc d'œuf dans le mélange d'eau et de pipi. Si mon frère se met à rire, je suis perdu au milieu de cette horde de femmes nerveuses, en plein chemin des coups et des ongles vengeurs.

Mais si je ne suis pas surpris à ces moments critiques, tout se passe bien: les femmes ne voient plus rien parce qu'elles sont très contentes de ce que la Noire voit dans les pots d'eau de lune. De sa voix grave, elle décrit en détail les hommes, discutant avec chacune et les aidant à découvrir, à se rappeler un visage, ou à associer la description à celle d'un commis des environs. Chauffeur de camion aussi, policier ou pompier, voire propriétaire de bar. Les esprits s'échauffent, on discute fort. Parfois l'homme en question est déjà marié; il faudra demander d'autres services à la Noire pour que l'élue ait la voie libre. Des choses plus secrètes, à voix basse, où ma mère prend un ascendant certain car elle connaît plein d'autres Noires. L'ambiance se détend malgré tout parce que la Noire édentée est très joviale; elle sait parler et donner des détails intimes. Elle peut vanter les mérites de l'homme imaginaire comme le fait le boucher lorsqu'il cherche à vendre une poule trop sèche. Tout à l'opposé du pauvre moine qui ne marmonne qu'en latin, sans même regarder les poitrines et les fesses qui palpitent. La Noire ne s'avoue vaincue que très rarement, devant le mauvais augure d'une eau de lune ayant pris un aspect opaque, laiteux. Ses yeux sont quand même perçants. Lorsqu'elle ne peut pas donner de détails, c'est malgré tout évident qu'un homme est là. Un homme se dévoilant timidement, qui demande que la femme soit plus courageuse, qu'elle se montre davantage, ça ne dépend que d'elle... Les autres consolent la malheureuse en lui donnant des conseils pour mieux se faire valoir, en lui disant que c'est peut-être un tel, qu'il l'aime en secret, qu'il faut aller le dénicher en bougeant mieux les fesses, en souriant avec la langue dehors. Dans le feu de la conversation, les confidences fusent, avec des rires pouffés. Les plus expérimentées instruisent les plus jeunes des choses de la séduction, des choses du bas du corps, de ce qu'il faut faire en donnant l'impression qu'on se laisse faire. Les hommes aiment ça...

Mon père ne cesse de répéter que les femmes sont des bêtes connes, qu'il ne tolère pas de macumba chez lui, et qu'elles sont toutes des putes, à commencer par Lili. Ça doit l'agacer un peu, les crises de ma petite tante. Elle montre ses culottes à longueur de journée et elle ne ferme jamais la porte des toilettes. Et puis chez nous, c'est toujours plein d'amies de ma mère, d'autres tantes aussi, qui vont et viennent, plus âgées que Lili, mais beaucoup plus jeunes que ma mère. Lorsqu'elles sont à la maison, en de longues visites qui peuvent durer des mois, les culottes et les soutiens-gorge traînent partout. Des peignoirs ouverts, des cuisses qu'on rase, des poitrines à l'air pendant qu'on s'épile, le va-et-vient à la sortie de la douche. Et ça s'agite pas mal; ça crie, ça se met à pleurer ou ça s'enferme dès la moindre remarque de mon père. Il faut alors qu'il aille consoler, il faut qu'il s'excuse. Et il le fait si bien que ma mère se met à crier des obscénités à ses sœurs, menaçant de les mettre toutes à la porte et assurant qu'elles ne sont que des dévergondées, qu'elles vont toutes finir tuberculeuses, syphilitiques... Ce sont des moments assez difficiles, dangereux même, et les enfants se cachent comme ils peuvent pendant que mon père en profite pour sortir faire un tour.

Ma planque à moi, c'est sous le grand lit de la chambre, où je me glisse rapidement en faisant disparaître d'un coup le monde entier. Jusqu'à ce que les esprits se calment. Du fond de mon trou, je ne vois que des pieds, les gros moutons de poussière et les toiles d'araignée. Mais en fermant très fort les paupières, je peux faire apparaître toutes sortes de choses, des gens, même des couleurs et des lumières si je presse les orbites avec mes poings fermés. Ainsi, tout seul, protégé par l'obscurité, je me laisse tant amuser par les choses qui défilent dans ma tête que je finis par ne plus distinguer les choses du dehors. Ou je les mélange pour en faire des nouvelles. C'est mon eau de lune à moi. Je sais aussi qu'elle n'est pas sans danger, qu'il faut s'en méfier parce qu'elle fait dormir comme le parfum engourdissant de certaines fleurs. Et si je m'endors, là je suis cuit, attrapé en train de faire un mauvais coup, rien que pour faire exprès, pour faire mourir ma pauvre mère d'une crise cardiaque... Elles me tirent par les pieds, par les cheveux, m'arrachant avec violence de ma cachette, un vrai cauchemar. Ce n'est qu'après la punition que je peux me rendre compte de mon méfait. Bêtise tout simplement, manque d'attention, manque d'habitude encore qui me fait céder au sommeil sans surveiller le monde extérieur. Leur crise passée, les larmes séchées, elles se rendent compte qu'il manque une des trois pestes, la pire, la plus sournoise, qui a dû aller vers la rue pour se cacher, pour faire exprès, pour donner des soucis. Elles crient en me cherchant dans le logis minuscule, dans les couloirs de l'immeuble, en ameutant les voisines. Chaque fois le même cirque qui fait tant plaisir à mon frère: lui se souvient toujours de ma cachette. Il faut bien se venger sur quelqu'un, passer la rage qui les ronge; ça soulage de punir un voyou pris sur le fait.

Il faut que je fasse attention. L'eau de lune est dangereuse. Faut pas non plus en parler, apprendre à la garder pour moi tout seul, l'enfermer derrière mes yeux en serrant les dents pour qu'elle ne coule pas. Il ne faut pas que je m'oublie. Mon frère m'a déjà frappé plusieurs fois à cause de mes histoires d'araignées. Il a même arraché la page d'un livre illustré de mon père, seulement parce qu'il y avait là un monstre qui lui faisait peur. Il est vrai que je lui courais après avec le livre ouvert, pour lui faire peur rien qu'un peu. Il l'a arrachée et l'a jetée par la fenêtre. Voilà partie la seule arme que j'avais contre lui. Elle me manque, cette image de l'ogre qui tenait par les cheveux sa tête coupée, comme une lanterne. J'ai beau l'imiter en marchant vers mon frère, ça n'a pas le même effet.

Avec les femmes non plus il ne sert à rien de vouloir parler; elles n'écoutent pas, elles regardent ailleurs, ennuyées. C'est le médecin qui m'a appris à me taire. Il n'avait pas l'air méchant pourtant, avec son visage tout rouge de grand-père. Ma mère a sûrement conspiré quelque chose avec lui, en disant que je suis trop maigre, que je dors partout. Je respire mal aussi durant la nuit, et parfois je suffoque tant que je me blesse en grattant les murs avec mes ongles. Pour rien, seulement pour me changer les idées. Parce que la nuit j'ai peur des fantômes qui sont sous les lits. La nuit, la chambre est complètement remplie par le grand lit de mes parents et par les deux lits de camp, le mien et celui de mon frère. En bas c'est comme une immense caverne, sombre, que je peux entrevoir à travers les sangles. Je me mets en boule pour éviter que les esprits ne me tirent les pieds. Les esprits viennent toujours tirer les pieds des enfants méchants. Durant le jour, je vais moi-même sous le lit, et mes histoires ne me font pas peur. Mais la nuit, comme je dors mal, je reste seul avec les fantômes.

J'ai fait la bêtise de raconter ça au médecin. Il voulait savoir pourquoi je m'étouffais. Mine de rien il m'a laissé parler, l'air très intéressé de celui qui s'y connaît en esprits et en monstres. Je suis tellement peu habitué à ce qu'on m'écoute que dans l'élan je crois avoir exagéré: pour montrer que je n'avais pas peur des fantômes, ni des Noires, ni de la lune. Il a dû tout rapporter à ma mère. À la visite suivante, il m'a attaché sur une chaise avec des courroies de cuir et, pendant que l'infirmière me tenait la tête, il m'a arraché les amygdales à froid. Je le vois encore avec son sourire faux derrière le miroir rond. De son trou, il regarde ma bouche ouverte emprisonnée par le mors métallique. Il essaie de me tromper, en disant que ça ne fera pas mal, qu'il faut être un homme, qu'il y a des choses plus graves dans la vie. Mais ça fait très mal. Je râle en m'étouffant avec les pinces, je bave du sang. Il me montre enfin une amygdale, triomphant. Au fond du crachoir émaillé, les taches rouges se mélangent aux caillots noirs qui brillent, aux gazes iodées, aux piqûres de rouille, au bleu foncé et sanguinolent d'une amygdale. L'autre n'est pas là; j'ai dû l'avaler en toussant. Ç'a été terrible comme punition, mais ça m'a servi de leçon. Le plus drôle, c'est que mon frère a subi le même traitement, juste après moi et sans savoir pourquoi. C'est la tradition chez nous: on punit toutes les pestes sans se demander à qui la faute.

Le grand frère n'est pas méchant, seulement il ne faut pas le provoquer. Il semble même un peu triste par moments, un peu perdu. C'est alors qu'il recherche ma compagnie pour jouer ou pour regarder la rue. Mes histoires l'agacent, l'ennuient; il perd vite intérêt et il veut les changer à sa façon pour que ça fasse plus beau. Je résiste un peu et puis je le laisse faire, sachant bien que ce n'est plus de mon histoire qu'on est en train de parler. Ça ne fait rien. Le temps passe malgré tout pour moi aussi. Il fait la même chose quand on joue, mélangeant tout chaque fois, sans méthode: les soldats avec les animaux, les automobiles avec les navires, comme s'il n'était pas capable de se concentrer et de suivre une seule histoire. Dès qu'il a une envie, il faut la satisfaire aussitôt, et s'il veut que ses chevaux se promènent parmi les avions, personne ne peut discuter. J'essaie de lui montrer que ça ne va pas ensemble. Il répond qu'il n'y a pas assez d'autos dans les images découpées, alors qu'il y a de beaux chevaux ou des bicyclettes, des arbres de Noël, n'importe quoi. Il faut absolument que toutes ses images entrent dans le jeu. Et s'il se fâche, il risque de me frapper. Mais surtout il va arrêter sur-le-champ de jouer, ce qui est pire. Il est incapable de s'absorber dans quelque chose comme moi, il ne prend rien au sérieux. C'est pour ça que nos jeux ne durent jamais longtemps. Il a appris à me faire marcher, peut-être en me regardant jouer tout seul. Il sait que j'ai du plaisir même si ça paraît bête aux yeux des autres. C'est plus fort que moi. Cela m'agace, bien sûr, et parfois je souhaite être aussi dégagé que lui: être capable d'interrompre un jeu seulement parce que l'autre ne veut pas me donner une de ses images. Je me dis que la prochaine fois je vais le surprendre. Mais c'est toujours lui qui se désintéresse le premier. Ou bien c'est moi qui lui en donne le prétexte, en refusant de céder mes choses, bêtement, ou d'échanger. Pourtant c'est lui qui a le premier choix en tout. Parce qu'il est le plus vieux, mon père le répète souvent. C'est comme ça dans la vie; c'est lui qui aura la responsabilité de la famille si jamais les parents ne sont plus là. Pas maintenant, il est encore trop petit et ce sont les tantes ou la bonne qui nous disent quoi faire quand les autres sortent. Mais plus tard. Et il va faire de grandes choses, tout le monde le sait. Il est donc normal qu'il choisisse le premier. De toute façon, quand il ne veut plus ses choses, il me les donne, n'est-ce pas? Pour ses vieux vêtements, ça ne me fait rien, mais pour les images et les boîtes de cigares, je fais semblant de ne pas être déçu. J'apporte beaucoup de boîtes pareilles, et des collections énormes de capsules de bière, comme ça je ne sors pas perdant au moment du partage.

Pour les images, c'est un peu plus difficile parce que les revues sont rares chez nous. Rien que des choses d'amour, des photoromans ou des trucs de mode. Ma mère copie les robes des revues pour ses clientes ou elle s'en inspire pour en inventer de nouvelles; c'est pour ça qu'il ne faut pas les découper. On finit cependant par hériter des photoromans une fois qu'ils ont été lus et relus, pliés, froissés, prêtés à toutes les voisines, découpés si les hommes sont beaux, embrassés, roulés pour tuer les mouches, regardés encore lorsqu'il n'y en a pas d'autres, mis par terre au moment de cirer le plancher, et lorsqu'il reste des pages après que Maria a fini de couper le poisson sur le comptoir de la cuisine. Nous avons ainsi peu d'images. Et ce ne sont pas toujours des choses pour les enfants car les tantes n'aiment ni la guerre, ni les bêtes, ni le cirque, ni les camions, ni les bandits. Elles n'aiment que les hommes qui embrassent les femmes, les filles qui pleurent, les femmes qui se maquillent, les histoires de bébés. Mon père n'achète pas de revues; il dit que c'est juste pour les femmes paresseuses et dévergondées. Il ne lit que le journal du dimanche.

Parfois, j'apporte des revues ramassées dans le bar, ou dont le commis des tabacs ne veut plus. Nos collections s'enrichissent alors d'images de chevaux de course, de camions, de policiers et de gens tués. Ou bien les clientes de ma mère nous laissent des illustrés qu'elles ont déjà lus, mais qui malheureusement subissent le même sort que les photoromans avant d'être soumis à nos ciseaux. Les bonnes images sont donc précieuses, et le moment du choix est très tendu. Je cache mes intentions, sinon mon frère va choisir les mêmes images que moi. J'ai aussi appris à me montrer contrarié, boudeur, même si je suis très content de ce que j'ai obtenu. Sinon il décide qu'il faut refaire le partage. Souvent, là encore je m'oublie. Je me mets à admirer mes nouvelles images, à raconter des choses qui me viennent à la tête, et du coup il se rend compte qu'il a été leurré. Le plus drôle, c'est que je me mets à aimer mes images dès que le choix est fait. Je ne sais pas ce qui se passe mais, aussitôt qu'elles entrent dans ma collection, tout semble s'harmoniser, comme si j'avais justement attendu ces nouvelles images pour que mes histoires soient plus belles. Lui, il n'est pas aussi heureux; la preuve, c'est qu'il veut faire des échanges quand je me mets à jouer. Alors, je m'emporte, je ne peux plus échanger. Ça va dépareiller ma collection; et les images qu'il m'offre ne cadrent pas tout à fait avec les miennes. Elles finissent tout de même par cadrer s'il m'oblige à les échanger, ou s'il se met à pleurer et que ma mère intervient en mélangeant toutes nos collections pour partager à nouveau, équitablement. Parfois je suis si frustré que je passe directement aux coups de poing, engageant une bagarre qui nous attirera les foudres des femmes. Le pire, c'est qu'en nous punissant elles déchirent parfois toutes nos images. Et ce n'était pas ça que je voulais. Je n'étais même pas si fâché que ça; j'ai seulement exagéré ma rage pour me donner le courage de le frapper. Ces bêtises-là m'agacent car j'ai l'impression d'aimer plus mes choses que lui les siennes.

Nos jeux finissent donc toujours par des disputes et des déceptions. Ils entrecoupent de longues périodes d'ennui, chacun seul dans son coin, même lorsque nous regardons ensemble par la fenêtre. Regarder la rue de notre troisième étage est d'ailleurs l'activité à laquelle tout le monde s'adonne le plus fréquemment. Sauf Maria, qui peut le faire uniquement si elle a fini son travail à la cuisine et si ma mère oublie de lui donner d'autres choses à faire. L'avenue est très large, avec une circulation intense et il y a souvent des accidents. Je peux passer des heures à compter les automobiles, ou à tirer avec mes doigts sur toutes les voitures rouges. Mon frère tire aussi de son côté, mais il compte toujours plus d'autos rouges que moi. Je dis qu'il triche; il répond en criant qu'il y avait bien une auto rouge, ou parfois même deux ou trois autres. Pendant que je discute, il continue à tirer en augmentant ses points. Il triche également lorsque nous tirons sur les passagers dans les décapotables, en comptant plus de gens qu'il n'y en a, en additionnant trop vite pour que je puisse suivre. Et si je vois avant lui une voiture pleine de passagers, il tire en même temps que moi, sous prétexte que j'avais mal visé et que les gens étaient seulement blessés. Pour lui, ce qui compte, c'est de gagner, pas de jouer.

Mon frère est en fait totalement différent de moi, à commencer par sa couleur. Il est plutôt rouge comme mon père, plus blanc aussi; ses yeux sont verts et il transpire beaucoup. Nous sommes de la même taille, mais il est plus fort, plus gros. C'est parce que ma mère me compare à lui qu'elle n'arrête pas de dire que je vais mourir tuberculeux. Elle a une véritable obsession de la tuberculose, même si personne ne sait au juste ce qu'est la tuberculose. Pour elle, je suis maigre, pâle; et comme elle me voit un peu rêveur, elle conclut que je suis malade.

C'est vrai que ma peau et mes yeux sont plus foncés. Tout le monde m'appelle « le Noir ». Longtemps ça m'a irrité. Puis je me suis habitué. Maintenant, j'éprouve même une sorte de fierté, comme si noir voulait dire en fait quelque chose de tendre, de spécial. C'est que je sais très bien que je ne suis pas noir. En tout cas, pas comme les Noires de la cuisine. C'est le même mot mais ça ne veut pas dire la même chose dans ma tête. Quand mon père m'appelle « le Noir », ça n'a rien à voir avec ce qu'il veut dire lorsqu'il affirme que les Noirs sont comme des bêtes. Ma mère par contre dit « nègre » au lieu de « Noir » si elle veut parler des Noirs. Elle ajoute: « Le nègre, lorsqu'il ne salit pas à l'entrée, salit à la sortie. » Ce n'est pas facile à comprendre puisque toutes ses amies noires ne sont pas des nègres; elle les aime beaucoup et les respecte. Nègre, c'est pour celles qu'elle n'aime pas, comme peste, démon, diable, sorcier, Satan, chose mauvaise, dévergondé, crux credo, Vierge Marie, syphilitique, fils de chien, rachitique, misérable. Si elle me court après avec le fouet et que je réussisse à m'échapper, alors elle peut m'appeler « nègre », plutôt « petit nègre » : « Viens ici petit nègre, dévergondé, tu veux tuer ta mère, hein, peste sale ? » « Tuberculeux », c'est pour quand elle s'irrite à cause de ma toux. Elle ne peut pas supporter que je tousse, même si c'est en avalant de travers. Les autres peuvent tousser à volonté.

Mon père ne m'appelle jamais « nègre », et son « Noir » est assez agréable à entendre ; je sais alors que je peux l'approcher, qu'il veut me montrer quelque chose d'intéressant, ou qu'il veut me consoler. Il est d'ailleurs très fier qu'il n'y ait pas de nègre dans sa famille, et il le répète souvent pour agacer ma mère. C'est un homme grand et fort, blond, les yeux bleus, moustache en brosse, et que les voisins appellent « l'Allemand ». Il aime bien raconter tout ce qu'il fait de différent des Noirs et des mulâtres ; il dit qu'ils travaillent comme des cochons. Tandis que, lui, il est ouvrier qualifié, électricien ; il sait même réparer les postes de radio. Il est capable de lire des livres, il a une belle écriture et une signature toute compliquée. Il n'a pas pu étudier longtemps parce que sa famille l'a mis à la porte quand son père est mort, et que sa mère voulait se remarier. Mais il n'a pas fait comme les nègres, il a étudié par correspondance, ce qui est peut-être mieux parce qu'on doit apprendre tout seul ; on ne reçoit pas tout déjà mâché dans la bouche comme les paresseux. Tous les voisins le respectent ; seules les tantes disent du mal de lui en son absence.

Ma mère est bien plus petite que lui, presque plus petite que nous, et c'est plutôt elle qu'on devrait appeler « la Noire ». Elle se maquille beaucoup pour sortir, avec des couleurs éclatantes qui font ressortir ses cheveux foncés. Les tantes et ses amies disent qu'elle est gitane ; ça la rend toute souriante, fière. Je ne comprends pas ça non plus, car elle me menace souvent avec les gitanes, en disant qu'elles volent les mauvais enfants et qu'elles lisent l'avenir dans les intestins ouverts des bébés. Chaque fois qu'une gitane passe près de nous dans la rue, ma mère l'arrête pour bavarder, sans faire attention à nous. Lili s'approche à son tour, même si elle a le bébé dans les bras. Les gitanes sont encore plus foncées que ma mère; elles sont sales et vont nu-pieds, mais ne semblent pas s'occuper des enfants. Elles en ont beaucoup elles-mêmes, des filles surtout, qui entourent ma mère et les tantes pour participer aux sorcelleries. Peut-être que leurs petits garçons sont mangés tout de suite, ou qu'on les garde bien enfermés en attendant le moment de regarder dans leurs boyaux. Comme dans l'histoire du petit Hans, que les tantes aiment raconter souvent pour prouver qu'on peut vraiment abandonner les garçons méchants, et ne plus revenir les chercher. Mon père se fâche quand il entend cette histoire, et il me dit que ce sont des mensonges de femmes, qu'on peut recevoir des raclées, c'est pour notre bien, mais qu'il ne va pas laisser les femmes nous abandonner. Que c'est défendu: suffit d'appeler la police et elles vont en prison. Mon frère dit la même chose; il le dit aussi aux femmes parce qu'il n'a pas peur. Il menace de tout raconter à mon père et elles se mettent à crier, mais sans le punir.

Je me sens quand même concerné par ces menaces. Je suis certain qu'elles ne donneront jamais mon frère aux gitanes, puisqu'il va se mettre à crier et qu'après mon père va tuer tout le monde. Le bébé non plus; elles l'aiment trop, et Lili a besoin de lui pour rester en bonnes relations avec saint Antoine. Mais si jamais elles décident de me donner, je ne sais pas ce que je pourrais faire. Alors, j'évite de trop m'approcher des gitanes. Je les regarde de loin, prêt à m'enfuir en courant. Je crains aussi les clochards parce qu'ils attrapent les enfants et les emportent dans leurs sacs pleins de vieux journaux. Mais ils sont moins dangereux pour moi, car les femmes ne s'en approchent pas non plus; elles en ont peur. Je ne les aime pas, mais j'en ai moins peur que des gitanes. Si je les regarde attentivement, ils me semblent un peu tristes, ou bien ils se mettent à rire et à faire de drôles de grimaces. Il y en a qui cherchent à m'amuser, comme celui qui boit au fond du bar et qui m'a déjà donné des revues. Il reste là longtemps après avoir vidé son verre, en attendant que le Portugais du comptoir ou qu'un client lui en offre un autre. Parfois, il se met à chanter. S'il n'est pas trop ivre et s'il ne pisse pas à terre, les gens lui foutent la paix. Lui aussi, il a un sac plein de vieux journaux.

Mon frère n'aime pas sortir le soir, et de toute façon les tantes préfèrent qu'il ne vienne pas. Il est trop pressé, ne sait pas attendre. Aussitôt dehors, il veut déjà recevoir ce qu'on lui a promis pour qu'il se tienne tranquille. Ou il veut quelque chose d'autre, tout de suite. Il n'aime pas le bar parce que c'est trop sale; et s'il faut marcher, il veut déjà rentrer parce qu'il est fatigué. Si Lili se fâche, il menace de tout raconter à la maison; ça la rend nerveuse, et ses amis de mauvaise humeur. Il ne sait pas se promener. Il demande tout le temps où on va, si c'est encore loin, pourquoi il faut y aller, qu'est-ce qu'il y a de si drôle… Il emmerde exprès puisqu'il sait très bien qu'on ne va jamais nulle part. On ne fait que se balader pour passer le temps. Et s'il nous accompagne, ce n'est pas bon pour moi non plus parce qu'alors l'ambiance se fait lourde. Le bébé ne vient pas parce qu'il est petit et qu'il encombre. Ma mère dit qu'on pourrait penser que c'est le fils à Lili, et que ça ferait pute. J'y vais seul. Comme Maria participe aussi à la conversation, je suis vite oublié. Si je les suis sans dévier ni traîner, et si je n'ouvre pas la bouche, personne ne se fâche.

Elles aiment aller vers la place Tiradentes, en traversant l'avenue et en suivant le chemin du tramway par la rue Andradas. C'est une rue étroite, mal éclairée, bordée de vieilles maisons portugaises. Le soir, les bars sont presque vides, avec des clients paresseux qui dégustent encore quelques bières avant de rentrer. Elles s'arrêtent ici et là pour bavarder avec des amies qui se joignent parfois à la promenade. Ou bien on rencontre un groupe d'hommes, et elles se perdent en présentations, en rires, en regards ennuyés mais très scrutateurs, avec une nervosité croissante et beaucoup de jalousie. Alors c'est raté pour moi car on n'ira pas loin. Je reste là, en attendant d'être complètement oublié, puis je vais m'asseoir sur le trottoir pour regarder les blattes et les rats qui sortent du caniveau. Quand les hommes les invitent dans un bar, c'est mieux, à cause des gens intéressants qui racontent des histoires ou qui abandonnent des revues pleines d'images. On m'offre parfois de la bière sucrée; les femmes sont contentes et elles acceptent des verres à leur tour. Pendant qu'ils s'amusent, je remplis mes poches de capsules, ou je ramasse des sous-verre qui, le lendemain, deviendront des soucoupes volantes en partance de notre fenêtre.

Leurs amis ne sont pas fameux. Rien d'autre ne semble les intéresser que de parler d'amour, ou de faire des remarques sur la beauté des femmes, leurs cheveux, et d'autres histoires idiotes. Très rarement des commentaires vite escamotés sur le football. Faut pas déplaire aux femmes. Ce sont des commis, des garçons de table d'autres bars, rien d'excitant. Il n'y a ni marin ni pilote, pas même des débardeurs, des contrebandiers, des bandits. Surtout pas de pompiers ou de policiers. Alors ils n'ont rien à raconter. Ils se regardent et sourient, en attendant que la soirée passe ou qu'un miracle arrive. Mes tantes adorent ça.

Lorsqu'elles ne rencontrent personne, la promenade peut être plus longue. C'est clair qu'elles trouvent ça moins intéressant. Je vois leurs regards qui cherchent partout, avides, au lieu de se divertir avec le paysage, avec les poubelles qui débordent, les chats qui chassent ou les couples qui se frottent dans les entrées sombres. Peu importe, ça m'amuse de sortir de la maison. Et plus c'est loin, mieux c'est.

Au bout de la rue Andradas, il y a la petite place São Francisco dont je sais qu'on approche juste en sentant sa forte odeur de café. Il y a là un bar où l'on torréfie le café avant de le servir au comptoir; il parfume les alentours même lorsqu'il est fermé. Cet endroit me fait penser à mon père: il s'y arrête chaque fois pour boire quelques tasses en fumant sa cigarette, très lentement, le regard distrait vers les tramways qui passent. Il est bien différent des femmes dans sa façon de regarder les choses. Leurs regards à elles ne sont jamais désintéressés, comme si tout ce qui existe devait servir de miroir.

Nous continuons notre balade en bifurquant sur la rue des théâtres, pour voir les gens bien habillés qui sortent des représentations. C'est une rue plus large, illuminée et décorée par les affiches des salles de spectacle, où on voit des costumes exotiques, des smokings, et où pullulent les travestis. Les femmes ne s'arrêtent pas; cette rue n'est qu'un lieu de passage pour nous, histoire d'alimenter le rêve. Elles paraissent gênées de leurs robes qui ne paient pas de mine sous ces lumières scintillantes. Leur objectif est la place Tiradentes, un peu plus loin, lieu de dancings populaires, de femmes en costumes trop serrés et au maquillage violet rehaussant le teint mulâtre. C'est une grande place pleine de bars ouverts toute la nuit, avec sa légion de marins, de soldats et de vagabonds. Ici les lumières sont moins crues, mais la musique des orchestres de danse réchauffe l'atmosphère. Tous les bancs sont occupés; même sur le gazon autour de la statue du martyr, il y a des gens assis, d'autres couchés, des couples et des groupes de clochards. Les bonnes et les cuisinières des alentours s'y donnent rendez-vous pour se montrer. Mes tantes cherchent aussi à plonger dans ce monde, timidement, dans l'espoir de se faire des amis qui les amèneront danser. On se croirait dans une fête foraine, avec des orgues de barbarie, des marchands ambulants de pop-corn, de cacahuètes grillées, de barbe-à-papa, de glaces aux couleurs surnaturelles, dont l'odeur rehausse la senteur des aisselles sucrées par les parfums bon marché. Sous la lumière des lampes à acétylène, la vaseline brûlée des chevelures lissées au fer chaud prend un reflet verdâtre, donnant un aspect de masque mortuaire aux visages trop poudrés. Beaucoup d'hommes sont en uniforme, même les pompiers et les facteurs, puisque c'est comme ça que les femmes les trouvent plus beaux. D'autres pavoisent avec des costumes blancs, des chapeaux et de larges cravates multicolores. Mais la plupart passent inaperçus, leurs habits se confondant avec la lumière nocturne et la grisaille des maisons. Ici et là des lampes rouges ou bleues annoncent les dancings par un halo blafard sur les feuilles des arbres. La foule se déplace nonchalamment. Parfois un ivrogne passe auprès de moi en clamant des obscénités, ou une folle, ou un clochard qui me montre sa face pleine de suie sous les cheveux collés de graisse. Des badauds fatigués et des mendiants dorment sur les bancs. Je finis aussi par m'assoupir dans un coin. Ensuite les femmes me ramènent à la maison comme un somnambule.

4

Dès que les couleurs arrivent à mes yeux dans le coin sombre de l'atelier, le passé se met à danser dans mon esprit. Comme lorsque je fermais les yeux dans mon lit, au retour des promenades. Parmi ces espaces glacés qui m'entourent, il m'est d'autant plus facile de m'abandonner à ces voyages imaginaires. Maintenant que je sais dompter les images en leur donnant une forme plastique, je peux davantage en tirer profit.

Cela n'a pas été facile au début. Surtout que je suis arrivé en pensant que c'était provisoire, pour faire un peu d'argent et repartir. C'est ce que je me disais. Ici, à l'étranger. Je n'ai même pas vu passer les premiers hivers; tout était si nouveau, si confortable, tranquille. Je me suis laissé aller à cette ambiance d'étendues blanches. Comme je venais du tourbillon, ce calme m'a séduit. Peu à peu cependant, un processus insolite s'est mis en marche, discret et extrêmement efficace: accepter d'être étranger, exilé. Considérer toutes choses comme provisoires, être autre derrière mes apparences, me perdre dans ces rues propres et presque désertes, parmi ces gens qui m'étaient inconnus. Tolérer que les choses autour de moi ne soient pas les vraies choses, qu'elles soient autres que ce qu'elles sont pour moi. Lentement, en m'habituant, sans passages brusques, puisque de fait j'étais leur étranger. Presque comme des vacances, en attendant un peu et encore un peu plus.

Je me revois à la sortie de l'aéroport, m'étonnant de la taille énorme des automobiles, de l'apparence moderne de cette grande ville où je pouvais enfin me perdre, passer inaperçu. Rien ne m'y attachait, aucun souvenir, aucune souffrance. L'étranger porte un masque d'apparence anodine pour être accepté, pour qu'on le laisse en paix. Il n'est pas sûr des autres, ni prêt à abandonner sa nature profonde. Il joue un jeu pour s'intégrer. Par l'orifice des orbites il essaie d'apprendre à son corps cette danse qu'il singe mais qu'il ne ressent pas. Tel un nègre sur une patinoire, je m'agitais, maladroit et déséquilibré, cherchant à ne pas être ridicule à leurs yeux. Rien que pour un certain temps, en attendant que les choses se tassent là-bas.

L'exil m'a alors permis de découvrir que je ne souffrais pas comme les autres, qu'au contraire j'avais toujours été étranger, partout. Possédant le mimétisme spontané des êtres de nulle part, j'enfilais la carapace protectrice derrière laquelle je pouvais regarder à loisir et collectionner mes visions. Je me suis ainsi mis à glisser peu à peu, sans en prendre conscience, content seulement de glisser, d'obéir à cette tendance naturelle. Un retour en quelque sorte du petit garçon curieux d'autrefois. Sauf que le monde perdait désormais de sa substance. Il m'apparaissait toujours comme un spectacle continuel, certes, mais chaque fois plus pauvre comparé aux images de mon esprit. Ces dernières semblaient gagner de l'autonomie, se combinant entre elles pour en former de nouvelles, s'imposant comme une algèbre au long de toutes ces années.

Peut-être que le prolongement des vacances en exil a pu accentuer le processus, ou le rendre définitif par l'effet d'une déprivation sensorielle. C'est ce que je me disais au début, soucieux encore d'appartenir à la société de mes semblables, engagé et compatissant. Plus maintenant. Je me suis mis à l'écoute exclusive de mes images, m'abandonnant à leur charme dans l'espoir de retrouver quelque chose de palpable. Je consacre tout mon temps et mes biens à cette activité qui peut paraître absurde. Mais rien d'autre n'a pu capter mon intérêt dans ce nouveau pays. On dirait que, sans en être conscient, je suis venu ici pour retrouver une solitude propice à mes rêveries, pour donner libre cours à mon passé.

Avec le temps et le savoir-faire, mes tableaux sont devenus de plus en plus grands. Autrefois je devais encore apprendre le métier, me battre avec les images qui se dérobaient en me hantant. J'étais trop prisonnier de la réalité environnante, je cherchais à copier les choses au lieu de les fuir. Mais lentement, à mesure que je me dépouillais de mes apparences, les tableaux ont pris forme. Ils se sont structurés de manière plus complexe, se transformant en réseaux serrés d'images en interaction, prêtes à déborder les dimensions de mes premières tentatives. Les surfaces se sont agrandies, se multipliant souvent en plusieurs panneaux trop grands pour être assemblés dans mon espace trop restreint.

Aujourd'hui ces images extériorisées encombrent toute la place, l'effet est schizophrène et je ne peux pas en disposer. J'ai déjà eu l'idée de les détruire, tous ces tableaux, évidemment. Parce que j'en détruis plusieurs, chaque fois que l'un d'eux s'écarte de l'image originale. Surtout au début, j'en détruisais très souvent. C'est d'ailleurs très agréable de peindre sur un panneau apprêté par une peinture que je n'aime pas. Ça donne du mordant à la surface. Puis je les tourne contre le mur pour qu'ils arrêtent de me tourmenter. L'image est alors captive, épinglée, étiquetée, comme un rat qui n'est plus nuisible, domestiqué presque, mais surtout privé de vie sur un présentoir, sous la mention *ratus ratus*, ou *ratus norvegicus.*

Je les cache et je les conserve comme souvenir de ce qui fut. Si mes tableaux ne se vendent pas, ce n'est pas la faute du public, bien sûr. Ni de personne d'ailleurs. Je suis le premier à reconnaître qu'ils sont étranges, peu décoratifs, trop agressifs. Et pourquoi donc quelqu'un qui n'est pas hanté par mes images serait-il obligé de les regarder, ou de les exposer chez lui ? J'ai décidé tout seul de les faire; on ne m'a jamais encouragé dans ce sens, bien au contraire. Un tableau, ce n'est pas comme un poème que l'on peut lire et oublier lorsque notre état intime se modifie. Un tableau, c'est un objet; il s'imprime dans le quotidien et s'impose à notre regard. Il faut aussi le posséder, cet objet encombrant qui coûte cher et qui ne va pas forcément avec les couleurs des rideaux. Je sais tout ça et je m'en fiche. Autrefois j'avais encore des velléités de communication et j'acceptais de les montrer. Mais c'était toujours la même déception, pour moi et pour les autres. Ils ne s'attendaient pas à ces visages qui hurlent, à ces mains énormes, ces yeux qui regardent. Tout mon peuple maigre, excessif, torturé se mettait à danser malgré moi, rendant le dessin plus obsessif et les diagonales plus nerveuses. Et ce manque de nébuleux qui ne laisse pas de lieu de fuite, qui viole le regard comme une affiche de police. Tout gênait mes visiteurs. Je me sentais encore plus mal à l'aise de devoir expliquer les légendes ou les références historiques que personne ne connaissait, les citations de poèmes que personne n'avait lus. Leurs commentaires étaient déplacés, avec des silences lourds comme lorsque quelqu'un n'ose pas demander où sont les toilettes. Le pire, c'étaient les réflexions béates sur le malheur des pauvres gens, sur le tiers monde ou, lorsque trop angoissés, ils poussaient la bienséance jusqu'à suggérer des interprétations sauvages sur ma propre personne. Très pénible, en effet. Je ne sais pas vraiment quoi faire dans ces situations, quand je dois arrêter de parler, si je dois montrer d'autres tableaux, comment je devrais abréger la visite. Heureusement que les gens savent réagir, qu'ils sont mondains, jouant avec le regard et le corps pour changer de sujet, s'extasiant sur un objet quelconque de mon atelier pour dévier des tableaux. Ou alors sachant que je viens de là-bas, ils bifurquent sur le carnaval ou la samba:

— Les belles plages, hein? Voilà tout, mon vieux; faut pas s'en faire... Les tristes tropiques. J'ai déjà passé une semaine à Acapulco, ou en Jamaïque, ou à un Club Méditerranée, je ne m'en souviens plus... en tout cas, des gens très gentils, des enfants merveilleux qui vendent du jus à la plage. Tiens, mon beau-frère a adopté une petite Chinoise. Il faut surtout savoir marchander. Dès qu'ils voient que tu es étranger, ils augmentent les prix. Mais là-bas on ne voyait pas de misère ni de mendiants. Le soleil tout le temps, la boisson à volonté, leur joie de vivre dans la danse...

Que répondre? Leur casser la gueule, me mettre à faire quelques pas de samba, ou violer sur-le-champ la femme du visiteur qui me regarde avec une envie d'uriner? C'est un dur métier, l'exil.

5

Chez nous l'ambiance est lourde, visqueuse, avec une menace qui plane toujours dans l'air. Les disputes ne changent rien à la routine, elles en font partie. Mon père travaille beaucoup et n'est presque jamais là; il sort tôt le matin et ne revient que tard dans la nuit. Les gens de la maison ne se parlent pas de la journée. Puis nous allons dormir. On me réveille parce qu'il faut faire les lits. Maria me donne un morceau de pain en guise de petit déjeuner, et l'ennui recommence jusqu'au soir.

Je ne sais pas au juste ce que font les autres, à commencer par mon père. Chaque fois qu'il sort, c'est pour aller travailler, même s'il est bien habillé et qu'il met son chapeau blanc, en nous embrassant, sans tenir compte des injures de ma mère. Elle crie parfois qu'il va voir sa pute. Ma mère, elle sort seulement pour sortir, seule ou avec ses amies, en nous disant de rester bien sages, de ne pas causer de soucis. Elle se maquille avec enthousiasme et arrange soigneusement ses cheveux, sa robe et ses seins qui débordent. Souvent nous dormons lorsqu'ils rentrent. Si elle ne sort pas, ses amies peuvent venir essayer les robes qu'elle leur fait, ou bien des clientes, qui finissent aussi par devenir des amies et par sortir avec elle. Là encore, il faut rester sages parce que les clientes n'aiment pas le bruit. Ses amies sont aussi très maquillées et parfumées. En les regardant de près, je peux voir la couche de fard qui craque aux plis du visage, les poils de la moustache qu'elles blanchissent au peroxyde, les coulures de crayon noir qui se mélangent à la sueur et noircissent encore plus les poches sous les yeux. Il arrive qu'elles décident de se maquiller à nouveau, ou d'apprendre à Lili comment faire pour paraître plus femme. Le résultat final dépend un peu de chacune, mais ça fait toujours un peu comme les clowns du cirque, ou comme les gens méchants pendant le carnaval. Elles se déshabillent pour essayer les robes, et en profitent pour montrer les marques bleues qui constellent leurs cuisses ou pour comparer leurs culottes.

Les pires sont celles qui aiment m'embrasser. De vraies sorcières. Elles commencent par me palper avec leurs mains aux ongles recourbés, puis m'attrapent solidement. Pris au dépourvu, je subis la vision effrayante de leur visage qui s'écrase contre le mien en le barbouillant de rouge à lèvres, je sens leur langue qui mouille, l'haleine lourde et acide. Il y en a une qui a l'air complètement folle; elle se met à crier et à chanter dès qu'elle arrive. Sa bouche gigantesque laisse voir d'énormes dents en or. Et elle lèche sans cesse la peinture de ses lèvres en l'étalant sur son menton. Ma mère la respecte et la laisse faire, même lorsqu'elle se met à beugler des refrains publicitaires de la radio mêlés à des airs d'opéra. En plus, cette folle adore me faire peur en me fixant avec ses yeux méchants, qu'elle sait faire bouger au même rythme que sa langue. Une fois elle a sorti son sein tout ridé et m'a couru après, en disant qu'elle voulait me faire téter.

D'autres sont moins bavardes et très sèches, l'air sévère et pressé, jetant par terre les robes dont elles ne sont pas contentes. Celles-là ne veulent pas nous voir parce qu'elles n'aiment pas les enfants. On nous enferme dans la chambre. Parfois, nous sommes refoulés dans la cuisine, quand elles viennent avec leurs messieurs et qu'elles préfèrent essayer les robes dans la chambre à coucher.

C'est comme ça, les amies de ma mère. Elles se joignent aux tantes pour prendre le café et pour parler des hommes qu'elles connaissent. Je n'ai jamais vu la pute de mon père puisqu'elle ne vient pas chez nous. J'ai même de la difficulté à imaginer comment elle est, mais je crois qu'elle est belle et qu'elle n'a pas besoin de se maquiller. En tout cas, ma mère et mes tantes ne l'aiment pas.

Le monde de mon père est bien différent. Son atelier est plein de choses intéressantes. Des fils partout, des outils et des pièces électriques éparpillés, des résistances en mica qui brillent comme des bijoux. C'est un vrai fouilis de boîtes et de lampes, de radios éventrées, d'appareils empilés les uns sur les autres. Quand il est là, il parle encore moins, très concentré, penché sur son travail, avec ses rares cheveux défaits. Il a un apprenti qui l'aide, un drôle de garçon au visage de singe, qui sourit tout le temps et qui n'a pas l'air très futé. J'y suis allé à quelques reprises parce que ma mère et Lili voulaient se promener aux environs de la place Republica. On y va encore plus souvent depuis qu'elles ont découvert un centre de spiritisme dans le même immeuble que l'atelier de mon père. C'est lui qui en a parlé à la maison, qui nous a décrit le bruit qu'ils font la nuit, durant leurs cérémonies. Il a raconté ces choses en riant parce qu'il ne croit pas aux histoires de macumba. Mais ces voisins ne le dérangent pas du tout parce que ce sont des gens pacifiques, qui ne tolèrent pas d'immoralité chez eux; même qu'ils ont fait appel à ses services pour installer l'éclairage d'un autel plein d'images.

Ce récit a vite captivé ma mère, l'amenant à conclure que la place Republica est définitivement un bon endroit pour se promener. Elle n'a pas tort. C'est un parc très grand, plein d'arbres, juste en face de la gare centrale. Le soir, il est fréquenté par des couples qui s'embrassent ou qui se montent dessus, en ronflant et gémissant comme s'ils s'étouffaient. Beaucoup de clochards aussi, des filles qui attendent, des gens qui se reposent en buvant, et des vieilles qui donnent à manger aux chats. Parce qu'il y a des chats partout, des chats maigres, un peu sauvages et nerveux à force de fuir le vendeur de brochettes grillées. Tout le monde sait que c'est du chat grillé ; le vendeur l'annonce lui-même en miaulant. Les clients pourtant se lèchent les doigts. On ne m'en a jamais donné parce que le chat transmet des maladies, et que de toute façon c'est un gaspillage de manger dans la rue si on a déjà soupé à la maison. Ces grillades sur le charbon sentent si bon que les femmes s'arrêtent souvent pour regarder avec envie, tout en faisant remarquer que c'est dégueulasse de manger ces sales bêtes. D'autres vendeurs ambulants s'installent autour, avec leurs lampes qui attirent une légion de papillons de nuit. Les couples viennent se restaurer, puis ils retournent vers les buissons.

Au début, nous pouvions courir à volonté dans le parc pendant que les femmes allaient au centre de spiritisme. Mon frère n'aimait pas qu'elles nous laissent seuls parce qu'il a peur des morts. Et des chats aussi, un peu, car les chats mangent les morts. C'est qu'il y a souvent des morts dans ce parc, comme les clochards étendus, qui commencent à puer en attendant le fourgon de la morgue. Ou des gens blessés dans des bagarres. J'ai même vu une femme avec la jupe relevée jusqu'au ventre, avec du sang noir entre les jambes ; seule sa tête était recouverte d'un journal. Les gens restent autour à discuter, et personne ne nous empêche de regarder. C'est bien étrange un cadavre ; ça ressemble à quelqu'un qui dort, mais on voit bien qu'il est mort. Parfois c'est la position du corps qui est inhabituelle, la bouche ouverte d'une drôle de manière, les yeux quasi fermés où on voit le blanc un peu bleuâtre. La couleur de leur peau aussi, grise et jaune sous la lueur des chandelles.

Les morts m'ont toujours intéressé, plus encore que les chats ou les clochards. Chaque fois, il faut que j'aille voir, même si je sais que je vais y penser tout le temps, et que, le soir, je vais avoir peur qu'il vienne me tirer les pieds. Mon frère n'aime pas s'en approcher; il dit que c'est dangereux, que les mouches viennent ensuite nous voler autour, et que c'est comme si nous avions touché le cadavre. Quand on y pense, c'est vrai que c'est un peu dégoûtant. Mais je ne peux pas résister.

C'est d'ailleurs en bonne partie à cause des morts qu'il ne veut plus venir. Même si quelquefois nous nous cachions bien comme il faut au fond d'un buisson pour voir les hommes monter les filles. Elles se débattaient et j'avais peur qu'ils les étranglent ou qu'ils nous découvrent là, à espionner. Mon frère a menacé de tout raconter à la maison si elles nous laissaient encore seuls. Alors il n'est plus venu, et ça a été pire pour moi. Il faut désormais que j'attende dans le vestibule du centre de spiritisme.

C'est une salle très grande, bien plus grande que l'atelier de mon père, dans laquelle ils ont aménagé un vestibule de fortune. Les demi-murs de planches sont bas et laissent passer les bruits. J'ai vraiment peur parce que les gens dans la salle se taisent, et que la voix rauque du prêtre prend des intonations sinistres pour amadouer l'esprit qui s'en vient. J'ai beau m'accroupir sous le banc, en me bouchant les oreilles et en fermant les yeux, le sommeil ne vient pas. J'entends même le fantôme lorsqu'il commence à crier comme un vrai fantôme. Puis il faut que je regarde un peu, de peur qu'il ne sorte de la salle pour venir m'attraper sous le banc. Il y a les ombres des gens sur les murs, et ma mère dit souvent que les ombres des morts restent autour des vivants tant que l'esprit ne s'est pas vengé. Alors je pense aux morts du parc tout proche, qui savent que je les ai regardés, et qui me regardent maintenant pour se venger. Et voilà que les gens recommencent à chanter, ou à danser en renversant les chaises; les femmes crient, le prêtre appelle encore d'autres esprits. Ça peut durer longtemps car chaque femme paye pour que le fantôme de son choix apparaisse, et des fantômes à qui on n'a rien demandé se pointent parfois à l'improviste.

Ils ont de drôles de voix, les esprits, pareilles aux gémissements des hommes lorsqu'ils montent les filles dans le parc. Comme s'ils avaient envie de tousser mais que ça raclait dans leur gorge. Ça ne doit pas être facile d'être fantôme, et ça doit faire très mal. On le voit bien à la façon qu'ils ont de crier. Ma mère dit que c'est important de parler avec eux, qu'ils savent un tas de choses que nous ne savons pas, qu'ils peuvent nous aider, si nous les aidons à notre tour, en priant et en faisant des choses de spiritisme. Mon père pense que ce sont des histoires de femmes connes et de nègres ignorants. Elle n'aime pas qu'il parle comme ça des esprits, et elle rétorque que c'est pour ça qu'il est dans une merde pareille, que nous sommes tous dans la misère. C'est difficile pour moi de comprendre. Nous ne sommes pas misérables comme les clochards, mais c'est certain qu'il y a quelque chose qui ne va pas bien chez nous.

Accroupi sous le banc, je préfère que les fantômes ne m'aident pas, qu'ils ne s'approchent pas. Dans ma tête, je leur promets de prier pour eux s'ils me foutent la paix. Je sais qu'ils sont méchants, tout en ombres qui se dérobent pour faire peur, pour me surprendre. Les femmes au contraire paraissent aimer ces séances; elles en ressortent toutes contentes, un peu excitées, avec l'envie de faire pipi.

J'ai tellement peur quand je vais là qu'ensuite je suis épuisé et je dors profondément durant la nuit. La fois suivante, j'y retourne encore car tout cela m'attire. Dès qu'elles me laissent seul, je me cache de nouveau sous le banc et tout recommence.

Mon père me rassure parfois, en imitant le bruit des esprits. Il m'a dit que je ne dois pas croire non plus le livre avec des images de l'enfer, que ce sont des dessins pour faire peur aux gens. Des dessins très noirs, avec des montagnes, des trous, de l'eau et du feu, plein de fantômes et de démons qui les enfourchent. Il sait que j'aime beaucoup ce livre, même s'il ne faut pas parce que tous les gens sont déshabillés. Il l'a caché le jour où mon frère a arraché une page, à cause de l'ogre. Mais de temps à autre il me laisse le regarder encore. Les ombres des images ressemblent aux ombres sur le mur dans le centre de spiritisme; il fait très noir et les fantômes souffrent beaucoup. Ma mère pense toujours que ce sont des photos de l'enfer, et elle a très peur de ce livre. Pas mon père. Il aime regarder les images même s'il ne comprend pas très bien ce qui est raconté là-dedans. En tout cas, il est sûr que ce sont des choses inventées par les curés, pour exploiter les femmes et les pousser à aller à la messe.

Mon père se moque de ma mère, mais il ne l'empêche pas de faire ses choses de macumba. Elle prépare des paquets lorsqu'il n'est pas là, en cachette parce qu'il n'aime pas le gaspillage. Avec la grosse Noire, elle emballe des trucs à manger, une bouteille de *cachaça**, des cigares et des gâteaux, qu'elle fait bénir dans un autre centre de spiritisme. Puis elle va déposer son paquet à un carrefour de la ville, grossissant le nombre de paquets que les pauvres consacrent aux esprits. Ma mère explique que ce sont des offrandes pour demander quelque chose, des dépêches comme les gens les appellent; si les esprits sont contents, ils vont exaucer ses vœux. Mon père trouve qu'il ne faut rien attendre

---

* Eau-de-vie de canne à sucre.

d'esprits ivrognes, buveurs de cachaça. Il ajoute que les femmes ne demandent jamais rien de bon pour personne, qu'elles ne veulent que se faire du mal les unes aux autres. Ma mère se fâche aussi parce qu'elle sait que papa récupère les bouteilles de cachaça et les cigares dans d'autres paquets qu'il trouve, surtout s'ils sont de sa marque préférée. Je l'ai déjà vu faire au cours de la promenade du dimanche, et rien de mal ne lui est arrivé. Seulement il ne faut pas toucher à la nourriture ni aux gâteaux, parce que les femmes les empoisonnent, ou elles mettent des saletés dedans. C'est vrai. Une fois, j'ai entendu ma mère demander à la Noire de lui procurer un placenta pour faire une dépêche spéciale au nom d'une de ses amies. Je ne sais pas trop ce qu'est un placenta, mais à leur façon d'en parler j'ai compris que c'est une chose dégoûtante, une espèce de pieuvre ou d'intestin. La voisine de la Noire avait attrapé un placenta et elle était tombée très malade, toute maigre à cause du sang qui coulait sans arrêt. On dit que celui qui donne un coup de pied dans un paquet de macumba va mourir dans l'année. Mon père n'est pas d'accord avec ça non plus; il m'a expliqué que ce sont des histoires pour éviter que tout le monde fasse des tirs au but avec les dépêches. Parce que dans notre pays on a la passion du football, et ce n'est pas facile de résister à un paquet bien placé.

Le père et la mère ne sont d'accord sur presque rien. Mais les gens respectent les avis de mon père, tandis que ma mère doit toujours attendre les Noires pour savoir quoi faire. Puis le père sait réparer toutes sortes de choses: radios, grille-pain, coussins chauffants pour les femmes qui ont mal au ventre, lampes, cireuses de plancher, et même auréoles lumineuses des statuettes de saints. Il sait aussi faire des piqûres quand on est malade. Les femmes de l'immeuble font appel à ses services, comme ça elles n'ont pas besoin de montrer leurs fesses au commis de la pharmacie, qui est complètement taré.

Une fois il m'a emmené chez une Portugaise parce que son mari n'était pas là et que ce n'était pas bien qu'il y aille tout seul. Cette femme habite un peu plus loin dans la rue; c'est un logis dans une cour intérieure très humide et pleine de cages d'oiseaux. La couleur vert-gris du stuc se mélangeait à la mousse qui sortait des dalles du plancher et des pots de fleurs; avec la lumière pâle filtrant du plafond vitré, c'était comme dans une forêt. Ça sentait les légumes bouillis et les cabinets. La Portugaise était jolie, mais elle parlait nerveusement parce qu'elle ne voulait pas que mon père voie ses fesses. Elle voulait qu'il fasse la piqûre à travers sa culotte bouffante. Mais il s'est fâché. Elle a vite obéi. D'un air sérieux, il a chauffé l'aiguille pour la stériliser, sans même regarder la robe de chambre qui était très ouverte. Avec des gestes précis, il a cassé l'ampoule, rempli la seringue, fait jaillir quelques gouttes en l'air et imbibé le coton d'éther. La Portugaise s'est penchée sur la table comme pour recevoir une fessée, presque couchée. Elle a baissé sa culotte en dégageant un cul énorme. Plus blanc encore que ses jambes à demi écartées, et séparé par une fente noire, velue. Il a tâté les fesses pour chercher une prise solide, et vlan! Dans la chair. Elle soufflait comme un fantôme. Nouveau frottis, et voilà qu'il lui flanque une tape retentissante sur l'autre fesse. Au lieu de pleurer, la Portugaise s'est mise à rire, contente, en se tournant vers lui avec tous ses poils noirs sur le ventre blanc. Et remontant lentement sa culotte, les yeux baissés, elle a dit merci, ajoutant que ça n'avait pas fait mal, que ses piqûres étaient bien bonnes. Ça m'a étonné qu'elle ne pleure pas, surtout après la tape, mais c'est comme ça, les femmes. Même qu'elle a voulu d'autres piqûres par la suite. Mais il y va désormais seul parce que maintenant il la connaît. Cette Portugaise n'a pas l'air très malade; pourtant ma mère dit qu'elle est syphilitique.

Le pire, c'est la tuberculose. Trois frères de ma mère sont morts tuberculeux; elle le répète souvent pour montrer qu'elle s'y connaît. Et comme je tousse, elle pense que, moi aussi, je suis faible des poumons. Plus je tousse, plus elle se fâche. La nuit, c'est terrible; ça empêche les autres de dormir et ça lui rappelle tout le temps que c'est contagieux. Ses frères aussi toussaient durant la nuit. Lorsque je ne tousse pas, je reste éveillé quand même parce que ça m'étouffe, et alors je pense aux fantômes. Parfois, elle me secoue pour me donner du café avec du beurre, ce qui calme la toux, ou encore d'autres infusions très bonnes pour les poumons et qu'elle achète dans les boutiques d'herbes comme le lui conseillent ses amies. Elle a une passion pour les tisanes de toutes sortes, pour le foie, pour les intestins, pour la tête, contre les vers, le mauvais sang ou les influences des esprits. Même si le goût est affreux, il est inutile de rechigner parce qu'elle s'arme de son fouet, en véritable sorcière, pour nous protéger contre les malédictions de l'au-delà. À cause de ma tuberculose, j'ai droit à tout un tas de choses spéciales, des doubles doses de feuilles macérées, de peaux de poisson séchées, même des trucs si dégoûtants que mon père l'empêche parfois de m'en donner. C'est peut-être grâce à tous ces remèdes que ma santé est si bonne; à part ma tuberculose, je ne suis jamais malade. Tandis que mon frère et le bébé souffrent beaucoup de douleurs aux oreilles, au ventre ou de la fièvre.

C'est à cause de la tuberculose que je connais si bien le dispensaire public, avec tous ces gens très malades. Je n'aime pas y aller, mais ma mère m'y oblige. Mes frères viennent rarement parce que leur peau enfle après le vaccin, prouvant qu'ils ne sont pas tuberculeux. La mienne non. J'ai beau gratter tant que je peux, rien ne s'infecte, pas la moindre rougeur. Ma mère dit que mon sang ne combat pas les microbes, que tout rentre dans moi sans que je réagisse. Les médecins lui répondent que ce n'est pas vrai, que je suis bien vacciné. Rien ne la convainc; et voilà qu'un mois plus tard elle me ramène pour un nouveau vaccin. Les médecins ne veulent plus me faire de B.C.G.; ils disent que ce n'est pas bon, que ce n'est pas de la vitamine, et ils se mettent en colère lorsqu'ils la reconnaissent. Je redoute ces visites. Un vrai cauchemar. Elle me réveille tôt le matin, déjà irritée parce qu'on va être en retard. Il ne faut rien manger. Je m'habille encore à moitié endormi, et nous voilà en chemin pour prendre le tramway vers le port. C'est un beau voyage, avec un tas de choses à voir, mais je reste inquiet. Pas que le vaccin fasse mal, non, je sais que c'est superficiel; ça démange un peu, la peau qui gonfle n'est pas belle à voir, mais c'est tout. C'est le dispensaire que je n'aime pas. Peut-être qu'un jour ils vont lui donner raison et que je vais devoir rester là, toute la vie, comme ses frères qui ont été gardés au sanatorium jusqu'à leur mort. Je vois bien à quel point elle est déçue chaque fois que nous revenons à la maison et que je ne suis pas assez tuberculeux pour les médecins. Alors, elle raconte partout que ce sont des vauriens, qu'ils ne soignent que les riches, qu'ils n'y connaissent rien. Suffit de me regarder. Ça saute aux yeux que je suis comme ses frères. Du coup, les gens me regardent avec crainte parce que je suis contagieux.

Le dispensaire est toujours entouré d'une foule de misérables qui font la queue aux portes. Surtout des femmes et des enfants car les hommes ne sont pas souvent malades, sauf les vieux et les syphilitiques. Une fois qu'on entre, c'est très sale; les couloirs sont très sombres. Les portes vitrées laissent voir des salles d'attente remplies de regards souffrants et fatigués, de pleurs d'enfants, de bébés rachitiques et verdâtres que les mères allaitent parfois de leurs seins flasques. Je peux observer à loisir d'énormes pieds gonflés par la chaleur et les longues marches, les orteils qui débordent des sandales étroites, parfois rien que des moignons. Des vieilles en masse, recroquevillées, aux yeux vitreux, qui semblent pleurer continuellement en cachant leur toux dans des tissus froissés. Tout prend la teinte jaune pisse des murs carrelés. Les infirmières s'affairent, irritées contre les gens qui attendent. Aux relents d'éther, d'iode et de substances amères se mélangent ceux de sueur, de moisissure et de méthane des usines environnantes. De temps à autre, un médecin passe, nonchalant, l'air supérieur, sans regarder personne. On doit attendre longtemps parce que les numéros sont appelés très lentement, et que le nôtre n'est pas prêt d'être crié. Ma mère me plante là et s'en va voir les autres salles, à la recherche des infirmières qu'elle connaît et qui sont au courant de mon problème. Elle fait plus confiance aux infirmières parce que quelques-unes sont de son avis au sujet de la tuberculose. Il y en a aussi qui peuvent me donner un B.C.G. en cachette, ou d'autres remèdes encore qui sont bons pour les poumons mais que les médecins ne connaissent pas. Chaque fois, c'est le même cirque. Ça finit par des discussions interminables entre ma mère et le médecin. Nous repartons enfin, sans B.C.G. mais pleins de conseils sur le repos, la nourriture abondante, le soleil et les vitamines. Ma mère boude pendant que je cache mon soulagement derrière des airs de grand malade, pour lui donner raison. Et bouche cousue, histoire de passer inaperçu, car elle croit que je risque d'infecter tout le monde.

Tout ce qui compte pour moi, c'est de reprendre le tramway dans la direction opposée. Ils sont grands, les tramways, verts et remplis à craquer de grappes humaines accrochées un peu partout. Les marches sont hautes, difficiles à monter, et il faut faire vite parce que le conducteur n'attend pas longtemps aux arrêts. Des mains inconnues me hissent à bord; je me faufile pour rester debout entre les bancs et regarder dehors. C'est beau, un tramway, roulant sur les rails comme un gros insecte pendu à des fils. Le soir, ils lâchent des étincelles bleues et vertes aux croisements, avec une fumée blanchâtre comme celle des cigarettes. Puis le vent frais rentre de partout. Les rues et les façades défilent tout près de mes yeux, lentement pour que je puisse tout voir, tout goûter. Voilà de nouveau le canal Mangue qui s'approche avec ses puanteurs de soufre et d'iode, ses algues, son eau pâteuse parsemée de déchets bruns et de taches d'huile. Le long de la grande avenue, il y a plusieurs magasins de tissus; leurs marchandises exposées sur les trottoirs font comme une décoration de foire. Il y a aussi les commerces de casseroles avec leurs reflets d'aluminium neuf et de pots de cuivre. Des usines, des entrepôts, des garages, des brasseries aux odeurs fortes. Dans les rues transversales, je peux entrevoir les clients qui attendent devant les bordels de ce quartier qu'on appelle aussi le Mangue. D'ailleurs, il ne faut pas que je prononce le mot « Mangue » à la maison parce que ce n'est pas beau. Ça déclenche le rire chez les tantes, les regards, les chuchotements, même l'envie de pisser. Elles n'aiment pas penser qu'on habite près du Mangue; et si quelques-unes de leurs amies y habitent, elles disent qu'elles viennent de la zone. C'est mieux. Lili a une envie folle d'aller voir comment c'est. De loin seulement. Moi, j'ai envie de voir de près, car tous ces gens semblent se promener comme dans une fête, et personne ne sait me dire ce qu'ils font là. Ma mère dit souvent des autres femmes qu'elles vont finir au Mangue. Dans le tramway, je vois bien l'intérêt des passagers, parfois des blagues ou des sifflements, quand on passe par là. Puis on arrive à la place Republica, pleine de gens et sans fantôme. Voilà ensuite la place Tiradentes, si encombrée de commerces et si différente lorsque les lumières des dancings sont éteintes. C'est déjà presque chez nous. Je me sens soulagé d'avoir échappé à la tuberculose pour quelques mois encore.

Nos dimanches par contre sont bien meilleurs, comme s'ils étaient éclairés. Il fait toujours beau le dimanche, et ça se voit dès le réveil. Nous sortons avec mon père, entre hommes. Il nous prépare le petit déjeuner à sa manière, tout bien organisé, les tartines au beurre et à la confiture disposées méthodiquement et coupées en triangles. Il nous regarde manger en souriant, comme s'il nous voyait pour la première fois, en insistant pour qu'on en reprenne encore. Les femmes ne s'approchent pas, se font discrètes. Nous avons nos habits du dimanche et lui son appareil-photo, et un cigare au bec. Les rues sont vides, fraîches; seuls quelques Portugais s'affairent à laver leurs bars. Nous marchons lentement pour regarder, sans but. Papa examine tout: les paquets de macumba, les clochards qui dorment, les morts dans le chemin. Les vitrines, les autos qui passent, les affiches sur les murs, les poubelles qui débordent, les pigeons ou le pressoir du kiosque de jus de canne à sucre, tout est pour lui objet d'une observation minutieuse. S'il achète le journal, nous nous attablons au bar *Avenida*, bien à l'ombre, juste à côté de l'entrée du tramway. Il commande un gin-tonic pour lui et des limonades pour nous, avec des chips bien salées. Ses gestes sont alors lents et posés, il a l'air absent, son regard effleurant à peine la surface des choses. Il aime regarder la vie, qu'il dit, pour voir le temps passer. Bien calé sur ma chaise, j'apprends à mon tour comment on doit regarder les choses. Je l'observe longuement pendant qu'il feuillette le journal, mais je ne suis pas capable de dire à quoi il pense. Quand je le lui demande, il me répond qu'il ne pense à rien.

Puis nous continuons la promenade en nous dirigeant vers la place Quinze, où se trouve l'embarcadère des bateaux de Niteroi. L'entrepôt de poissons dégage de fortes odeurs, et la mer est jonchée de saletés qui flottent au rythme des vagues. Le marché public domine la place avec ses couleurs éclatantes, ses odeurs sucrées et ses escadrons de mouches. C'est un endroit animé, bruyant, recouvert de tentes sous lesquelles les commerçants offrent leur marchandise en criant. Les stands de poisson m'attirent spécialement, et je peux m'attarder tant que je veux pour regarder les commis qui découpent les chairs, qui pèsent les pieuvres dégoulinantes, les tas de sardines et les paniers de crabes aux pinces agressives, bleu et mauve, parmi les algues. Puis les montagnes de noix de coco aux chevelures brunes, des régimes de bananes visqueuses côtoyant les piles d'ananas. Les femmes s'affairent parmi les stands à tâter et à marchander avec les Portugais, tout en se laissant parfois, ici et là, tâter à leur tour par des mains discrètes. Comme les mouches, une légion d'enfants misérables rôde partout pour offrir aux dames de porter leurs colis. Quelques enfants se déplacent dans des chariots improvisés, poussés par les plus grands, sans cacher leurs infirmités ni leurs membres estropiés, avec de larges sourires rouges en bec de lièvre, à peine habillés dans leurs haillons. D'autres courent, en taquinant les mulâtresses et en chapardant allègrement. Étonné, je regarde ces enfants vagabonds et je me compare à eux en silence, la tête envahie par des sentiments divers.

Mon père n'a rien à acheter, il vient seulement pour goûter au spectacle, pour se mêler à la foule en plongeant dans cette fête des sens. Il dévie ensuite vers le bord de l'eau, où sont accostées les chaloupes des pêcheurs. Les vendeurs de crabes cuits et de sardines grillées apprêtent leur marchandise sur des grils et dans de grosses marmites remplies d'eau de mer. Mon père aime beaucoup les crabes. Il s'arrête toujours ici pour bavarder et manger des crustacés, en nous apprenant à les aimer aussi, assis sur des caisses en bois. On n'en mange jamais à la maison car ma mère dit que les crabes sont des bêtes qui mangent les noyés. Ça reste un secret entre nous. Plus tard, si ma mère fait une crise lorsqu'elle découvre une vieille pince de crabe que j'ai gardée pour ma collection, il sourit en me faisant un clin d'œil.

Au retour, il s'arrête toujours pour acheter des bonbons. J'aime les bonbons, mais chez mon père c'est une vraie passion. Il est très amateur de sucreries de toutes sortes; même quand il mange sa salade de fruits, il la saupoudre d'une grande quantité de sucre. Le soir, en lisant son journal, il engloutit tous ses bonbons, et aussi des gâteaux faits à la maison, enrobés de mélasse. Son sourire est alors des plus taquins.

Le dimanche, il peut aussi nous emmener au Jardin botanique. C'est sa promenade préférée, la mienne aussi. On peut se perdre au milieu des bois et des sentiers qui n'en finissent plus. Là il n'est pas question de courir ni de s'exciter; mon père exige l'attention à tout. Et il adore nous montrer un tas de choses exotiques, depuis les plantes, les fleurs, les insectes, jusqu'aux fruits étranges qu'il nous laisse goûter. Il surveille les moindres détails comme si c'était son propre jardin. Pour nous photographier, il cherche des endroits précis, en étudiant avec soin la pose pendant que nous restons immobiles. Pour lui, c'est le moment le plus intense de la promenade. Moi, ce que je préfère, c'est regarder les cactus et les plantes carnivores. Je peux rester le temps qu'il faut pour observer; il n'est jamais pressé et il regarde lui aussi. Ou alors on découvre des insectes bizarres, des graines pour ma collection et des nids de fourmis. Il aime donner à manger aux poissons du lac, pour lesquels il apporte chaque fois du pain sec.

Le repas du dimanche est le seul qui réunit tout le monde: poule cuite dans une sauce grasse. Papa se fait des apéritifs avec de la cachaça et des fruits, qu'il sirote lentement en écoutant des airs d'opéra. Le son n'est pas très bon; il faut qu'il se colle à la radio pour bien entendre, surtout si ce sont ses préférés qui chantent, Gigli ou Chaliapine. Puis, c'est le silence à table jusqu'au dessert. À la maison, il a l'air d'avoir perdu la voix; et il n'aime pas non plus que les autres parlent. Il dit que ça gâche la digestion.

Puis ce sera la longue soirée, ennuyeuse, silencieuse. Mon père lit le journal. Ma mère déchiffre péniblement ce qui est écrit sur la page des recettes, des modèles de robes, l'horoscope et d'autres choses de bonnes femmes. Je suis par terre, ou dans la caverne du grand lit à regarder les illustrations du journal. Ces soirées sont interminables, d'un goût fade; le mutisme des gens est si épais que je peux le voir, l'entendre même lorsque je les regarde lire. J'ai parfois l'impression qu'ils vont crier. Mais ils ne font que bâiller. Je ferme alors les yeux pour revoir la ville, les couleurs qui se mêlent, les arbres et les insectes qui dorment déjà. Et j'essaie de ne pas penser aux paquets de macumba pour ne pas attirer la vengeance des esprits.

6

Quand je suis enfermé dans mon atelier, loin de la foule et de la mode, mon esprit divague. Les choses de la journée s'estompent et ce qui importe vraiment prend le dessus. Les pensées suivent toutes seules le mouvement des images. Le temps passe sans que je m'en aperçoive; le cendrier se remplit et les pipes éteintes s'alignent en une sorte de sablier de cendres. Je classe mes images ou je les compare aux tableaux qui leur ressemblent. M'abandonnant aux souvenirs, je reconstruis alors mes choses comme dans une exposition imaginaire. Les vrais tableaux ne comptent plus, je ne les regarde même pas. Ils ne sont plus que des capsules vides d'images domptées, étrangers désormais au processus vivant de mon esprit. Tout ce travail de rêverie suscite à son tour l'apparition d'autres images. Maintenant cela ne me hante plus; ces chaînes interagissent de façon feutrée, comme dans un film au ralenti. C'est qu'avec le temps les images sont devenues moins hostiles au langage. Il m'arrive de les faire apparaître accompagnées de mythes, d'archétypes ou de personnages rencontrés au cours de mes lectures. D'autres fois, je me sers de certaines idées pour saisir une image jusqu'alors trop impatiente, trop mouvante. Sans toutefois chercher à la comprendre ni à me comprendre. Le processus semble toujours extérieur à ma personne, et il garde une grande part d'équivoque, de hasard et d'épouvante. Il m'échappe en grande partie et reste soumis au gouffre des souvenirs. Mnémosyne, la déesse de la peinture est après tout mémoire. Et le champ de la conscience n'est pas un champ, un lieu; sa topologie est plutôt fluide, comme la lumière, obéissant à une dynamique propre d'éclairages et d'obscurcissements concomitants. Mais en leur attribuant un sens littéraire, je peux parfois les surprendre. Tel un pêcheur, j'ai appris à tendre les filets, les pièges de la raison, pour mieux les attraper. Les poèmes et les mythes me servent d'appât; et de par leur essence féminine, les images se laissent séduire. Contentes de ces déguisements ou appellations nouvelles, elles s'abandonnent alors à mes désirs de collectionneur. Aux plus indociles, j'offre un Prométhée; et voilà que je cueille ce prisonnier au fond de la cellule sale du poste de police, le corps inerte et les yeux brillants. Avec le thème d'Hiroshima, j'attrape d'un seul coup une légion de cadavres, de morts anonymes étendus dans les rues de ma jeunesse; et j'ajoute encore les gens d'un dispensaire public et les familles réfugiées de la sécheresse, qui attendent pour vendre leurs fillettes. D'un Sisyphe je fais des hordes qui portent des sacs comme des fourmis en migration. Avec des pietà, je capte le regard pénétrant d'enfants abandonnés qui jugent les passants. Un Job à lui tout seul me permet de figer des centaines de blessures et de malformations exposées au soleil. Jérémie devient un clochard fou qui hante mon esprit depuis longtemps, et que je n'osais pas affronter sans ce support. La Vierge Marie aussi, qui se mélange à Vénus, à Véronique et à la femme de l'Apocalypse, pour m'aider à saisir cette prostituée si jolie qui m'a appris à faire l'amour. D'un Lazare je fais le réveil pénible du clochard qui remue dans un coin d'une large cour à déchets, où j'allais chasser les rats. Danaé pute et mulâtresse; Pierrot lunaire qui hurle comme un chien perdu; Léda et son cygne du carnaval, s'embrassant dans les buissons du parc public. Marsyas en torturé, Suzanne et les vieux clochards. La Mort me sert à figer le carnaval, les masques et les rictus de douleur d'un bataillon de misérables qui dansent jusqu'à l'épuisement. Des clowns, des clowns à n'en plus finir, qui rient aux larmes avec leurs bouches dégoulinantes comme une folle chantant des airs d'opéra. Orphée me ramène l'image d'un nègre guitariste au sourire édenté, qui racontait des histoires de bagarres au rasoir. Tout me sert dans ce colin-maillard imaginaire: Thérèse d'Avila, la folle d'Espagne, Abel et Jacob, Marsyas et l'esclave scythe, le critique d'art et le cadre intermédiaire; les filles de Lot, la mère Courage et la femme de Putiphar. Le pape, naturellement; tout seul en train de se masturber ou entouré de fidèles assoiffés de bonheur. Mais aussi le petit Jésus, saint Antoine et Ganymède, Galilée et Hamlet, la reine Victoria, Thatcher et Sapho de Beauvoir. Même si je sais que ce n'est pas gentil, que ce n'est pas comme ça qu'il faut faire de l'art. Je n'y peux rien. Depuis que j'ai appris à traquer mes images, toutes les armes sont bonnes. Elles deviennent vaniteuses, dociles, fières d'entrer de la sorte dans un monde de culture et de civilisation. C'est que je viens de loin. D'un lieu où ces choses savantes n'existaient pas. Mes images sont restées naïves et sauvages, sans les raffinements et les maquillages de ce monde d'ici. Lorsqu'elles m'assaillent en se dérobant à mes efforts de dessinateur, je fais appel aux armes évoluées, comme les curés qui traquaient les Indiens avec le crucifix. La peinture n'est d'ailleurs que déguisement, tromperie et artifice. Par la suite, mes héros grecs, mes poèmes et mes saints ont tous l'air de clochards, de réfugiés, de putains et d'enfants rachitiques. Tant pis, c'est là le lot de l'immigré; il n'a de langage que celui qu'il emprunte, pour montrer des choses qui ne sont pas montrables. Qui parle encore de l'homme qui tient à bout de bras le cadavre de son enfant? Où sont montrés les Laocoon qui se font enrouler par les chaînes de la faim, ou les Sisyphe transportant leurs bidons d'eau sur les pentes de la favela? Le lexique et la grammaire viennent des métropoles étrangères, on n'y peut rien.

Qu'importe? Mon but est de les faire taire, toutes ces images. D'y mettre un peu d'ordre, ne fût-ce qu'en les masquant par des déguisements étrangers. Puis, je les tourne contre le mur et je passe à d'autres. L'illusion de faire de vrais tableaux s'est estompée avec le temps et avec les échecs. Il ne reste que cette activité solitaire, parce qu'en affaires de passion Zarathoustra a visé plus juste que le Grand Timonier. Je ne rage plus contre l'art, je ne critique plus ce qui se passe dans leurs galeries. C'est leur affaire, aux gens d'ici. J'évite de la sorte le dilemme des peintres, à qui l'on demande en premier lieu s'ils vendent beaucoup de tableaux. Comme si l'on demandait à quelqu'un, dont la fille cadette fait ses premiers pas comme pute, si elle a beaucoup de clients.

Il est vrai que j'ai aussi mes périodes de découragement, mes moments de doute, où j'aimerais avoir quelques certitudes pour me donner un peu confiance. Je tourne en rond, amer envers quelque chose que je ne peux pas préciser, en attendant quelque chose qui n'arrive jamais. Après chaque tableau, c'est comme après le passage du facteur: il n'arrive rien. Même s'il est très réussi, si l'image a été captée dans son essence, rien ne reste. Ses cris muets et ses gifles froides rejoignent les autres tableaux dans mon dépôt. Pour que ce soit autrement, il aurait fallu choisir un moyen d'expression plus efficace pour graver le réel, comme la grenade ou la

mitraillette. Cela n'était pas dans ma nature. Et le travail de groupe, les équipages et les assemblées cadrent
mal avec mon tempérament solitaire, taciturne. Je sais
très bien les murmures de révolte qui se dégagent de
toutes ces images emprisonnées, de ces charniers aux
visages étrangers, de ces corps disloqués après les crues
et les éboulements, desséchés par un soleil implacable.
Ou les yeux de chien battu d'un certain enfant qui se
sont gravés en moi comme une camisole de force. Si je
continue à peindre, c'est sans illusion aucune, pour le
seul plaisir de les voir hors de ma tête.

7

Je suis très heureux à l'école. C'est beaucoup mieux que ce que j'avais imaginé. Là, personne ne me connaît, et la maîtresse ne semble pas me remarquer parmi les autres. Elle se fâche, naturellement, tout autant et aussi souvent que ma mère, mais contre toute la classe, pour qu'on ne chahute pas. Et elle ne me tape les doigts avec la règle de bois que si j'ai fait quelque chose de vraiment mal. J'aime surtout l'école à cause des autres enfants; c'est la première fois que j'ai des compagnons de mon âge. Il y en a tellement et ils sont tous si différents que parfois la maîtresse me surprend complètement absorbé à les observer. Elle trouve que je suis toujours endormi, dans la lune, mais ce n'est pas grave. Des fois, elle peut même rire de ma distraction, et je me rends compte qu'elle ne me trouve pas méchant. Elle se moque de moi lorsqu'elle me voit regarder les filles, en disant que je suis amoureux. Je les trouve toutes très jolies, comme les poupées des magasins de jouets: très

sages, bien coiffées, avec des manières lentes et des façons de regarder de côté qui me laissent inquiet. Je
n'avais jamais vu de filles comme ça. Elles m'attirent
tellement que je me fais souvent surprendre, et tous les
autres rient. Mais à la récréation, je n'ose pas les approcher, restant plutôt avec les garçons pour jouer ou pour
me battre. Les filles ne jouent pas; elles se tiennent en
groupes serrés pour danser ou pour rire de nous, mais à
distance. Mes camarades ne les approchent pas non
plus, sauf rarement pour les bousculer durant une
course. Je crois qu'ils les craignent comme moi et, s'ils
ne les regardent pas autant, c'est parce qu'ils sont habitués aux filles, ou qu'ils ont des sœurs.

La journée passe si vite que déjà il faut se mettre en
rang pour reprendre l'autobus. Il fait un long trajet, dé-
posant les enfants au compte-gouttes dans toute la ville.
C'est nous qui y restons le plus longtemps, y montant
les premiers le matin et en descendant les derniers le
soir. Cela nous vaut une promenade merveilleuse,
pleine de bavardages, de cris et d'endroits où je ne suis
jamais allé. Les quartiers très propres où habitent mes
camarades sont fascinants, des endroits pleins d'arbres,
qui ont l'air plus frais que notre avenue. La plage aussi,
avec de beaux immeubles, des jardins, des balançoires.
Ils attendent l'autobus accompagnés de bonnes en uniforme, impeccables et presque blanches. Ou bien ce sont
leurs mères, qui sont souvent jolies comme les femmes
des photoromans, et douces aussi. Même que les garçons sont gênés lorsqu'elles les embrassent avant de
monter dans l'autobus. Ça me fait un effet un peu bizarre car j'arrive déjà à en reconnaître quelques-unes,
attendant le moment de les voir au loin. Je pense à elles
le soir, d'une drôle de façon. Puis il y a notre chauffeur,
un Noir très fort qui n'est pas méchant: il rit tout le
temps, il chante avec nous, il insulte les autres chauffeurs et fonce dès que le feu passe au vert. Il m'appelle
par mon nom, et le soir il en profite souvent pour faire

un brin de causette avec ma tante Lili. Il ne se fâche jamais, même si on se penche par la fenêtre pour cracher sur les passants.

À l'école, il y a des manèges tout neufs qu'on n'a pas le droit d'utiliser. Nous jouons dans la cour arrière qui est très grande, en terre battue, juste en bas d'une favela. Les pauvres ne descendent pas par là à cause de la clôture et du rocher à pic. Mais on peut les voir là-haut, surtout les femmes qui étendent le linge sur les cordes, et, en fixant le ciel, on voit des cerfs-volants. Mes camarades racontent des histoires de bandits qui habitent la favela et qui font peur aux maîtresses dans la rue. On joue alors à des jeux de voleurs poursuivis par la police, et ça finit souvent en bagarres et en jambes écorchées. Pendant ce temps, je ne vois presque pas mon frère. Il est chez les plus grands, et il n'aime pas me parler. C'est tant mieux. Je ne veux pas qu'il raconte à la maison qu'il m'a vu me battre ou que j'ai été puni, à genoux sur les graines de maïs.

Notre salle de classe est très sombre, à peine éclairée par les fenêtres ouvertes. La maîtresse n'allume jamais les lumières. Les pupitres sont en rangées serrées et, à ma place au fond, je peux m'amuser tant que je veux, sans me faire remarquer. D'ailleurs, s'il n'y a pas trop de bruit, la maîtresse ne s'en fait pas. Elle passe de longs moments à fumer en silence ou à lire, pendant qu'on dessine des lettres dans le cahier de calligraphie. On se met alors à dessiner sur les pupitres, qui sont recouverts de gravures de toutes sortes, grattées ou entaillées à la lame de rasoir. C'est amusant d'examiner les dessins sur les pupitres, et il nous arrive de changer de place pour voir les dessins des autres: des noms, des bonhommes, des bites énormes, des cons poilus, des fesses toutes rondes ou en forme de lune, jusqu'à des choses qu'on n'arrive pas encore à lire. Comme chacun a sa plume et son encrier, nous pouvons aussi jouer avec de l'encre, ou mettre des craies dedans pour qu'elles deviennent bleues et pâteuses. À la fin de la journée, mes doigts sont complètement barbouillés, et mes lèvres toutes bleues à force de me nettoyer avec de la salive. Il me faut faire très attention parce que ma mère n'aime pas les taches sur le pantalon.

Le matériel de certains de mes copains m'impressionne beaucoup. Leurs cartables de cuir souple contiennent de vrais trésors: des plumes colorées, des gommes, des crayons de couleur très beaux dans des boîtes métalliques, des cahiers à couverture cartonnée, des compas, des équerres et d'autres trucs nouveaux. Moi, je n'apporte que mon cahier et mon sandwich au fromage. D'autres enfants ont des boîtes spéciales pour leurs collations, avec bouteille thermos et des contenants pour la saucisse et le dessert. À l'heure du repas, ils dédaignent même le thé qu'on nous sert et s'achètent des Coca-Cola qu'ils boivent en rotant. Ceux qui sont comme moi, qui ne possèdent pas beaucoup de choses, regardent eux aussi les copains plus fortunés, discrètement. Il y en a cependant qui ne se gênent pas, quêtant gentiment ou proférant des menaces: ils obtiennent ainsi un fond de bouteille de limonade, la moitié d'un gâteau ou toute une saucisse. Je n'ose pas encore, mais ce n'est pas l'envie qui m'en manque. Si on m'offre quelque chose, j'invente des prétextes pour refuser. Les riches sont généreux parce qu'ils ont trop de nourriture; il ne faut pas qu'ils rapportent leur collation à la maison, même s'ils n'ont pas envie de tout manger. Parfois, ils ne mangent rien, se contentant des boissons et des bonbons, et ils jettent le reste. Ils peuvent à l'occasion acheter une bonne place dans les jeux organisés en donnant leurs repas aux plus forts. Ou si personne ne leur parle, ils offrent leur dessert en disant qu'ils n'en ont plus envie. Ils ont très peur qu'on leur vole leurs plumes, ce qui est compréhensible parce que même moi j'ai envie de les voler. Lorsqu'ils me les prêtent, rien que pour essayer, je trouve bien difficile de les leur rendre.

Surtout qu'ils en ont tellement, ça ne ferait presque pas de différence. Ce n'est pas bien de voler; même avoir envie de voler, ce n'est déjà pas gentil. Alors, je ne fais qu'imaginer que, moi aussi, j'ai beaucoup de crayons de couleur, ou que le copain les a perdus et que je les ai trouvés...

Aller à l'école, c'est même mieux que de sortir le dimanche. Maintenant la vie à la maison paraît plus calme, ma mère moins exaspérée. Dès que l'autobus arrive, c'est comme si je devenais un autre garçon, plus joyeux, plein d'entrain. Je ne comprends pas certains de mes camarades qui pleurent ou qui hésitent à se séparer de leur mère, qui refusent de monter dans l'autobus. Ils sont de mauvaise humeur tout le long du trajet, et ils restent craintifs durant la récréation. Pas moi. D'abord personne ne se rend compte que je suis tuberculeux, ou bien ça n'a pas d'importance. La maîtresse ne dit rien quand je tousse. Puis, comme je suis plus grand que mes camarades, ils disent que je suis fort et me choisissent pour tous les jeux. Je peux courir partout sans crainte de déranger car les maîtresses s'occupent entre elles pendant qu'on joue. Il y a des enfants tristes qui restent cachés dans les coins en attendant de rentrer en classe, qui ont toujours peur de se salir, qui s'éloignent si les plus grands disent des obscénités. Quelques-uns ont l'air malade. Ils refusent d'aller aux toilettes et ils souffrent en silence toute la journée. C'est vrai que les toilettes sont très sales, avec de la pisse partout, sans papier pour s'essuyer ni siège pour s'asseoir. C'est si dégoûtant que tout le monde fait debout; ça pue énormément et ça attire les mouches. On a ainsi une bonne excuse pour pisser au fond de la cour; et là, nous pouvons faire des paris pour voir celui qui pisse le plus loin. Il y en a qui se retiennent longtemps, histoire de pisser dru et, si on les fait trop rire, ils pissent dans leur pantalon. Mais personne ne se fâche vraiment, et les bagarres ne durent jamais longtemps.

Les filles n'aiment pas les disputes ni le manque de respect. Elles courent avertir les maîtresses dès qu'un garçon essaie de les regarder aux toilettes, ou quand quelqu'un a attrapé un crapaud pour le jeter au milieu de leur danse. Mais le plus souvent, nous réglons seuls nos affaires, et nous évitons d'approcher les filles même si elles nous narguent. Quelques-unes sont de vraies pestes, souvent les plus jolies. Elles savent ce qu'il faut faire pour nous faire punir et nous tirent la langue dès que nous sommes revenus en classe. D'autres sont plus effacées, peureuses, sans rien pour que je me souvienne d'elles. Une chose est sûre, les filles sentent bon. Même lorsqu'elles sont trempées de sueur. Il est très agréable de s'asseoir au même pupitre qu'une fille après la ré-création. Ça fait bâiller. C'est un copain qui me l'a fait remarquer. Un garçon étrange, presque aveugle, aux lunettes épaisses, qui doit approcher tous les objets de son visage comme s'il allait les sentir. Il est maigre et pâle, mais très bavard pour raconter des histoires drôles. Il ne sait pas quoi dire quand je le questionne sur ses yeux, et il croit voir aussi bien que les autres. Je l'observe souvent en train de déambuler dans la cour, désorienté, se cognant ou longeant les murs, les yeux et la bouche très ouverts. Les filles sont gentilles avec lui parce qu'elles ne savent pas ce qu'il nous raconte. C'est drôle, et souvent vrai, comme la senteur des filles, ou la façon dont elles vont aux toilettes. Je le sais parce que Lili ne ferme jamais la porte lorsqu'elle va pisser. Tout un monde, les filles.

Les soirées aussi sont plus agréables depuis que nous allons à l'école. Nous avons à peine le temps de manger et de faire nos devoirs dans nos cahiers de calligraphie, que c'est déjà l'heure d'aller se coucher. Par contre, les jours fériés et les vacances sont plus pénibles, encore plus longs et ennuyeux. Il me semble que l'école, les camarades et la senteur des filles sont venus gâcher le plaisir de regarder par la fenêtre. Seuls les accidents m'amusent encore un peu. Sur l'avenue, il y a constamment des catastrophes: des accrochages, des gens renversés ou des pauvres tombés du tramway. Nous pouvons tout voir de notre fenêtre, surtout que l'ambulance prend du temps à arriver et que les policiers ne touchent à rien. Ils se contentent d'aller chercher le pharmacien pour les premiers soins, ou bien ils détournent la circulation pour ne pas déranger le mort. Pendant ce temps, le corps reste là, étendu, dans des poses parfois étranges, livide. Les gens s'affairent autour, allant et venant entre les bars et le blessé, avec une bouteille d'éther ou de l'eau sucrée. Les morts restent encore plus longtemps, et les gens allument des chandelles car l'ambulance ne les ramasse pas. L'infirmier s'excuse, un peu contrarié, et repart vite. On apporte des journaux pour couvrir le visage du mort, on place des chandelles en croix autour de lui, les gens retournent vers les bars pour regarder en se désaltérant. La police repart à son tour et le flot de voitures dévie tout seul. Le fourgon de la morgue se fait attendre longtemps, parfois toute la journée, parce qu'il y a beaucoup de morts dans la ville. Toutes sortes de morts. Le calme revenu, les femmes descendent pour mieux voir, pour demander des détails. On m'emmène pour avoir de la compagnie, et on m'oublie dans l'excitation des bavardages. Les aspects du mort se fixent dans mon esprit, sa position, ses rictus, la saleté et la couleur que prend la peau à mesure que la chaleur du jour fait son travail. Les gens autour parlent de fatalité; ils disent que son heure était arrivée, que rien ne sert de fuir son destin parce qu'il est écrit quelque part, que Dieu écrit droit sur des lignes qui nous semblent de travers. Qu'il faut prier, que c'est peut-être mieux pour le mort d'être ainsi libéré une fois pour toutes de cette vallée de larmes. Les autres approuvent gravement par des signes de tête, tout en sirotant de la bière en compagnie des femmes énervées. Les femmes aiment beaucoup ce genre de propos et les hommes en profitent pour faire connaissance, pour rire un peu, pour offrir des cigarettes qu'elles fument en imitant les héroïnes des photoromans.

Mon père aussi aime regarder les morts. Mais il préfère les examiner de près, en s'approchant comme si le mort était une plante du Jardin botanique. Il soulève le journal pour observer le visage, attentivement et avec autorité, sans aucune crainte. Il ne dit rien et il n'approuve pas les propos sur la fatalité. Il se borne à regarder un peu, et repart ensuite, en me serrant la main pour me rassurer. On voit souvent des morts au cours de la promenade du dimanche, particulièrement au bord de l'eau. Ils échouent là parmi les saletés qui flottent, apportés par le courant de la baie qui longe le remblai de pierres. Les pêcheurs vont les chercher, ou ils les repoussent vers le large s'ils sont trop abîmés. Plus souvent les cadavres s'accrochent aux pierres et restent là, se mouvant doucement avec les vagues, décorés d'algues. On peut voir, partout sur leur corps, le travail des crabes et les marques des chocs contre les rochers. Certains sont ravagés comme le Christ du Vendredi saint. Les corps de femmes attirent naturellement plus d'intérêt et plus d'affluence, des commentaires à profusion, des blagues; c'est rare qu'ils soient repoussés vers le large. Les groupes se forment, s'assoient un peu autour, et les vendeurs de crabes et de sardines font de bonnes affaires avec cette clientèle inopinée.

Tous ces morts, tous ces accidentés, noyés, blessés, clochards, femmes nues ou bébés verdâtres ne surprennent plus personne. Ce sont les morts des autres. La nuit venue, ce ne sont pas nos pieds qu'ils viendront tirer. J'éprouve malgré tout une petite crainte, surtout lorsqu'ils ne sont pas beaux à voir et qu'ils prennent des allures étranges dans mon imagination. Mais je m'habitue. Avec le temps, leurs formes deviennent simplement intéressantes.

De notre fenêtre sur l'avenue Vargas, nous avons aussi une très belle vue sur le défilé militaire. Le 7 septembre, c'est le jour de la fête nationale. Les gens dans la rue doivent se contenter des gradins de fortune en plein soleil. Très tôt le matin, nous sommes réveillés par le bruit des préparatifs: les ouvriers qui nettoient, les camions, les canons qui cliquettent, les troupeaux de chevaux et les chars d'assaut. Puis arrive la foule des soldats qui se bousculent pour former les rangs. Un manège gigantesque qui sent le carburant, le crottin et la poussière. Plein de bannières et d'étendards, de fanfares étincelantes et de drapeaux nationaux. Chez nous, c'est une véritable fête. Les amis viennent regarder, les voisins se pointent pour demander de la glace, on décapsule des bières et on mange sur le pouce. Dans la rue, les gens s'agitent autour des bars trop pleins, et les enfants brandissent des drapeaux ou des girouettes vert et jaune. Une espèce de carnaval au rythme des marches militaires. L'ambiance devient de plus en plus joyeuse, au grand déplaisir des officiers ventrus. Les gens évoquent nos faits d'armes, depuis le Paraguay jusqu'à la victoire contre les Allemands. Aussi, le courage de ces braves soldats, métis pour la plupart, c'est sûr, mais imbattables au champ d'honneur. Quelle race! Puis on chante l'hymne national pendant que les enfants rient des chevaux qui pissent. Ça nous fait penser aux tantes et à l'eau de lune. Les femmes restent bouche cousue face aux choses de la guerre, et poussent de longs soupirs devant cette formidable armée de maris en puissance qui défile virilement. Ça leur donne encore envie de faire pipi, et les blagues gaillardes reprennent de plus belle pendant que ma mère dit ce qu'elle pense du dévergondage. La chaleur se fait plus lourde à mesure que la matinée avance, et le défilé perd de plus en plus de son intérêt; il devient répétitif, on n'en voit plus que les aspects ridicules. Les uniformes font trop guignol, les soldats ressemblent de plus en plus aux cadavres, le rythme des fanfares fait regretter le carnaval; on remarque davantage la bedaine et les doubles mentons des officiers, et même l'ennemi allemand est oublié. Le passage du président Vargas dans sa Rolls décapotable suscite un dernier sursaut d'enthousiasme, puis c'est fichu. Les femmes se préparent à aller sur la place Republica, pour se mêler aux soldats après le défilé. Seuls mon frère et moi restons pour voir la fin. Il aime beaucoup la vie militaire. Il se met au garde-à-vous, salue le drapeau et se plaint de mon indifférence. Je n'arrive pas à prendre tout ça au sérieux, ni à avoir des sentiments patriotiques. Lorsque les autres chantent l'hymne ou saluent, je ne peux pas m'empêcher de les regarder, de les observer. C'est peut-être pour ça que les soldats me paraissent aussi ridicules que les couleurs de notre drapeau. Une fois, j'ai dit cela à mon frère, et il m'a répondu que j'étais un traître à la patrie.

8

Il est curieux de penser à toutes ces choses, à ces visages si précis qui sont restés dans mon esprit sous forme de cicatrices, isolés du mouvement de la vie. Quand je regarde mes tableaux, le processus s'inverse et je peux alors retourner en arrière. Les scènes oubliées, apparemment effacées à jamais, renaissent avec la netteté d'un film. Même si le thème du tableau semble distinct de ce que j'ai vécu, il me révèle encore des choses, ravive mes souvenirs et me transporte vers le passé. J'y reconnais les visages de mon enfance, les maquillages des femmes, les rictus des morts, la couleur et la lumière des situations précises. Il m'a fallu créer de toutes pièces cet énorme réseau d'ombres et de taches d'encre pour dégager enfin les décombres d'une mémoire jusqu'alors ensevelie. Dans ce cheminement, celui qui se croyait libre se reconnaît enfin simple créature de ses propres déterminations. Comme ces larves infectées par des œufs de moucherons qui croient devenir papillons, mais qui ne sont en fait que des nids et de la nourriture pour des parasites sans couleur ni élégance. Voilà ce que j'éprouve en ravivant des choses que je me suis pourtant efforcé d'oublier. L'identité nouvelle, si durement acquise s'est révélée être un piège. Et je m'abandonne désormais, volontairement, au personnage d'une farce née dans les yeux d'un enfant solitaire. Tout ce travail pour arriver au point de départ, tous ces tableaux pour revenir au petit garçon que je voulais enterrer. Les gens autour de moi ne s'en rendent pas compte puisque ma carapace est devenue extrêmement solide, polie par les frottements du hasard; mes masques successifs se sont stratifiés et mes extrémités sont coupantes. Un reptile en quelque sorte, qui se protège sous un bouclier d'écailles acérées parce que son corps caché reste trop mou.

De ce soldat aveugle au milieu des estropiés, dans un tableau aux vapeurs toxiques, réapparaît mon camarade d'école, celui-là même qui m'avait raconté que les filles sentent bon. Ou ce tableau, où j'ai voulu symboliser l'exil, qui s'avère représenter fidèlement les noyés drapés d'algues multicolores. Tous ces hommes-machines, ces marionnettes, ces mécaniques disloquées et les poupées démembrées que je croyais être des allégories de l'aliénation, ne sont en fait que les cadavres des rues, les fantômes revenus pour me tirer les pieds dans ce pays froid. Mes épouvantails sont des soldats qui se mettent en rangs; mon agitateur n'est qu'un des nombreux camelots qui vendent à la sauvette leur pacotille de contrebande. Mes salles de gare aux multitudes figées se réduisent aux scènes d'un dispensaire public. Mon homme fusillé, déséquilibré en chute libre n'est que mon père vacillant sur ses échafaudages de fortune. Les femmes du Mangue reviennent nombreuses, accompagnées de mégères fardées, de Sainte Vierge décolletées et de saint Antoine assaillis par des hordes déchiquetantes. Des obèses se promènent nonchalamment parmi les maigres aux regards de convoitise, pendant que des vieux bourgeois impuissants tâtent la chair de demoiselles en quête d'avenir. Et cette maternité créole, quelque peu hiératique, n'est en réalité que la jeune boniche, avec bébé et enceinte de nouveau, qui rend visite à ma mère pour se faire pardonner.

Pour les couleurs, c'est encore plus sournois. Je me rends compte que ce rose-violet très délicat que j'utilise pour les cernes du visage d'une fillette m'a été révélé par la couleur des gencives d'un cadavre resté trop longtemps au soleil. Ou que le vert pâle des yeux d'une mulâtresse provient de la peau d'une Blanche noyée. Si je m'extasie sur les effets d'un crépuscule que je viens de réussir, immédiatement les pustules ecchymotiques d'une jambe oubliée remontent à ma conscience pour revendiquer son arc-en-ciel. De fait, ces rouges, jaunes, verts et indigos étaient déjà là, et beaucoup plus beaux encore sous la lumière du soleil. Les tons reflétés par le pourpre sur le visage d'un cardinal sont les mêmes que les rougeurs d'un ivrogne obscène de mon enfance. Ses yeux, aussi, et le même sourire lubrique conviennent au cardinal. L'ivoire émacié d'un Christ sort directement de la pâleur du travesti Ambrosio, lui-même très religieux dans ses évocations scabreuses concernant la vigueur de la verge divine. Et la rondeur brillante de cette tête de mort se découvrant sous un voile bleu me ramène la courbe du sein d'une jolie maman qui se dégrafait pour allaiter en baissant les yeux. Il est ainsi très difficile de garder le fil de ses idées, surtout tard dans la nuit. Ce tourbillon, aggravé par les effets de l'exposition prolongée à la lumière artificielle, ne se laisse noyer que dans l'alcool. Sinon les éblouissements derrière les yeux fermés m'empêchent tout à fait de dormir.

Ces éclats de lumière sur fond noir semblent venir eux aussi d'autrefois, alors qu'ils étaient mélangés aux senteurs de soufre et de phosphore. Ils sont les feux d'artifice de mon enfance, si pauvres et si attendus par les yeux assoiffés de couleurs. Mon père aimait les feux, que nous allions acheter à la Saint-Jean aux petites cabanes érigées un peu partout dans la ville. Les cabanes étaient elles-mêmes multicolores pour attirer le regard et le désir. Il achetait toujours les plus modestes, mais avec le souci de la variété. Puis, il les allumait en m'apprenant à tenir ces multitudes d'explosions scintillantes: les verts sulfureux et cuivrés, les jaunes presque blanc de magnésium, les roses et les pourpres de cadmium pâle comme les papiers des bonbons trop chers. Fasciné par les flammes se reflétant dans les yeux qui me regardaient, je risquais à chaque fois de me brûler. La fumée blanche de ces allumettes magiques semblait agir comme un baume sur ma toux, comme ce fut d'ailleurs le cas du tabac dès que je partis de la maison. Ce charme était alimenté par les explosions des pétards, par le sifflement des fusées, la floraison des bûches enflammées et le tourbillon des feux circulaires. Papa nous emmenait ensuite voir les gens faire d'autres feux, ou lâcher des ballons en papier de Chine qui se balançaient en montant dans le ciel noir. On avait tout le temps, même qu'il ne fallait pas rentrer de bonne heure. Le solstice d'hiver était l'occasion d'autres cérémonies rappelant la célébration de la lune, mais plus secrètes, aux portes fermées pour que les enfants ne viennent pas déranger. Nous voguions ainsi dans la nuit à la recherche des lumières colorées. Les mêmes couleurs que je retrouve parfois brillant dans mon atelier. Soudain ma pipe semble distiller le soufre, et le tableau en cours devient feux de Bengale. Ces feux qui furent l'objet de ma première convoitise, si intense que je m'étonne de ne pas être devenu incendiaire.

9

Maintenant que je sais déjà lire, ils ont décidé de nous changer d'école et de nous préparer à la première communion. Je ne vois pas le rapport, mais c'est ainsi. Peut-être pour qu'on apprenne de nouvelles choses. Mon père dit que l'anglais est important dans la vie, que c'est la langue de la réussite. Tous les produits qu'il achète pour son travail ont des noms anglais: Sylvania, General Electric, Westinghouse et d'autres encore que je ne sais pas dire. Les gens qui parlent plusieurs langues réussissent facilement; même s'ils sont cireurs de chaussures, ils deviendront riches. Mon père sait un tas d'histoires de ce genre, qui se passent en Amérique du Nord et qui parlent de pauvres ouvriers très courageux: ils inventent des choses modernes et deviennent patrons parce qu'ils savent l'anglais. Papa croit beaucoup aux inventions; il est sûr qu'un jour il va devenir riche comme les Américains. C'est pour ça qu'il nous envoie apprendre l'anglais au collège Anglo-

Americano. Mon frère et moi, nous savons qu'il se trompe. Dans ce collège, personne ne parle anglais, et les maîtresses sont pareilles à celles de notre ancienne école. C'est un grand collège au bord de la mer, avec une piscine, un gymnase rempli d'équipement pour le sport, et plusieurs autobus pour transporter les élèves. Sauf que je ne crois pas que ç'a été un bon changement. C'est un endroit plein de tromperies, et les maîtresses se fâchent tout le temps. Ça commence dans l'autobus, où une surveillante très stricte nous empêche même de parler; les voyages sont moins agréables et durent peu de temps. Et puis le beau gymnase, c'est comme le manège de l'ancienne école: faut pas le salir. Seuls les enfants dont les parents payent un supplément peuvent utiliser le matériel. Les autres se limitent à courir autour et à regarder. Je voudrais bien que ma mère me paye des leçons de boxe ou d'escrime, mais elle dit que le fait de payer ce nouveau collège est déjà un sacrifice, que je ne suis qu'un ingrat et que je vais finir comme apprenti vendeur chez les Portugais. La piscine aussi nous est interdite. La cour est grise comme les uniformes qu'il faut porter, et on n'a pas le droit de courir ni de se disperser car les surveillants n'aiment pas le désordre. Même les filles ne dansent pas. Elles se contentent de petites promenades en cercle pour nous regarder avec des airs supérieurs. Les autres garçons trouvent ça bien naturel, et personne ne pisse dehors. Le pire c'est que, parmi tant d'enfants riches, la maîtresse m'a déjà remarqué. C'est que je n'ai pas le matériel scolaire prescrit; ma mère n'a pas voulu me l'acheter. Puis ils ne servent pas de thé parce qu'ils vendent des Coca-Cola; les autres n'ont qu'à boire de l'eau. Mes camarades me semblent moins familiers. Les filles sont plus belles encore, leurs manières plus rêveuses et leurs odeurs plus délicates. Elles m'adoucissent, m'attristent et m'enragent à la fois.

Durant les cours, je suis celui qui se fait toujours surprendre en train de regarder par la fenêtre au lieu d'écouter avec attention. Si la maîtresse m'éloigne de la fenêtre, je m'absorbe dans une autre occupation tout aussi intéressante: j'examine les craquelures de la peinture sur les murs, le visage de mes camarades, les cheveux des filles, les rares marques sur les pupitres. Elle a fini par s'habituer. D'autant plus que mes notes sont bonnes. Comme je ne pense à rien, tout ce que dit la maîtresse se fixe automatiquement dans ma mémoire, et je peux tout répéter si elle me questionne. Je ne sais pas trop à quoi riment les choses qu'elle raconte, mais elle paraît satisfaite de ce que je réponds. C'est plus difficile lorsqu'elle regarde la propreté du travail écrit, car je fais des dégâts avec ma plume. Les autres ont des stylos qui ne coulent pas. Il y a encore la qualité, la présentation de l'exercice et la variété des illustrations qu'il faut trouver à la maison. J'essaie de ne plus penser à ces choses, me contentant des notes qu'elle me donne. De toute façon, elle ne peut plus me reprocher de ne pas coller d'illustrations sur mes devoirs depuis qu'elle m'a interdit d'utiliser celles des photoromans.

À l'école, mes nombreuses amours restent secrètes. Rien que dans ma classe il y a au moins trois filles dont je suis amoureux. Je peux regarder ces jolis visages toute la journée sans arriver à en déchiffrer le secret. Chaque fois, ils révèlent de nouveaux regards, des sourires ou des moues qui n'étaient pas là avant. C'est évident que les filles se rendent compte de ma curiosité, même si j'essaie de la cacher en faisant semblant d'être distrait. Elles semblent avoir la capacité de capter mon regard sans tourner les yeux, ou de l'attirer malgré moi. J'ai déjà fait l'expérience de regarder les garçons, et ils ne s'en rendent pas compte. Mais les filles me surprennent chaque fois, même celles dont je ne suis pas amoureux. Elles se retournent aussitôt, ou bien deviennent inquiètes, commencent à bouger, comme irritées par un insecte qui tournerait autour d'elle. Puis elles sourient, avec des battements de paupières, et j'ai l'impression que leurs yeux acquièrent ainsi un éclat particulier. Regarder les filles est peut-être la chose qui m'occupe le plus dans cette nouvelle école. Je ne sais pas pourquoi, mais ça me rend un peu triste.

Faire des taches d'encre sur du papier buvard est une autre activité que j'aime. Mon compagnon de pupitre possède un beau tampon buvard en bois, avec plusieurs feuilles de papier attachées les unes sur les autres et une poignée en métal pour le tenir. Mais comme il est trop pressé, il ne fait qu'étendre l'encre, en élargissant la tache qu'il voulait pomper. Ses travaux sont donc pleins de taches et son buvard aussi. Comme il ne supporte pas de voir ses feuilles de buvard sales, il les remplace souvent et me donne les anciennes. Il me fait parfois cadeau de feuilles presque blanches, rien que pour voir ce que je suis capable de faire avec la plume et l'encre. L'effet est spectaculaire: en bougeant lentement la plume, j'obtiens toutes sortes de spirales, de taches rondes et de traînées. Puis ça devient des formes sinistres, des fantômes, des arbres ou des insectes. La maîtresse ne dit rien parce qu'elle croit que je travaille comme elle l'a demandé; et elle préfère que j'aie du papier buvard pour limiter les dégâts de ma plume. Dès que j'ai fini mes exercices, et je me dépêche maintenant, je me mets à l'œuvre. Mon voisin possède aussi plusieurs stylos avec des encres de différentes couleurs qu'il n'a pas le droit d'utiliser en classe, car seules les maîtresses peuvent écrire en rouge, en vert ou en violet. Il accepte de me les prêter pour colorier mes taches, puis il les sèche avec son buvard pour voir les impressions à l'envers. Parfois, il me laisse dessiner directement sur les feuilles attachées au buvard, en les mouillant avec l'encrier ou en aspergeant directement avec le stylo. C'est très salissant. Mais quand on enlève successivement les feuilles, la gradation des taches d'encre s'estompant à chaque couche produit des choses formidables. Avec l'avantage certain qu'ensuite il me donnera toutes les feuilles sales.

Je peux les retravailler à ma guise, les encrer encore ou les mouiller avec la salive pour étendre davantage les taches. J'ai donc une grande collection de feuilles de buvard, toutes très belles.

La première communion a été aussi décevante que le changement d'école. Pour ma mère, les choses de la religion, c'est comme l'anglais pour mon père: la clé de la réussite. Elle ne cache pas son désir de voir un de ses fils devenir prêtre. Heureusement mon père n'aime pas les curés. Il est protestant, et il n'aime pas les pasteurs non plus, ni rien qui traite de religion. Il dit que la religion, c'est comme la macumba, des choses de femmes et de gens ignorants. Ma mère n'aime pas la façon dont mon père parle des choses sacrées, et elle a réussi à le convaincre que c'était bon pour nous d'aller chez les curés. Il savait bien qu'on se rendrait compte finalement que c'est lui qui a raison.

Ma mère fréquente l'église Sainte-Rita-de-Cassia, tout près de chez nous. Elle y va chaque dimanche, et parfois même durant la semaine quand elle a commandé une messe funèbre pour ses frères. Le curé lui a parlé des cours de catéchisme, et elle a tout de suite trouvé que c'était ma planche de salut. L'hostie pour les garçons malades, c'est comme le baptême pour les bébés: ça évite l'enfer. Mon frère n'est pas malade, mais il a déjà l'âge de faire sa communion. Tous les samedis après-midi, nous allons donc à l'église pour prier, puis au catéchisme dans la cour de la sacristie. L'église est jolie, plus encore que celle de saint Antoine, toute bien décorée de bleu et d'or, avec plein d'images de sainte Rita et de la Vierge. Elles se ressemblent d'ailleurs comme deux sœurs, sauf que la Vierge a toujours son bébé avec elle et que Rita n'est pas mariée. Parfois la Vierge prête Jésus à Rita parce qu'il y a un serpent par terre, et Rita fait un peu comme Lili. Et ça ne fait pas pute, car Rita est une sainte. Je confonds souvent les deux, et je risque d'adresser ma prière à l'une en pensant que c'est l'autre. Elles ont de petits pieds jolis qui dépassent de la robe. Ça m'étonne qu'il n'y ait pas de fête où les hommes pourraient toucher leurs jambes pour demander des faveurs.

Les cours de catéchisme sont donnés par Giovanni, le curé italien qui ne parle pas bien notre langue. Il se fait aider par une jeune fille, Aurora, sinon les enfants ne comprennent rien. Mon père dit que les curés savent séduire les femmes et c'est bien vrai parce que mademoiselle Aurora est vraiment amoureuse de Giovanni. Mais il n'a pas l'air de s'en rendre compte malgré les regards qu'elle lui lance, surtout lorsqu'il est énervé à cause de nos bêtises. Je trouve cette mademoiselle Aurora très jolie; elle ressemble aux images de la Vierge et de Rita. Je trouve que ses jambes et ses petits pieds font penser à ceux d'une sainte. Parfois elle est un peu poilue; mais quand elle est rasée, la ressemblance est remarquable. En plus elle est douce, et ne se fâche jamais contre nous. Les autres enfants sont très bruyants, agités; ils viennent de la rue Acre, près du port, et ils se connaissent déjà. Quelques-uns sont devenus mes copains, et me racontent des choses étonnantes sur le curé et la maîtresse: qu'ils sont amoureux et qu'ils s'embrassent dans la sacristie après les cours. Ou bien ils disent des obscénités à voix haute, sans aucune crainte. Ils courent entre les bancs, chapardent les biscuits et se ruent vers les rafraîchissements avant même que la leçon soit finie. D'autres apportent des billes pour jouer tranquillement dans un coin. Ça ne sert à rien d'écouter le curé et la demoiselle, on n'y comprend rien. Il faut plutôt apprendre par cœur: on doit être gentil, aller à la messe le dimanche, respecter le curé, aimer nos parents, ne pas dire de cochonneries, ne pas avoir de mauvaises pensées, ne pas voler, ni tuer, ni mentir, ni se cacher dans l'église. Le reste, ce sont des choses pour adultes que nos parents nous feront réciter. Pour ne pas me tromper ni rien oublier, je répète simplement la liste entière de péchés qu'on m'a fait apprendre par cœur, y compris le péché de la chair. Parce que dans notre langue on utilise le même mot pour nommer ce péché et la viande, et que mon père insiste pour qu'on ne mange pas de poisson le vendredi, rien que pour montrer qu'il n'aime pas les curés. Giovanni n'accepte pas ça et, chaque fois que j'avoue le péché de la chair, il me donne des baffes. Les autres enfants préfèrent ne rien dire à ce sujet, au risque de voir l'hostie saigner dans leur bouche. Je ne raconte pas ces choses à la maison pour ne pas donner raison à ma mère. Les pénitences, c'est comme ça, il faut les encaisser en silence.

Giovanni dit que nous sommes tous pervertis, que rien de bon ne va nous arriver. Mais à la dernière minute, il a accepté de nous donner la communion, même si on avait ri et sifflé pendant le film sur Maria Goretti. Il avait décidé de nous montrer ce film pour nous récompenser à la fin des cours. Très excités à l'idée de voir un film, nous nous réjouissions d'avance en évoquant nos héros préférés, Tom Mix, Tarzan, Zorro et Flash Gordon. Mais Giovanni nous avait menti. Le film sur la Goretti n'était pas pour les enfants: un film sinistre, pour curés et bonnes femmes, dont la pellicule cassait sans arrêt. Le chahut dans la salle était indescriptible car la Goretti, une fille laide et sainte nitouche, se faisait prier pour embrasser le pauvre paysan. Ou elle était amoureuse d'un autre, ou elle voulait devenir bonne sœur, on n'a pas tout à fait compris. Même avec sa face de conne, elle l'avait peut-être trahi, et c'est pour ça qu'il voulait la tuer. Les enfants criaient des obscénités en faisant des bruits de pets, enragés contre ce film idiot. Le paysan n'était pas costaud ni beau; la Goretti n'était même pas capable de se trouver un mec décent. Une catastrophe. Mademoiselle Aurora pleurait, et c'était bien fait pour Giovanni. Ça lui apprendra à mentir aux enfants! À mon grand étonnement, mon père ne nous a pas punis. D'après lui, tout ça prouve bien que les curés sont des dévergondés, qu'ils ne pensent qu'à pervertir les petits garçons en leur montrant des histoires de cul. Il nous a presque défendu de retourner à l'église. Ma mère a préféré garder le silence, car elle avait des intentions secrètes.

Le jour de la communion, j'ai aussi été déçu par l'hostie, dont j'avais tant entendu parler. Un simple morceau de mie aplati, pâteux et sans aucun effet contre ma tuberculose. Chez nous, ils ont fait un gâteau, et nous avons été photographiés en habit blanc. C'est tout. Ensuite nous sommes tombés dans un piège, mon frère et moi.

Tout a commencé par l'obligation d'aller à la messe le dimanche, en compagnie de ma mère. Mon père se borne à nous saluer, en nous disant de prier pour son âme, et il sort seul. Finies nos promenades du dimanche. Les messes sont longues, chantées et remplies de sarabandes; la foule bigote se précipite, m'écrase et m'empêche de bien voir. Je ne peux pas suivre les mouvements du prêtre, et je dois me contenter de regarder les statues en plâtre et les peintures. Les pieds de la Vierge me fascinent de plus en plus à mesure qu'augmente ma fréquentation des choses religieuses. Cela me rend un peu confus. Il faut aimer la Vierge, c'est sûr, mais parfois j'ai l'impression de l'aimer un peu comme s'aiment les gens des photoromans. Puis j'aime aussi quelques filles à l'école. La confusion augmente d'autant plus que le bruit que font les vieilles avec la bouche pendant la prière, en claquant les dentiers, me fait infailliblement penser à mes tantes se lavant sur le bidet. Et je les mélange avec la Vierge. Ou je pense à sainte Rita aux toilettes, la porte ouverte, et j'entends le bruit que ça fait. Ce n'est pas gentil, je le sais bien; il ne faut pas que j'en parle aux autres. L'ambiance de la messe fait naître des pensées de plus en plus étranges dans ma tête. L'effet terriblement endormant des prières est amplifié par la senteur d'encens et le murmure des fidèles. Malgré tout, je sors de là léger, en état de grâce, comme un automate. Je ne regrette même plus alors d'être privé de la promenade avec mon père. J'ai seulement envie d'aller me coucher. Mon frère ressent la même lassitude, mais il prétend que c'est l'effet de l'hostie.

Ma mère finit par avouer ses véritables intentions. Elle a réussi à entrer en contact avec le vieux curé de la paroisse, le chanoine Bezerril. Avec lui, elle a tout conspiré d'avance. Le chanoine est un personnage obèse, avec un air méchant, qui ne s'intéresse qu'aux Portugais riches de la paroisse. Entre lui et Giovanni, le contraste est aussi frappant qu'entre le Gros et le Maigre au cinéma, parce que Giovanni est très maigre dans sa soutane noire, et qu'il aime les enfants lorsqu'il n'est pas au confessionnal. Bezerril au contraire est souvent en blanc, et il garde tout le temps son étole pour se donner des airs, comme un militaire. Giovanni a l'air pauvre et il ne s'occupe pas de la décoration de l'église ni des places réservées dans l'enceinte de l'autel. Bezerril, lui, trouve que c'est très important, d'autant plus que les gens payent les fleurs à part et que ça enrichit la paroisse. C'est d'ailleurs la décoration qui est à l'origine de tous mes problèmes. Bezerril cherchait deux garçons pour tenir les candélabres d'argent. Je ne sais pas ce que ma mère a manigancé avec lui, mais nous avons été engagés comme aides d'enfants de chœur.

— Grands, blonds et innocents comme des anges, a dit Bezerril en nous accueillant.

Il y a beaucoup de choses qu'il nous faut apprendre sur le tas. D'abord être à l'heure pour enfiler la soutane et se peigner. Puis descendre à la sacristie aider Giovanni à s'habiller pour la petite messe. Un curé n'est pas capable de s'habiller tout seul; si on ne lui passe pas le bon vêtement, il reste figé dans son geste, il ne bouge pas d'un poil. Ou bien il crie. Il ne faut pas non plus laisser les choses tomber par terre parce que c'est sacré, et il doit alors les embrasser malgré la poussière du plancher. Puis allumer les candélabres et l'escorter dans l'église. Faire marcher l'encensoir sans trop de fumée et sans interrompre la messe, tout en se mettant à genoux au bon moment. Faire tinter la clochette, mais seulement lorsqu'il le faut. Ne pas se chamailler, ni faire des boulettes avec la cire qui coule des cierges. Porter le gros livre sans tomber ni oublier la génuflexion, et ne pas se mettre entre le curé et l'autel. Ne pas dévisager les gens qui prient, ne pas se curer le nez, ne pas rire. Ni tousser quand tout le monde est à genoux et que le prêtre joue avec la grosse hostie. Si le bedeau n'est pas là, il faut aussi manipuler les petites bouteilles d'eau et de vin, puis tenir l'assiette pour que l'hostie ne tombe pas de la bouche des gens durant la communion.

Giovanni nous aide à la petite messe; il nous dit quoi faire ou il le fait lui-même, sans se fâcher. Puis ce n'est pas grave si on se trompe parce que l'église est presque vide; il n'y a que les vieilles en noir qui n'aiment pas la foule. Mais avec Bezerril, pour la messe solennelle de dix heures, c'est un véritable cauchemar. L'église est pleine à craquer, le chœur et l'orgue s'accordent et s'entraînent, Bezerril a des palpitations parce qu'il n'arrive pas à s'habiller en relisant son homélie. Et il porte des vêtements spéciaux, qu'il faut sortir de l'armoire et brosser avant qu'il les enfile. L'air est lourd. Les gens bavardent à haute voix et se pressent vers l'autel, poussés par ceux qui veulent encore entrer. Certains se disputent les meilleures places, des femmes s'engueulent. Il nous faut ouvrir un chemin avec nos candélabres et affronter ces regards avides, sans montrer nos larmes ni la fatigue. Bezerril crie après nous parce que la fumée est trop épaisse, mais je n'y peux rien. Comme j'ai ouvert les trous de l'encensoir au maximum pour bien l'allumer, l'appareil est chauffé à bloc, et la fumée lacrymogène se dégage en faisant disparaître toute l'église autour de moi. Si je l'agite, c'est encore pire. Les chaînes deviennent trop brûlantes pour mes mains. Le bedeau court à mon secours et je m'efface. La foule remue et soupire, voilà Bezerril qui attaque le rituel avec sa prestance habituelle. Je reste dans un coin, à moitié endormi. Mon frère aussi pivote lentement sur ses pieds, de façon rythmique, comme une toupie. Je dois employer tous mes artifices pour ne pas tomber, pour résister jusqu'à l'homélie. Tout le monde s'assoit alors pour écouter la voix grave et mielleuse du chanoine. Il aime parler, répéter souvent les mêmes choses en abusant des pauses, histoire d'endormir encore plus les fidèles afin que le bedeau ait tout le temps qu'il faut pour faire la quête. Les Portugais se montrent généreux et, du haut de son ambon, Bezerril surveille et salue de la tête les donateurs d'importance. Sans perdre le fil de son discours. Le sac noir du bedeau s'alourdit au bout de la perche, et son itinéraire détermine la durée du sermon. Les fidèles suivent le sac des yeux pour soupeser la succession des aumônes, en admirant les gestes des commerçants. Ça avance avec une lenteur visqueuse, au contentement des spectateurs.

La deuxième partie de la messe s'enchaîne alors avec le chœur qui s'égosille parmi les froufrous des robes se préparant pour les génuflexions. Les trucs sérieux se mettent en branle, les coups de clochettes qu'il ne faut pas oublier, le silence. Bezerril fouille dans le tabernacle pour sortir la grosse hostie et bénir le ciboire. Il marmonne l'élévation tout en surveillant le bon dosage de vin, et le voilà qui communie à grands mouvements de lèvres et de joues, exactement comme ceux qui boivent de la cachaça dans les bars en grignotant des bouts de sardine grillée. Il savoure son hostie en fermant les yeux et en plissant la bouche au moment d'avaler. Puis c'est le tour des autres, et je l'accompagne avec mon assiette en or. Ah, ces bouches ouvertes, des gouffres! Les langues tendues, les yeux fermés, des airs béats et idiots! Je ne peux pas m'empêcher de tout observer attentivement: la salive, les dents, les plombages, les taches de tabac, les gencives rouges des édentés... Il y a ceux qui ouvrent trop la bouche, lubriques et gourmands; d'autres sont si timides que Bezerril doit carrément enfoncer l'hostie entre leurs lèvres. Et les filles aux airs innocents sous les voiles blancs, qui présentent de délicieuses petites langues roses, comme les pieds sortant sous la robe de la Vierge. Ces filles me dérangent davantage que l'horreur des vieilles bouches à la peau plissée. Ce réseau de rides entremêlées, accentuées par la poussière noire, la poudre épaisse et la sueur, me fait penser aux gravures du livre sur l'enfer. Les os paraissent vouloir percer la peau cireuse des vieilles qui mâchent goulûment l'hostie avec leurs gencives castagnettes, ébranlées par des tics nerveux. Puis c'est le tour des hommes, des Portugais bien habillés qui tiennent leur chapeau entre leurs mains croisées et dont les faces bleuâtres de barbe rasée laissent voir des milliers de points noirs sur fond pâle. Des cheveux brillantinés qui luisent à la lueur des chandelles, des cols trop serrés d'où émergent des masses de graisse. Avec leurs langues épaisses et le blanc des yeux à travers les paupières plissées, ils ont l'air de pendus. Ensuite les pauvres, gênés d'être là, cédant le passage et communiant en dernier. Lorsqu'il y a trop de monde, ils ne reçoivent que des bouts d'hostie, car Bezerril se met à casser les rondelles de peur qu'il n'y en ait pas assez. Les pauvres avancent la tête basse, mal vêtus et sans cravate; les voiles de leurs femmes sont plus épais et décolorés par les lavages successifs. L'encens se mélange alors à l'aigreur des aisselles et aux haleines fétides. La cérémonie tire à sa fin. Quelques acrobaties supplémentaires, le *Ite missa est*, et pendant que les hommes sortent, les femmes se mettent à genoux pour la prière collective.

La même chose chaque dimanche. Dès le début, j'ai compris que je n'aime pas la religion. Ma mère par contre est ravie. Elle assiste aux deux messes, rien que pour nous voir. Elle croit que nous sommes des espèces de dépêches chrétiennes qu'elle envoie à l'au-delà. Que ça va régler tous ses problèmes. Mon père se tait.

Une fois, comme le bedeau n'était pas là, nous avons dû nous débrouiller tout seuls pour la grande messe. Tout a été de travers, à commencer par mon frère qui a laissé tomber le gros livre par terre en trébuchant sur le tapis. Je me suis brûlé avec l'encensoir, et ça faisait terriblement mal. J'ai aussi hésité lorsqu'il fallait verser le vin, et j'ai mis trop d'eau. La face toute rouge, Bezerril a vociféré: «Du vin!» Je me suis enfui à la sacristie pour cacher mes larmes et il a dû se servir tout seul. Mon frère non plus ne voulait pas retourner à l'église le dimanche suivant. Le père Giovanni nous a consolés en disant que c'est toujours difficile au début, qu'il nous faut prier, ne pas entretenir de haine dans notre cœur, pardonner. Moi ce n'est pas de la haine que je ressens, mais de la peur et de la honte.

Une fois encore ma mère a manœuvré pour nous convaincre, et elle a promis que l'église va désormais payer pour nos services. Que nous allons pouvoir acheter un beau cadeau. Elle a tout arrangé avec Bezerril, puis avec mon père. Le chanoine a insisté: il lui faut absolument deux enfants blonds pour le décor. Il lui a peut-être même offert un rabais sur les messes funèbres. Dorénavant nous ne serons plus obligés d'aider pour la messe; nous aurons juste à tenir les candélabres, l'encensoir et l'assiette. Mais, très malin, il a réussi à inclure dans l'affaire notre présence aux cérémonies de la Semaine sainte et les neuvaines du mois de Marie.

Le Vendredi saint dépasse toute mesure. J'ai tellement peur que je ne suis même pas capable de prier. Des tissus noirs bordés de fil d'argent remplacent les tissus violets, cachant même le crucifix et le tabernacle. Il y a quatre chandelles par terre au milieu de l'autel. Nos candélabres sont éteints. Nous avançons lentement en procession funèbre. L'église est silencieuse mais, par le ronronnement sourd de leurs prières et les sanglots qu'elles étouffent, je devine toutes les vieilles en noir qui nous guettent dans l'obscurité. Nos pas résonnent dans la nef. Ce n'est qu'au dernier moment que je vois ce qui est étendu par terre. Là je ne peux plus reculer. Un Christ énorme, comme une vraie personne, cloué à une croix en bois, plein de sang et de stries de fouet brillant à la lueur des chandelles. Son visage ressemble à celui des cadavres, les gouttes rouges qui sortent de sa couronne d'épines ont vraiment l'air de couler. Je suis paralysé de peur, incapable de détourner mon regard, et je crains qu'il ne bouge. Bezerril et Giovanni se mettent à genoux et embrassent ses pieds. Nous aussi, un de chaque côté. Malheureusement je suis du côté droit et, si le Christ ouvre les yeux, il va tout de suite me regarder. Personne ne prie parce que Bezerril nous a dit qu'il faut méditer sur la passion. Je ne sais pas ce que ça veut dire méditer, et les seules passions que je connais, ce sont les histoires de mes tantes avec leurs amoureux. Je préfère fermer les yeux et me faire oublier, rester immobile, ne pas pleurer, ne penser à rien, en répétant seulement que je demande pardon et que je ne le ferai plus. Sans arrêt. Puis mes genoux commencent à me faire mal. J'ai un peu moins peur, surtout lorsque je vois mon frère de l'autre côté, qui ferme très fort les yeux. Le murmure des vieilles devient plus distinct dans cette immobilité, et je me risque à examiner le Christ. Ce n'est pas un vrai cadavre mais ça y ressemble beaucoup. Je n'avais jamais vu cette statue dans l'église. Bezerril la garde sans doute pour les jours sombres, ou pour la montrer aux Portugais lorsqu'ils ne veulent pas payer. C'est malgré tout une statue très belle, beaucoup plus belle que les autres, et elle a l'air très lourde. Dommage que je ne puisse pas la voir à la lumière. Les vêtements ont l'air d'être en vrai tissu, et les clous sont bien enfoncés dans les paumes osseuses. Seuls les poils sont tous tassés en masses épaisses et, malgré la peinture, je vois que ce ne sont pas de vrais poils. Le reste fait tout à fait cadavre. Il a un nombril très brillant, que j'évite de regarder parce que se poser des questions sur le nombril du Christ est une hérésie, une méchanceté. C'est la demoiselle du catéchisme qui l'a dit. Je fixe plutôt son visage, ou les marques de fouet qui sont presque vraies. Plus je l'observe et moins j'ai peur. C'est toujours ainsi, j'ai peur au début, lorsque je suis surpris. Puis je m'intéresse aux choses, je me concentre, et ça me donne même une espèce de plaisir.

Bezerril m'a félicité de mon attitude devant la souffrance du Christ. Il m'a vu le regarder et il a dit à ma mère que j'étais comme illuminé par une vision. Ma mère est toute fière parce qu'elle voit là le signe d'une vocation. Moi aussi, je suis content car mon frère est très jaloux de ne pas avoir été illuminé. Il se défend en disant qu'on doit méditer les yeux fermés. Ce qui est vrai, parce que les femmes des photoromans ferment les yeux lorsqu'elles ont une passion. Mais cette fois, il a perdu. Je n'ai pas médité; j'étais illuminé, ce qui est mieux. Puis je sais très bien qu'il a eu peur et que c'est pour ça qu'il a fermé les yeux, pas par passion. Mon père n'aime pas ces choses et il est parti souper en ville. Manger un steak pour célébrer le carême, qu'il m'a dit en me faisant un clin d'œil. Rien que pour se venger de ma mère.

Nous avons travaillé durant tout le mois de mai pour les louanges à la Vierge Marie. En plus des messes très longues, nous avons dû aller tous les soirs à l'église afin de participer aux prières des neuvaines. Ce sont des trucs différents des messes parce qu'il n'y a pas de règle fixe. On se borne à réciter d'innombrables Avé Maria en suivant le curé, mais de façon plus frénétique encore que pendant la Semaine sainte. Plus vite aussi, histoire de battre des records pour plaire à la Vierge, sans trop tenir compte de ce qui est dit. Chacun semble tenir ses propres paris, et ça fait un chahut formidable. Parfois la prière est interrompue par des chants du genre *Avee, Aveee, Ave Mariiiaaa,* ce qui permet aux vieilles de se laisser aller à leurs fantaisies lyriques. Car, pendant les messes, elles n'ont pas le droit de chanter, sinon le chœur serait tout désaccordé et ça ne ferait pas beau. Leurs cris et leurs vagissements résonnent alors partout dans l'église presque vide, pendant que le curé Giovanni essuie la salive qui écume aux coins de ses lèvres. À mesure que la prière avance, les participants s'exaltent de plus en plus; quelques vieilles se lèvent en tremblant, d'autres se secouent, renversent la tête en arrière ou pressent leurs mains jointes entre les cuisses. Les yeux fermés, la bouche grande ouverte et le corps secoué par les fantômes, tout à fait comme dans les séances de spiritisme. Je suis trop endormi pour avoir peur et, depuis longtemps, j'ai perdu le compte de mes prières. La confusion est généralisée. Il y en a même qui prient pendant les chants en troublant la concentration des autres. Mes doigts égrènent le chapelet à toute allure, sans égard pour le rythme des prières. Mon corps semble divisé en parties autonomes; la douleur dans mes genoux me paraît lointaine, pendant que mes yeux fixent les vieilles. Une torpeur progressive gagne mes bras et mes jambes et, comme les autres, j'entre en état de grâce. Les petits pieds de la Vierge s'effacent, l'eau de lune de sainte Rita est définitivement oubliée, la passion du Christ pour mes tantes s'estompe, et tout devient pâteux comme l'hostie dans la bouche. Les soirées finissent par des bâillements continuels qui m'empêchent de bien faire mes devoirs d'école.

Pendant tout le mois de mai, nous nous sommes ainsi dévoués à la Vierge, dans la seule attente du cadeau promis. Jour après jour nous avons rêvé à des jouets comme ceux qu'on voit dans la vitrine du Bazar Francês, rue Carioca. Nous les avons même choisis en secret et, pour une fois, mon frère et moi avons été complices de quelque chose. Mais lorsque Bezerril a payé, ma mère nous a encore trahis: le cadeau tant attendu a pris la forme d'un paletot pour chacun. Il faut désormais le mettre tous les dimanches, même quand il fait chaud, et faire attention à ne pas le salir. Nous cachons notre déception derrière la certitude que les curés sont vraiment des malins. Heureusement, mon père a décidé que notre expérience des choses sacrées a déjà bien assez duré. Cette fois, il reste intransigeant devant les bouderies et les menaces de ma mère. Plus d'église, dit-il, ce n'est pas ça qui forme les garçons. À force de chantage, ma mère réussit de temps à autre à nous entraîner aux messes funèbres, rien que pour entendre le curé prononcer le nom de ses frères au milieu des mots latins. Mais elle n'insiste plus trop. Mon père a peut-être menacé de casser la gueule à tous les curés, car même nos vocations ne sont plus mentionnées. Seul le paletot reste là, rapetissant à mesure que je grandis.

10

Ma découverte de la peinture fut tardive. Je ne me souviens pas d'avoir eu, dans ma jeunesse, des inclinations de ce côté. Même maintenant, malgré tous ces tableaux qui m'entourent, je ressens cette activité comme quelque chose d'artificiel. À la maison, il n'y avait pas de tableaux, ni d'ailleurs aucune image sur les murs. Les seuls peintres étaient les peintres en bâtiment. Les images qui m'entouraient étaient les illustrations de revues, les affiches publicitaires des tramways, les saints de l'église, les dessins à la plume un peu fantastiques des cahiers littéraires des journaux. Parfois des caricatures, aux traits mordants et grotesques, dont je ne comprenais pas le sens. Les livres d'école ne contenaient que la carte du pays, le blason et quelques vagues scènes patriotiques mal dessinées.

Je dessinais, certes, comme tous les enfants qui n'ont pas beaucoup de jouets. Les murs de l'appartement étaient sales et l'on ne se souciait pas des graffiti. Tout autour du téléphone d'ailleurs les notes, les numéros, les gribouillis géométriques s'accumulaient en couches successives, s'estompant vers les limites de la longueur du fil. Les marques des mains se confondaient avec l'ocre de la peinture jaunie par les années. Mes dessins se perdaient ainsi dans la saleté générale, disparaissant sans laisser de trace au fur et à mesure que les vieilles choses étaient jetées. Ou que la saleté des mouches recouvrait les murs. Cette activité si commune chez les enfants ne me distinguait pas de mes frères. Pour autant que je me souvienne, mes dessins n'étaient pas particulièrement jolis ni imaginatifs.

Les vraies figures, celles qui correspondent à mes images mentales d'aujourd'hui, venaient toutes du dehors. Je les captais avec les yeux, sans l'aide des mains. Les visages dans l'autobus, les coins sombres du couloir, les grosses blattes qui couraient sur le plancher humide de la cuisine dès qu'on allumait la lumière. Ou le livreur de glace à bicyclette avec ses longues tenailles, les blocs de glace dégoulinant dans du papier journal, et son visage marqué par la variole. La tête chauve de mon père, ma mère courbée sur la machine à coudre, l'ombre du mannequin décapité sur les murs. Puis les rues, les gens de toutes les couleurs, les moisissures luxuriantes, le mouvement de la mer, les détritus et les marchés publics.

Nous sommes allés quelquefois au cirque, la seule manifestation artistique dans notre entourage. Les troupes ambulantes montaient leurs tentes sur les terrains vagues du côté de la gare. Des spectacles modestes mais pleins de couleurs et d'éclat pour les yeux des enfants. Dans la noirceur, les paillettes et la peau des danseuses s'illuminaient comme des feux de Bengale. La représentation des fauves, des clowns et des acrobates sur les kiosques me semblait être d'une perfection colossale. Leurs affiches collées sur les murs de la ville m'ont peut-être plus fasciné que tous les musées que j'ai plus tard visités. Mais tout cela était bien loin de ma vie, dans un monde de rêves auquel je n'accéderais jamais.

Le carnaval par contre était toujours à ma portée, juste devant nos fenêtres, le long de l'avenue Vargas. Ça commençait par la décoration des rues, par les échafaudages installés autour des poteaux, les sculptures en papier mâché, les étendards, les gradins pour les spectateurs. Mes tantes s'affairaient à préparer leurs déguisements, très excitées depuis des mois par la perspective de la fête. Une odeur singulière planait dans le logis, celle de la peinture or et argent tirant un peu sur le violet, qu'elles appelaient la « pourprine ». Ça sentait la teinture noire des cordonniers et l'on pouvait distinguer les minuscules flocons argentés en suspension, qui prenaient des reflets presque rouges selon l'angle de la lumière. Elles ne se contentaient pas d'en peindre leurs souliers; tout était prétexte à l'utilisation de cette couleur magique, capable de transformer n'importe quel chiffon en déguisement luxueux. Une fois, je me suis même retrouvé métallisé de la tête aux pieds après que mon frère m'eut donné l'idée de voler le flacon pour l'essayer sur la peau. Juste un peu. C'était si beau que je me suis laissé aller de la même façon qu'avec les encres sur le buvard. Cette « pourprine » séchait vite, avec des émanations qui donnaient le vertige, un peu comme l'éther avec lequel mes tantes se frottaient la gorge avant de dormir. Je devais avoir le même sourire béat lorsque je me suis réveillé dans la baignoire alors qu'elles me lavaient avec de l'essence, en m'écorchant la peau et en criant que j'allais mourir. Elles étaient très fâchées de me voir couvert de peinture comme un soulier de carnaval. Même mes cheveux, qu'elles ont fini par raser.

Pendant le carnaval, l'odeur d'éther prenait le dessus à cause des flacons métalliques que l'on vendait partout, remplis d'un mélange d'éther et de chloroforme. Ces bouteilles « lance-parfum » furent la source de mes premières ivresses. Encore aujourd'hui, en humant le verre vide de vodka abandonné la veille, je crois reconnaître des effluves de ce parfum. Du parfum lui-même, ou peut-être de l'odeur aigre et amère que prenait l'haleine des femmes lorsqu'elles avaient tenu longtemps le mouchoir imbibé contre le visage. Leur peau devenait extrêmement pâle, presque ivoire, les orbites légèrement verdâtres, tandis que de jolies gouttelettes de sueur perlaient sur le front et le pourtour des lèvres. Elles se laissaient alors caresser et s'abandonnaient avec beaucoup de lassitude, en murmurant d'une voix pâteuse. Toutes ces choses me reviennent associées à la sueur des corps et aux parfums aigris par tant de danse, à l'odeur de la salive et à la vision des yeux injectés de rouge. Dès le début, ce « lance-parfum » fut pour moi plus que le jet glacé ou la senteur sucrée dont parlaient les affiches de la compagnie Rhodia. Pour tout le monde d'ailleurs, car le jet était plutôt dirigé vers les mouchoirs ou la bouche ouverte. À la limite sur les fesses ou les seins que l'on voulait ainsi inviter à partager le même mouchoir. L'arôme éther-sueur dominait le carnaval.

Tout se drapait de couleurs. Les femmes essayaient interminablement leurs costumes, en ajoutant des turbans, des pièces de monnaie en laiton, des paillettes, du fard et encore de la « pourprine ». Dans l'avenue se multipliaient les kiosques pour la vente de masques, de « lance-parfum », des paquets de serpentins et de confettis. Tout éclatait sous le soleil et la chaleur de l'été, et les contrastes étaient marqués par des ombres presque bleues. L'aspect graphique était accentué par le découpage précis de masques de toutes sortes, particulièrement les noirs des têtes de mort et des démons. Des masques parfois très impressionnants, comme le *pirusão**, entouré d'ailes de vampire, entièrement rouge, et

---

*   Grosse bite.

dont la bouche s'ouvrait sur une langue énorme. D'autres étaient plus délicats, recouverts de satin et constellés de paillettes. La plupart cependant étaient primitifs, suggérant à peine le personnage par les traits grossiers des peintures à l'eau sur du papier mâché. La transpiration les faisait coller à la peau, et ils se défaisaient en pâte à mesure que la fête avançait. Les déguisements de mort étaient les plus nombreux, les plus faciles à exécuter et peut-être les plus familiers.

Dès midi, le samedi, les premiers groupes de danseurs commençaient à apparaître dans l'avenue fermée à la circulation. L'excitation gagnait peu à peu tous les habitants de la maison, sauf mon père. Il aimait le carnaval, mais à sa façon. Il paraissait séduit par le spectacle de la même manière qu'il s'intéressait à tout ce qui était nouveau. Fasciné, mais en n'y prenant part qu'avec ses yeux. Je ne l'ai jamais vu déguisé. Par contre, il s'intéressait beaucoup aux déguisements dans la rue; il attirait notre attention sur les plus grotesques et lubriques, sans rien vouloir perdre du spectacle. Les femmes, au contraire, se transformaient radicalement, avec de grosses épaisseurs de fard, les ventres à l'air et les jupes entrouvertes pour faciliter le mouvement des cuisses.

L'avenue se remplissait ensuite de groupes plus organisés qui apportaient leur propre musique, avec des costumes semblables et des rythmes parfois étranges. La foule suivait plutôt les musiciens improvisés qui envahissaient en masses compactes les rues et les allées latérales: les fanfares dépareillées, les sifflets et les percussions de toutes sortes se mélangeaient, cacophoniques en surface, mais sur un battement de fond d'allure souterraine. La fête commençait alors à prendre corps, envoûtante, en interaction étroite avec les bars, où la bière et la cachaça coulaient à flots. Les hommes pissaient contre les murs, joyeux, et tous avaient l'air de se connaître.

Le tumulte envahissait notre fenêtre sous la forme d'un bruit sourd et saccadé. D'en haut, je percevais la foule massive se déplaçant en flots étroits comme des serpentins, s'entremêlant les uns aux autres pour former une brousse humaine toute en lianes sautillantes. Lorsque j'étais dans la rue, je ne pouvais voir que les jambes des danseurs, et je devais m'accrocher aux adultes pour ne pas être emporté. Ou bien je grimpais sur les épaules de mon père, au-dessus de la masse, comme à la surface d'une mer musicale. Poussée par cette marée, toute la ville confluait vers l'avenue Rio Branco; et la multitude se tassait là, presque immobile, compacte, mais secouée par les profondeurs en commotions verticales. Chacun avançait très lentement, se frottant aux autres corps, humant toutes les senteurs, pressé par des amas de chair exposée et transpirante.

Les déguisements se faisaient plus nombreux à mesure que le samedi devenait dimanche. La plupart très pauvres, grossièrement improvisés par de simples signes extérieurs. Comme ceux des travestis, réduits aux énormes mamelles en caoutchouc dans le soutien-gorge, à la jupette et au rouge à lèvres malgré la moustache et le corps poilu. Souvent ils se contentaient seulement de bigoudis sur la tête pour parodier tout le rituel féminin. Et ça sautait en balançant les mamelles et en se frottant aux femmes avec de drôles de gestes, comme s'ils comparaient leurs attributs anatomiques. D'autres se déguisaient en bébé: torse nu, sucette au bec, couches colossales et bonnet sur la tête. Les bébés avaient parfois de grosses bouillottes remplies de cachaça et coiffées d'une tétine. Les contorsions obscènes accompagnées d'expressions vulgaires étaient applaudies par la foule, se répétant interminablement. Plusieurs se déplaçaient en groupes, déguisés en squelettes et masqués d'une tête de mort, en agitant leurs draps telles des marionnettes affolées. Ils tenaient à la main des petits cercueils dans lesquels se trouvait soit une bouteille de cachaça, soit une poupée dont le gros pénis bougeait comme le bras d'un métronome. Tous semblaient déchaînés d'hilarité, sautant autour des femmes et des enfants à la fois pour danser et représenter. Suivaient les groupes de vampires, tout aussi lubriques avec leurs capes noires, ou les démons rouges, dont la queue pointue sortait par en avant. Les maquillages les plus stupéfiants côtoyaient les badigeonnages scabreux et les signes indécents. Ici et là, des originaux exhibaient des costumes fabriqués avec des capsules de bière ou des cartouches de cigarettes. Des gorilles poilus se penchaient vers moi, me soulevaient et m'entraînaient au milieu des danseurs. D'autres déguisés en grosses négresses, brillants de pommade noire, présentaient des poupées aux passants en criant que c'étaient leurs bâtards. La ville s'ouvrait ainsi pour servir de théâtre à une légion d'artistes naïfs ayant attendu toute l'année ce moment de gloire.

Entraînée par le rythme, la masse poussait dans toutes les directions, sautant sur place ou courant pour former des cotillons sauvages. Les femmes, parfois à peine voilées de gaze, faisaient onduler leur ventre, le nombril à l'air et la langue gourmande. Ça faisait vibrer leurs fesses d'une façon magnifique, tout contre mon visage. Je revois des doigts pénétrants, des ventres qui se frottent, des mains sur des seins, des fesses empoignées comme des melons d'eau. En tourbillon, sous la lumière crue des projecteurs. Soudain la course, la bousculade, la foule qui crie, les coups qui partent, la bagarre qui éclate parmi les rires et les chants. Un corps qui court en regardant craintivement en arrière; un autre resté sur place, recroquevillé et se tenant le visage entre les mains, le rouge coulant le long des bras et sous les coudes. Les gestes vifs des danseurs qui s'en mêlent; les policiers arrogants qui accourent en brandissant des gourdins pour ouvrir le passage. On emmène le blessé. Le cercle vide se referme à nouveau comme lorsque l'eau engloutit un caillou, les vagues concentriques disparaissant dans les rythmes et les danses parallèles. Je me sentais étourdi de palpitations, la bouche sèche. De l'asphalte montait une poussière épaisse qui remplissait les narines et qui faisait tousser.

C'était une multitude de maigres; seules quelques femmes présentaient une opulence aux fesses et au ventre, mais flasques et ondoyants. C'était le carnaval des pauvres, dans les rues, interdits de séjour dans les clubs privés ou les hôtels du bord de la mer. Ça ressemblait à de la joie, mais en plus automatique, en moins ressenti: une espèce de désir de bonheur uniquement, que l'on poursuit sans pouvoir l'atteindre. Une frénésie devenant mouvement spontané, qui fait glisser l'esprit sur une pente angoissante. Une fuite en avant dont les joueurs finissent par accepter d'être dupes. Une sorte de désespoir très entraînant. À l'instar de mes images devenant tableaux, les gens dansaient leur détresse, et le résultat final était surprenant.

Je pouvais lire la fatigue sur les visages au fur et à mesure que la nuit avançait, que le dimanche devenait lundi. Les visages paraissaient plus maigres, blêmes; les maquillages avaient l'air plus grotesques, les mouvements plus disloqués. Dans les rues latérales, on pouvait voir des gens étendus par terre, accotés aux murs, épuisés. D'autres avaient les yeux hagards et gisaient dans des flaques d'urine. Des hommes et des femmes, les premières victimes. La morgue et les hôpitaux publics ramassaient les corps aux premières lueurs du matin. Parents et amis couraient ensuite les salles d'urgence à la recherche des disparus; ils suivaient les longues files de civières et de corps empilés, scrutant sans pudeur les visages encore déguisés. Tous avaient l'air infiniment pathétique, comme des clowns qui pleurent: pommettes brillantes de sueur sur fond émacié, cernes profonds, lèvres sèches, cheveux collés parsemés de confettis. L'ensemble était complété par de vrais pansements rouges et blancs décorant des têtes de mort, de gros bébés ivres, des démons mélancoliques, des travestis sévères ou des colombines violées.

Personne ne sortait le lundi; des gens venaient même chez nous, comme pour le défilé militaire. C'était la nuit des écoles de samba, dont les cortèges continuaient parfois à défiler jusqu'au lendemain matin. D'immenses projecteurs de l'armée transformaient la nuit en midi bleuâtre aux contrastes puissants, faisant éclater les satins multicolores, les paillettes, les miroirs, les cuivres et les corps mouillés. Les sons, les musiques, les cris, tout se fondait alors en un seul battement sourd, qui faisait vibrer le sol et les cages thoraciques. Vu d'en haut, c'était comme une immense fourmilière sautillante, aux mille lumières, comme un seul organisme. La poussière montait jusqu'à nos fenêtres, apportant avec elle un mélange de sueur, d'éther, de parfum rassis, d'haleine de femme et d'acétylène. Puis encore l'aigreur de la bière, le sucré de la cachaça et les aisselles sulfureuses. Tout en couleurs brillantes, en reflets de torses entrelacés, en éclat de cuivres et de tambours joyeusement déguisés. Je ne voyais plus les visages, ni la souffrance, seulement une masse se débattant en clairs-obscurs violents, comme dans *L'enfer* de Doré.

Pour Mardi gras, le désespoir était à son comble. Les derniers sursauts avant de faire face au carême de l'année entière. La masse paraissait déjà moins compacte, dévastée par la fatigue et l'ivresse. Chez nous aussi, les signes annonçant la fin de la fête étaient perceptibles: l'irritation croissante, le goût amer dans la bouche et la certitude que rien n'aurait changé le lendemain matin. Sur l'avenue, les déguisements intéressants se faisaient plus rares, les groupes de danseurs plus hétéroclites et agressifs, les bars débordant d'ivrognes. C'était le moment de la mélancolie agitée, de la fête ronflante, de l'abondance de corps étendus sur le trottoir. Le défilé des chars allégoriques clôturait le carnaval: d'énormes sculptures en carton et papier mâché, très naïves, aux tons pastel, tirées par des camions. Quelques satires politiques édulcorées, des épisodes de l'histoire nationale, des Indiens, des esclaves qui se libéraient ou des hommages aux grands compositeurs de musique populaire. Puis les projecteurs s'éteignaient sur la foule hagarde, désorientée, qui se retirait silencieusement. Ces masses jusqu'alors trépidantes, prêtes à tout sous le charme de la musique, ces masses fondaient, informes, s'écoulant vers la misère et le quotidien. L'avenue se vidait lentement, et déjà les éboueurs accompagnés de camions-citernes avançaient pour effacer les traces de l'illusion. Je me souviens des intenses reflets bleus, mêlés à des mauves brillants tirant sur le rouge, presque roses sur le fond noir de l'asphalte mouillé. C'étaient les premières lueurs du mercredi des Cendres.

Cela fait si longtemps que mes souvenirs semblent avoir pâli. Seules les odeurs et les vibrations me viennent encore clairement à l'esprit, surtout lorsque mes verres vides s'alignent tard dans la nuit. Le silence boréal du dehors laisse émerger quelque part le battement des tambours, la foule qui saute, très loin dans le fond de ma mémoire. Peut-être n'est-ce que le battement du cœur, mais tout de même…

11

À force d'aller chez les syphilitiques, mon père a attrapé le typhus. C'est Lili qui l'a dit. Les femmes sont contrariées parce qu'il dérange le carnaval. Elles sont très nerveuses car elles ont peur qu'il meure. Ça va salir encore plus la maison, puis ça va coûter de l'argent pour l'enterrer. Déjà qu'il faut payer le médecin et les piqûres faites par le pharmacien. Tout ça me rend triste, et je suis aussi effrayé que les autres. Mon frère ne parle pas parce qu'il craint d'attraper le typhus à son tour. C'est plein de gens chez nous; les voisins viennent pour offrir de l'aide et en profitent pour regarder le défilé des écoles de samba. Une infirmière du dispensaire nous rend visite chaque jour, accompagnée d'un policier, car mon père est très contagieux, et il faudra l'emmener mourir dans un hôpital. Le policier a l'air d'aimer l'ambiance de la maison; il bavarde avec les femmes et il est gentil avec moi. Il dit qu'il n'a pas peur du typhus, que ce n'est pas grave car mon père est costaud. Les tantes sortent parfois avec lui pour regarder le carnaval mais, nous, nous devons rester bien sages au salon.

Cette année, personne ne s'est déguisé. Ça m'irrite de voir les gens qui dansent dans la rue pendant que mon père est couché. Le carnaval fait un bruit de tonnerre; il entre malgré tout par les fenêtres et par le sourire des femmes lorsqu'elles reviennent d'en bas. Mon père est étendu tout seul sur le grand lit, maigre, plus vert que jaune; sa barbe et ses yeux cernés font un contraste étrange avec la pâleur de son teint. Il est nu. Il faut le laver continuellement avec de l'eau glacée. Puis il transpire et tremble de froid malgré la chaleur qu'il fait. Ses pieds sont devenus énormes, pointant vers la fenêtre comme s'ils avaient envie d'aller danser au carnaval. Des guenilles tachées de goudron sont rapportées de la chambre pour être bouillies dans la marmite. L'eau laiteuse, mélangée au créosote, dégage des vapeurs comme lorsqu'on asperge le sol pour tuer les blattes. Le médecin est gros et énergique, avec un air très sérieux, surtout quand il se lave avec de l'alcool en sortant de la chambre. Il n'aime pas du tout le typhus, ni la fièvre de mon père; il répète qu'il faudra le transporter ailleurs, qu'une maison si petite n'est pas l'endroit approprié pour un malade qui a le typhus. L'infirmière est en train de chercher un hôpital pour le placer, mais ce n'est pas facile à cause des blessés du carnaval.

Lorsque je le regarde étendu, inerte et marmonnant tout seul, j'ai envie de pleurer. Il n'est pas méchant, mon père. Ce n'est pas de sa faute s'il dérange le carnaval. S'il meurt, qui va s'occuper de tout, gagner de l'argent, empêcher ma mère de nous envoyer chez les curés, ou qui va nous emmener en promenade pour nous montrer comment sont les choses?

Maintenant le carnaval est fini. C'est devenu plus calme chez nous. La santé de mon père s'améliore; il peut déjà parler avec moi. Il me console en me disant que ce n'est pas vrai qu'il va mourir. Et il sourit; j'ai beau le nier, il sait quand même que j'ai eu peur. C'est la faute du médecin qui voulait l'hospitaliser. Mon père a bien fait de rester à la maison, parce que les gens qui vont à l'hôpital ne reviennent plus chez eux.

Les femmes risquent toujours de nous laisser seuls quelque part, d'écouter n'importe qui et de prendre des décisions idiotes. Si quelqu'un ne leur dit pas quoi faire, elles s'énervent et font des bêtises. Comme la nuit où mon père est tombé d'un échafaudage. C'était tout près de son atelier de la place Republica. Ma mère m'avait emmené le rejoindre après la séance de spiritisme. J'étais fatigué, c'était tard, mais j'y allais avec plaisir car je suis toujours soulagé lorsque je m'en vais de chez les fantômes. Et puis j'aime beaucoup visiter les chantiers de mon père; il y a toutes sortes de choses qui traînent, que je ramasse pour mes collections, et ça m'amuse de le regarder travailler. Cette fois-là, son apprenti était déjà parti, et mon père avait presque fini de réparer un plafond. Dans le bar encore en construction, les murs étaient nus, et l'endroit encombré d'échafaudages. J'explorais le chantier pendant que ma mère aidait mon père en lui passant les tubes fluorescents. Puis je me suis assis dans un coin, à moitié endormi; je me contentais de le regarder. C'est alors qu'il est tombé. De très haut. Je ne sais pas pourquoi, mais ses gestes sont tout à coup devenus grotesques, comme ceux d'un pantin; de son visage tordu est sorti un cri rauque, et il a semblé suspendu en l'air l'espace d'un instant. Puis sa chute s'est arrêtée net sur le plancher de ciment. Tout est resté au ralenti dans ma mémoire. Son corps était là, étalé, très pâle, immobilisé dans une pose bizarre, les yeux fermés. Si différent de mon père de tous les jours. Je l'observais, étonné, pendant que ma mère criait. Les portes étaient fermées, nous étions seuls, mais elle criait quand même, en récitant toutes les prières qu'elle a l'habitude de répéter. Sa voix était peut-être un peu plus aiguë, et ses credo, crux, Vierge Marie, Jésus sortaient un peu bafouillés. Cela a duré un bon moment. Comme il ne bougeait toujours pas, elle a fini par sortir dans la rue en criant et en agitant les bras. Je suis resté auprès de lui pour le surveiller. Son visage était froid et humide mais il n'y avait pas de sang. Je me sentais lésé, vide. Mon père avait l'air abandonné, sans pouvoir dire aux autres quoi faire. Puis des gens sont accourus, dont un soldat accompagné d'une mulâtresse. Il a pris les choses en main pendant que sa femme donnait de l'eau à ma mère. Papa a repris connaissance, encore pâle et transpirant beaucoup sur son front chauve. Il avait l'air de souffrir lorsqu'ils l'ont fait asseoir, mais il a souri pour rassurer tout le monde. Le soldat et d'autres gens l'ont aidé à aller à l'hôpital, de l'autre côté de la place. Ma mère était dans tous ses états; elle a ameuté l'immeuble entier avec ses histoires d'horreur. Quand papa est revenu de l'hôpital, il s'est quand même moqué de la nervosité des femmes. Il m'a laissé examiner le plâtre sur son bras. Et en sirotant une bonne cachaça, il nous a parlé jusqu'à très tard des blessés qu'il avait vus à l'urgence de l'hôpital public. Dès le lendemain, il est retourné à son chantier car il n'aime pas que les autres soient dérangés par sa faute.

Mon père est toujours ainsi, rien ne semble le perturber. Même s'il ne gagne pas beaucoup d'argent, ce qui embête beaucoup les femmes. Elles se plaignent de lui, de son insouciance, disant que nous allons finir dans la misère, que ce n'est pas une vie de continuer comme ça. Il n'a pas l'air d'écouter leurs grognements et, quand il les regarde, elles se taisent. Boudeuses, fâchées et impatientes de le voir partir pour pouvoir continuer à se plaindre. Il s'en fiche. Ou bien il s'est simplement résigné en attendant son heure. Seules les histoires de réussite industrielle, d'inventions et de brevets l'intéressent. Il est radieux lorsqu'il parle de son entreprise, et qu'il nous raconte qu'il va devenir célèbre grâce à ses inventions révolutionnaires concernant l'éclairage. Il a lu que les Américains sont en avance sur tout le monde parce qu'ils font la standardisation de leurs fabriques, et qu'ils offrent des garanties sur leurs produits pour que les gens n'aient pas peur de les acheter. Ils font breveter leurs secrets, tout le monde achète ce qu'ils fabriquent, et à la fin ils sont très riches. Pas comme les Noirs d'ici, qui travaillent n'importe comment et qui ne respectent pas les gens. C'est pour ça que notre pays n'est pas riche. Mon père est aussi très fier de l'Allemagne, mais il n'en parle pas beaucoup parce que les Allemands ont perdu la guerre, et que les journaux disent qu'ils sont méchants. D'ailleurs, il n'est pas Allemand, même si sa Bible est écrite en allemand. Cette Bible est très belle, avec ses caractères différents des nôtres, épais, pointus, d'une apparence ancienne. Il ne la lit jamais parce qu'il n'aime pas les choses d'église. Il ne parle pas non plus de son père, Waldemar, qui était pasteur luthérien, sauf pour dire qu'il n'était pas dévergondé comme les curés. Waldemar était aussi fermier et il élevait sa famille, comme un vrai homme. Ils sont tous venus comme immigrants d'un pays étrange, la Lettonie, quand mon père était encore bébé.

Au début mon père était heureux car il pouvait jouer, aller à l'école et, le dimanche, regarder Waldemar battre tous les autres Lettons aux échecs. Mais ça n'a pas duré longtemps. Un jour, Waldemar a été tué. Papa n'aime pas parler de ces choses, et je ne sais pas pourquoi on a décidé de tuer son père, si ç'a été dans un duel. Peut-être bien qu'il y a eu une histoire de femmes, comme c'est souvent le cas lorsque les hommes se battent. Ensuite tout a mal tourné pour mon père. Ses oncles se sont mis à le maltraiter, et il a été chassé de la maison quand sa mère a décidé de se remarier. Karl, son beau-père, un petit vieux très gentil, était menuisier et sculpteur de portes d'église. Mais à l'époque il ne voulait rien savoir de mon père parce que les temps étaient ainsi faits: le fils du premier mari dérangeait trop la concentration de la veuve. À cause de ces événements, mon père a dû devenir apprenti et n'a pas pu étudier. Depuis lors, il sait que les études sont importantes. Ça fait que, si nous sommes dans la merde maintenant, les femmes n'ont qu'à s'en prendre à elles-mêmes: si Waldemar n'avait pas été tué, mon père aurait fait des études et il serait riche.

Mon père pense que les immigrants peuvent réussir à partir de rien, même s'ils ne sont pas Américains. Il y croit peut-être plus encore que mes tantes à leur eau de lune. Non seulement il y croit, mais il travaille activement dans ce sens. En plus des installations électriques, il s'occupe de ses inventions. Ce n'est pas facile parce qu'il faut du temps libre, de l'argent; il travaille sans arrêt et ne gagne pas beaucoup. Au début c'est comme ça, même s'il a débuté il y a longtemps. Parfois les débuts sont longs. Il travaille très bien pour que les clients soient satisfaits, et pour améliorer sa réputation. Il achète les meilleurs matériaux et n'économise jamais sur la main-d'œuvre. À la fin, il ne lui reste presque pas d'argent pour payer son apprenti; souvent il doit aussi emprunter pour régler le prix des matériaux. Si les clients ne payent pas vite — et il ne faut pas non plus quémander comme si on était un misérable —, il doit travailler à salaire jusqu'à ce qu'il ait ramassé assez d'argent pour rouvrir son atelier. Mais il ne se décourage jamais. Parfois il arrive à la maison plein d'enthousiasme, en expliquant à tout le monde les difficultés que pose son nouveau chantier, comment il a pu résoudre les problèmes techniques, le péril des échafaudages, tout y passe. Il parle sans arrêt, fait des blagues, raconte des anecdotes. Mais je vois qu'il cherche ainsi à éviter le regard réprobateur de ma mère et le commérage des tantes. C'est que plus son enthousiasme est grand, plus il va avoir de problèmes d'argent. Souvent ces merveilleux chantiers sont ceux qui vont l'endetter le plus longtemps. Chaque fois, il est sûr que son nouveau client va être si content qu'il va lui en envoyer plusieurs autres, très riches ceux-là, et qu'il pourra enfin se consacrer à son entreprise. Il le dit si bien qu'il finit par convaincre tout le monde. Tout le monde sauf ma mère qui a une vision trop mesquine des choses. Mais lorsqu'il a entrepris une tâche, personne ne réussit à gâcher sa bonne humeur. Il lui reste après tout la consolation d'avoir une renommée de travailleur sérieux, « qui a de la parole, contrairement à certains qui gagnent leur vie en trompant les gens avec des cochonneries ». Ma mère se tait, enragée.

Je ne sais pas si ma mère a raison. Je préfère qu'elle ait tort, même si notre vie ne change pas. C'est vrai que les affaires de papa vont toujours mal, mais sa bonne humeur me fait du bien. Dans le fond, je crois que c'est lui qui a raison d'être comme il est. En tout cas, il part travailler tous les jours de bonne heure, et reste souvent très tard dans son atelier. Et puis, il est respecté partout où il va; si ses clients le trouvent fou comme le pense ma mère, ils n'ont pas le courage de le lui dire de vive voix. Ils semblent au contraire très satisfaits de son travail et rassurés par les explications qu'il leur donne. Lorsqu'il m'emmène visiter ses chantiers, les clients sont gentils avec moi, m'offrent une limonade et lui font des éloges. Si quelqu'un se plaint de quelque chose, le voilà qui monte aussitôt sur des tables ou des échafaudages de fortune pour réparer la panne, pour surveiller la qualité du travail et faire ainsi valoir sa garantie. Le dimanche, il oriente parfois discrètement la promenade vers un de ces chantiers, rien que pour vérifier quelque détail important qui ne peut pas attendre le lendemain. Mais aussi pour nous montrer ce qu'il est en train de faire. Durant la semaine, on ne peut pas y aller parce que notre présence dérangerait l'atmosphère de travail, en donnant l'impression aux clients que son entreprise est artisanale. Il déteste ce mot. Il croit au contraire aux principes de la standardisation. Je ne comprends pas bien ce que c'est, mais ça exige que les enfants soient discrets, qu'ils ne fassent pas de bêtises lorsqu'ils visitent les chantiers. Pour les femmes, c'est encore pire parce qu'elles se mettraient à trop parler, à se plaindre de leur mari, et finiraient peut-être même par faire les dévergondées. Il leur interdit formellement de venir le voir sur les chantiers. Même si elles ont quelque chose de très important à lui dire, il faut qu'elles attendent son retour à la maison. Il dit que, de toute façon, il n'y a aucun avantage à apprendre trop tôt les mauvaises nouvelles, que, si les femmes savaient attendre, n'importe quoi finirait par s'arranger, qu'elles s'énervent pour rien parce que ce sont des fainéantes. De leur côté, elles s'en fichent, car elles n'ont aucune envie d'aller voir les chantiers. Elles préfèrent d'autres sortes de métiers, comme actrice de cinéma, hôtesse de l'air ou danseuse de théâtre musical. Mais, étant donné que ces emplois sont difficiles à trouver, elles doivent attendre pour voir ce qui va se présenter. Mon père prétend qu'elles attendent plutôt des hommes avec de l'argent, qu'elles ne veulent pas d'ouvriers honnêtes parce qu'elles sont trop vaniteuses. Ces discussions ne mènent à rien et gâchent les soirées en déclenchant des engueulades terribles.

Papa est convaincu que l'illumination par tubes fluorescents est la chose la plus moderne qui soit. Non seulement moderne et promise à un avenir fulgurant, mais aussi révolutionnaire à cause de la pellicule mystérieuse que ces tubes contiennent. Elle se distingue par sa lumière bleuâtre, bon marché et pas très chaude. Mais comme toutes les choses étranges, cette pellicule blanche est aussi dangereuse. Il met tout le monde en garde contre les coupures qu'on pourrait se faire en manipulant à la légère les vieux tubes. Si on se coupe et que la poussière blanche entre dans la peau, la blessure ne cicatrisera jamais! C'est quelque chose de radioactif, comme les bombes. De la haute technologie! La médecine elle-même est impuissante devant cette découverte des Américains. D'après mon père, si les ampoules incandescentes sont encore en usage, c'est parce que les gens sont bêtes et rétrogrades. En Amérique du Nord, tout est converti à la fluorescence. Il installe alors ses tubes dans tous ses chantiers; ensuite même les Portugais sont convaincus que c'est beaucoup mieux. Après son passage, tout devient bleuâtre, et les cernes sous les yeux sont plus marqués. Comme dans un aquarium.

Les lampes fluorescentes n'ont qu'un seul inconvénient: elles sont encombrantes, trop lourdes à cause d'une pièce noire à l'intérieur, et ne conviennent qu'aux installations fixes. Ç'a été le point de départ qui a conduit mon père à sa découverte originale. Depuis longtemps il rêvait d'appareils portatifs, légers, qui donneraient le coup de grâce à l'ampoule incandescente. À force de manipulations risquées et d'expériences diverses, il est arrivé à inventer justement ce produit indispensable. Après de nombreux essais, il a substitué la pièce noire par une résistance en mica, créant ainsi le système parfait: un tube de petites dimensions, une boîte métallique avec des crochets, le fil et une prise, et voilà qu'est né le RW-2. Baptisé de ses initiales. Pourquoi 2? Il m'a expliqué qu'une invention doit suivre les modèles américains, et que le numéro 1 est toujours réservé aux modèles expérimentaux, hors commerce. Les Américains sont si sérieux que, parfois, ils font plusieurs modèles expérimentaux, et que le produit final a pour numéro 8, 25, voire 500! Ç'a été un vrai coup de chance qu'il réussisse dès le premier essai. Ensuite il a eu l'idée d'utiliser le vernis à ongles de ma mère pour couvrir les vis de fixation de ses boîtiers métalliques. Comme ça il peut donner une garantie à vie pour chaque appareil, ce qui est une chose nouvelle dans notre pays. Cette garantie est attestée par l'étiquette collée au dos de l'appareil, pourvu que le sceau du fabricant soit intact. C'est-à-dire que, si quelqu'un gratte le vernis à ongles sur les têtes de vis pour fouiller dans le secret de son invention, la garantie est automatiquement annulée. Protection du secret industriel. En suivant toujours l'exemple des pays avancés, il a fait breveter son invention pour éviter que les étrangers ne viennent la voler.

Les débuts sont très longs. Il doit continuer à installer l'éclairage des plafonds des bars pour pouvoir faire progresser sa fabrique. Juste en attendant que le nouveau produit gagne définitivement sa place dans toutes les maisons. Ce qui n'est pas facile dans un pays rétrograde qui ne respecte pas la technologie, où les gens se fichent de tout ce qui est sérieux.

Lorsqu'il n'a pas de travail, il va voir les marchands d'articles électriques en apportant des échantillons de son invention, qu'il peint lui-même de diverses couleurs. Souvent les magasins acceptent d'en prendre quelques-uns en consignation. Les appareils sont ensuite livrés par un fonctionnaire de son entreprise, c'est-à-dire son apprenti. Mon père l'accompagne sans se montrer, et il ne le laisse seul qu'au moment de la livraison au client, parce que le garçon n'est pas très futé. Il risquerait de se tromper, ou pire encore. Il ne faut pas que papa y aille lui-même, car cela fait trop artisanal. Le commerçant doit sentir l'importance de l'entreprise pour pouvoir avoir confiance dans le produit. Mon père se promène dans toute la ville pour montrer ses échantillons, pour discuter affaires, et très rarement pour se faire payer les appareils vendus. En fait, ils ne se vendent pas très bien. Sûrement que la population ne les connaît pas encore. Mais à force de publicité, bientôt ça marchera mieux. Papa insiste pour que les marchands soient plus persuasifs, il donne l'exemple des Américains, il proclame la valeur de sa garantie. Garantie à vie ! Mais de toute évidence les gens sont moins passionnés que l'inventeur.

Quand il y a des appareils défectueux, papa va les chercher lui-même au magasin, et même chez les acheteurs, quelle que soit la distance. Il dit que le service après vente est sacré, que c'est la clé de son succès, que ça met en jeu l'honneur de sa garantie. Les rares fois où le vernis à ongles est gratté ou la vis déplacée, il se met dans une colère terrible, refusant de reprendre l'appareil, et réclamant des frais pour compenser la violation du secret industriel. Il met les gens en garde contre tous les dangers qu'ils encourent, il leur parle de ses brevets, et les prévient qu'ils risquent même de mourir par inadvertance à cause de l'intérieur complexe des RW-2. Au contraire, lorsque le sceau est intact, il exulte, rassure le client et promet le retour rapide de cet outil indispensable. En effet, dès le lendemain un appareil neuf de la même couleur est livré chez le client, et mon père garde celui qui est défectueux pour y opérer une autopsie minutieuse, à la recherche d'innovations possibles. Heureusement que les lampes ne se cassent pas souvent, sinon il aurait fait faillite dès le début.

D'autres produits ont été créés, dans la même ligne que la fluorescence, comme le RW-Vis, destiné à être vissé à la place de l'ampoule incandescente. Puis des trucs pour les machines à coudre, pour illuminer les autels, jusqu'aux enseignes lumineuses des bars. Ce dernier domaine en particulier passionne mon père, puisqu'il peut s'attaquer à un ennemi tout autant méprisé que les ampoules incandescentes, soit le néon. Il n'a jamais aimé les enseignes au néon. Elles sont trop artisanales, peu élégantes, indiscrètes. Il les trouve abominables comparativement aux enseignes en plastique moulé des compagnies américaines. Il a commencé ses recherches en utilisant de minces feuilles de plastique coloré, qu'il illuminait au moyen de lampes fluorescentes. Il lui en fallait beaucoup, pour apprendre à combiner les couleurs, sans perdre la force de la lumière. Il en profitait alors pour découper des fenêtres multicolores qu'il apposait sur nos automobiles, sur des boîtes vides pour faire des jeux d'ombres ou encore des cinématographes rudimentaires. Ma mère ne voyait pas ça d'un bon œil, surtout parce qu'il achetait de plus en plus de plastiques. Et puis il s'amusait tellement avec moi et mon frère qu'il négligeait ses travaux d'électricien. Elle était d'avis qu'il devait se spécialiser dans l'illumination des boîtes, et laisser à d'autres les images publicitaires. Il n'a rien voulu savoir de tel. D'abord parce qu'il aime trop ses plastiques colorés, ensuite parce qu'un inventeur ne va pas abandonner son invention comme ça, au premier venu.

Maintenant qu'il s'est spécialisé dans les plastiques colorés, il lui faut un atelier plus grand. Un de ses amis lui a construit un four pour mouler les acryliques, et son rêve va enfin devenir réalité. Il l'a installé dans une vieille maison de banlieue, très loin, spacieuse et qui coûte pour ainsi dire rien du tout. Il s'est aussi acheté une vieille fourgonnette pour transporter ses enseignes. Un autre de ses amis, passionné de mécanique celui-là, l'a aidé à la rafistoler et à refaire le moteur. Repeinte, elle a l'air presque neuve. Le menuisier qui a fait le four pour les plastiques a aussi rembourré les banquettes de la fourgonnette, et mon père est très fier du véhicule officiel de son entreprise. Nous sommes contents parce qu'il nous balade en auto le dimanche lorsqu'il n'a rien à faire. Sauf qu'il doit travailler beaucoup, à cause des prix très bas qu'il est obligé de demander pour ses enseignes. Sinon les gens achètent directement aux compagnies étrangères. Et puis les acryliques sont plus chers, et il doit en avoir un stock énorme pour se mettre à l'abri des changements de prix. Dommage que les Portugais des bars hésitent à se défaire de leurs néons, par pure ignorance. Mon père est quand même confiant car il sent que cette fusion du fluorescent, du plastique et de la publicité est ce qu'il y a de plus moderne.

Les femmes s'inquiètent du temps que ça va prendre pour qu'il commence à rembourser ses emprunts. Elles prétendent qu'il va faire faillite, qu'un de ces jours la police va venir saisir les meubles et l'emmener en prison. Ou bien qu'il agit comme un enfant, en jouant avec des plastiques plutôt que de travailler comme simple ouvrier. Même lorsqu'il vend une enseigne, qu'il apporte des cadeaux, qu'il est tout content, là encore elles disent que ça ne va pas durer. Comme si elles avaient envie que ça ne dure pas. La vie devient une sorte de guerre pour savoir qui aura raison. Papa ne s'avoue pas vaincu. Quand je crois percevoir de la tristesse dans son regard, ou de la fatigue, c'est seulement parce que je l'observe sans qu'il s'en rende compte. Dès qu'il se sait regardé, il redevient souriant, me fait des clins d'œil, me raconte des choses sur les plastiques. Je trouve dommage qu'il ne réussisse pas plus vite; plus le temps passe, plus il devient triste. Il ne se fâche pas, non, et il répond de moins en moins aux questions de ma mère. Ses silences deviennent longs lorsqu'il se mord la lèvre d'un air absent. Parfois, il ne réussit plus à sourire complètement: seule sa bouche se tord un peu d'un côté, sans que les yeux se plissent comme lorsqu'on est vraiment content. Je sais qu'il est triste parce qu'il ressemble à un clown qui pleure.

12

es premiers essais de dessin n'avaient rien à voir avec ce que je fais aujourd'hui. À cette époque, mes rapports avec mon père étaient déjà complètement transformés. Je venais de sortir d'un long séjour en institution qui avait plus ou moins fait de moi un adolescent cynique. J'avais compris que j'étais entièrement seul. Si je gardais encore mes illusions, je n'en parlais plus. Mes études se poursuivaient sans grand but, plutôt par habitude. Je rentrais souvent tard à la maison, et les silences ne me dérangeaient pas; les autres non plus ne s'inquiétaient guère de mes états d'âme. Mon père s'entêtait toujours dans ses rêves, mais il était plus discret, humilié, légèrement éloigné du réel. Je gardais envers lui un sentiment proche de la pitié, teinté d'une vague reconnaissance pour les bons moments du passé. Il était embourbé dans une existence fade, incapable de prendre des initiatives pour la transformer. Son hypothétique entreprise était sa bouée de sauvetage; il soignait encore son apparence en se déguisant en homme d'affaires, mais c'était évident que la mère avait gagné.

Il peignait ses cartes d'affaires pour les distribuer inlassablement dans toute la ville, sans résultat tangible. Il trouvait que ses cartes étaient plus belles en couleurs, et il les coloriait à l'encre. Lorsqu'il était seul à travailler sur la table de la cuisine et que je restais pour l'aider, son sourire gêné en disait long. Il avait peu de patience pour ce travail délicat, et je prenais sa place pour qu'il puisse se reposer. Il m'en apportait de gros paquets, en insistant ou en boudant jusqu'à ce que je me mette à les colorier. Par la suite, il m'a aussi demandé de faire les plans pour l'installation de ses rares enseignes. Il économisait ainsi les frais d'un dessinateur. J'avais simplement à inventer des signatures de dessinateurs imaginaires, et le bureau des licences de la ville approuvait sans vérifier. Mes dessins architecturaux réalisés à partir de ses propres notes sur le détail des façades étaient peu fiables. Mais je les faisais proprement et donnais à leur présentation un semblant de vérité en copiant des trucs sur les anciens permis. Ces dessins m'agaçaient. Mon père était toujours pressé, me les amenait à la dernière minute, me demandait de les modifier selon l'humeur des clients, et le plus souvent je devais trafiquer l'apparence des façades pour que les enseignes aient une allure réglementaire.

Ce fut à cause de ce travail qu'il a offert de me payer des cours de dessin publicitaire pendant quelques mois. Gomes, son dessinateur de longue date, partageait un bureau sur la place Tiradentes avec un horloger. C'était un local des plus intéressants, dans un bâtiment très vieux, avec un escalier en bois branlant qui débouchait sur le palier occupé par divers artisans. L'horloger occupait une des pièces, et il sous-louait un coin de son espace pour la table à dessin de Gomes. Aucun d'eux ne travaillait beaucoup et, dès qu'un client arrivait, les autres interrompaient leurs affaires pour venir bavarder. Gomes faisait un peu de tout, depuis l'illustration de livres jusqu'aux affiches publicitaires, des encarts pour les annonces des journaux, des listes de prix pour les commerçants des environs, et tout ce qui avait trait au graphisme bon marché. Il possédait de vieux dictionnaires illustrés d'où il puisait les modèles pour ses créations. C'était un petit homme très maigre, avec une mince moustache en brosse et des yeux perçants. Il avait des opinions arrêtées sur n'importe quoi, et jouissait ainsi du respect des clients et des autres artisans. Les clients étaient d'ailleurs bien hétéroclites: des commerçants ou des petits entrepreneurs comme mon père, des auteurs de brochures sur la cuisine ou l'homéopathie, des prêcheurs bibliques soucieux de bien présenter leurs feuillets de prosélytisme, et même des poètes inédits désirant des illustrations pour leur couverture en attente d'éditeur. Un jour, j'ai rencontré chez Gomes un éminent professeur de psychiatrie, déjà sénile, qui l'engueulait au sujet d'une vignette devant figurer dans l'un de ses ouvrages publiés à compte d'auteur. Il avait commandé des dessins de narcisses, et Gomes lui avait fait des lys penchés. L'illustre professeur était dans tous ses états, rouge de colère, et il prenait les artisans à témoin, bavant et protestant qu'un narcisse n'est pas un lys penché. Gomes argumentait à son tour, dictionnaire en main pour défendre sa création. Une autre fois, un vieux bonhomme tout maigre et mal habillé m'a été présenté comme étant le grand artiste Seth. Il était l'auteur d'un album de dessins à la plume, des trucs très torturés dans une veine érotico-astrologique. Mon père en avait reçu un exemplaire, et il s'y référait lorsqu'il voulait me convaincre de dessiner ses plans.

Ce fut Gomes qui suggéra à mon père de me faire étudier le dessin. C'est qu'il était parfois débordé, et mon père devenait impatient. Lorsque je regarde mes tableaux, même ceux d'il y a vingt ans, je ne retrouve aucune trace de l'enseignement qu'essayait de nous transmettre l'Argentin du cours de dessin publicitaire. C'était un cours du soir mal organisé, où l'on devait copier inlassablement les dessins des revues étrangères: bouteilles de Coca-Cola, annonces de cigarettes, automobiles entourées de familles souriantes, mais surtout des lettres de tous les styles possibles. J'ai abandonné le jour où le professeur s'est mis en tête de nous faire colorier à la gouache les bouteilles dégoulinantes de buée. Je pense même que ce cours m'a dégoûté du dessin pour longtemps.

Plusieurs années se sont écoulées, durant lesquelles je n'ai aucunement pensé à m'occuper d'art. Il m'est arrivé de dessiner des affiches politiques durant mon séjour à l'université. De petites choses naïves, avec ici et là des caricatures de militaires aux faces simiesques, de gros capitalistes en costume trois-pièces. Mes rudiments de lettrage surtout étaient mis à profit car les messages étaient nombreux, littéraires et bourrés de citations. Nous étions si jeunes, si généreux. Puis ce fut l'exil. D'abord l'Europe, ensuite ici, toujours à la recherche de quelque chose qui me manquait. Cette condition que je prolongeais sans y penser me paraissait de plus en plus agréable.

Seul enfin, j'ai commencé à m'intéresser à des choses sans importance, par pur plaisir. Auparavant, j'avais un besoin continuel de me justifier, de suivre des chemins ardus, de trouvers un sens aux êtres et aux choses. La cohérence de mes actes semblait toujours en mal de preuves, et l'insécurité de base n'était jamais complètement cachée. Cette légèreté nouvelle ressemblait certes à celle du naufragé qui échoue sur une île déserte. Elle est tout de même confortable. Je la cultive depuis lors avec soin malgré les efforts qu'elle me coûte en termes d'organisation rigide de travail, de barrières tenaces contre mes semblables. C'est dans ce cadre que je me suis surpris à dessiner. Sans aucun but, simplement pour dessiner chaque fois mieux, en dépit du fait que le dessin n'a jamais eu le moindre rapport avec ma vie publique.

J'ai commencé en copiant des livres, puis j'ai fréquenté des ateliers pour pratiquer le modèle vivant. Peu à peu, mes essais se sont améliorés, le trait est devenu plus libre, le mouvement des gestes et des idées a acquis une vie propre. Je travaillais surtout le corps humain, complétant mes travaux, avec le temps, par l'étude de planches anatomiques. Parfois l'image des cadavres de mon enfance me venait à l'esprit de façon fugace, et je reconnaissais ici et là des noyés, des scènes de la morgue et des clochards. Ou encore les fillettes attendant les chauffeurs au bord de la grande route. J'ai découvert ainsi un plaisir certain dans la contemplation de cette machine humaine, devenue objet de recherches pour les yeux et le crayon. Cette activité s'accompagnait fréquemment de souvenirs divers, encore désordonnés, mais chaque fois plus présents. Mon passé se faisait de la sorte plus pressant, et il s'imposait sous la forme de scènes d'enfance, d'odeurs, de saveurs, et même de certaines expressions langagières complètement oubliées. Ces choses que je croyais définitivement écartées de mon esprit par l'exil me revenaient avec une familiarité presque attendrissante.

L'art moderne, l'art à la mode ne m'a jamais rien dit. Ce n'était pas ce que je voulais faire. Quelques visites dans les galeries ont d'ailleurs suffi pour me convaincre que je n'y trouverais rien qui me convienne. La structure de mes dessins m'orientait déjà vers d'autres expressions. Les abstraits, minimalistes, pops et compagnie appartiennent à un monde différent du mien. Cette opposition m'a permis de suspendre tout jugement sur mon activité. J'allais dans des ateliers de danse moderne pour faire des études de masses et de gestes. Comme j'étais discret et que j'avais pris l'habitude de distribuer mes dessins à la fin des séances, ma présence était bien tolérée. Je pratiquais aussi devant le poste de télévision, en remplissant des bottins téléphoniques d'esquisses d'athlètes, de joueurs de hockey ou de danseurs. Parfois, je passais ainsi des heures devant l'appareil, le son coupé pour ne pas me laisser distraire, m'amusant énormément avec les mouvements et les allures des gens. Puis je copiais des os, des feuilles sèches, des boules de papier froissé, des tissus pliés, en finissant par des personnages étranges qui apparaissaient d'eux-mêmes lorsque je tombais de fatigue.

La gravure, que j'ai apprise dans les livres, est devenue en peu de temps le débouché naturel pour mes dessins, leur justification. Ce qui paraissait tout à fait absurde devenait ainsi cohérent: je dessinais pour pouvoir graver. Cette constatation naïve me faisait du bien car la gravure me semblait un passe-temps plus sérieux, plein de techniques chimiques et d'outils intéressants. Et puis la gravure n'est pas une discipline autonome; si le dessin est solide, la force des effets graphiques ne tarde pas à se manifester. L'espace des plaques avait l'avantage d'interagir avec l'imagerie mentale, en rehaussant cette dernière, en la stimulant. Mes souvenirs se sont ainsi activés de manière nouvelle, et de plus en plus d'images, devenues très précises, se sont mises à m'assaillir à tout moment. C'était la rupture des digues.

Longtemps je me suis interdit l'usage des couleurs. Les noirs et les gris me satisfaisaient pleinement. En réalité, j'obéissais plutôt à une crainte sourde devant les impulsions soupçonnées, que je n'osais pas encore affronter.

La xylographie en particulier me fascine à cause des plans massifs taillés au couteau japonais et nettoyés à la gouge. Le procédé d'impression directe qui semble relever de l'alchimie ajoutait un mystère supplémentaire à mon activité. Le long travail de taille me convenait, en dégageant complètement mon esprit pour la rêverie. La satisfaction de manipuler des ciseaux aussi tranchants que mon rasoir, la résistance du bois, la minutie des gestes, tout cela me rassurait. J'ai même fréquenté un atelier de sculpture sur bois pour affiner mes mouvements auprès d'un véritable artisan. Seul, le tirage m'ennuyait dans tout son processus. Après la première épreuve réussie, j'abandonnais la plaque pour m'occuper d'autres tailles. J'ai aussi pratiqué un peu la pointe sèche et l'eau-forte, mais sans grande passion. Le résultat final n'était pas radicalement différent des dessins. Le prix des papiers m'interdisait les beaux tirages et me rappelait l'absurdité de l'entreprise.

À cette époque, j'ai fait la connaissance d'un artiste d'ici, Moe Reinblatt, qui m'a beaucoup aidé. C'était un vieil homme très vigoureux, fils d'immigrants, et d'une certaine manière détaché des courants artistiques nord-américains. Un type formidable. Il avait passé toute sa vie à travailler la peinture et la gravure et, malgré la force de son art, il n'avait pas atteint la renommée ni le confort auxquels il était en droit d'aspirer. Au lieu d'être amer ou de tâter de l'abstrait, cet homme paraissait gagner en énergie chaque jour, créant des œuvres très fortes, tout seul, pendant que plusieurs de ses anciens étudiants pavoisaient dans les galeries, toujours à l'affût des modes, subventionnés et entretenus comme des cocottes. Reinblatt paraissait avoir atteint une sorte de sagesse ironique, mais ses remarques précises ne laissaient place à aucun compromis. Notre rencontre fortuite s'est vite transformée en amitié. Comme une sorte de mentor, il paraissait découvrir avant moi les choses qui me hantaient, et il me poussait à accepter ma voie. Malgré la différence d'âge, une complicité s'est établie, sans que nous ayons jamais parlé de nos vies privées. Rien qu'en observant ma façon de dessiner, mes thèmes et mes réactions, il pouvait percevoir tout le tourbillon qui couvait. Son enthousiasme n'a pas fléchi durant les trois années où j'ai fréquenté son atelier de modèle vivant.

Sa mort soudaine m'a privé du seul ami que j'ai eu dans ce pays d'exil. Vers la fin, connaissant déjà la nature de son mal, il semblait pressé de me donner ses derniers encouragements. De retour d'un voyage au Mexique, il évoquait la force des tableaux d'Orozco pour s'assurer que j'avais bien compris le message. Notre dernière rencontre, le jour de sa mort, dans un pavillon sinistre d'hôpital, m'a fait l'effet d'une consigne symbolique. Ma tâche était de faire des tableaux, mes tableaux, sans aucun autre souci, comme il l'avait lui-même fait tout au long de sa vie. Derrière la porte fermée, sous le drap qui cachait sa dépouille, j'ai cru qu'il riait encore avec plaisir, et répétait pour m'encourager, en l'accompagnant de son geste familier avec le poing fermé: «*Not strong enough, my young friend, you can do better. Don't be afraid. It's only paper. The others won't catch the meaning, anyway!*»

Je me suis mis à peindre à ce moment précis, et les couleurs m'ont aussitôt enivré. J'expérimentais les harmonies comme dans un banquet, me gavant et me soûlant. Les dessins s'empilaient, plus nombreux encore, plus imaginatifs et indépendants de mes esquisses du début. Les portraits se suivaient les uns les autres, de toutes sortes de gens, dans toutes les gammes de souffrance et d'hilarité. Les images de mon enfance s'imposaient davantage, gagnant un éclat ironique avec les pigments. J'avais moins besoin de retoucher, particulièrement sur les panneaux en bois, où la spatule libère les gestes et tranche les formes comme la gouge. J'abandonnais définitivement les vernis, et mes pochades en couleurs pures devenaient gravures.

L'outil de travail était prêt, mais les tableaux restaient continuellement en deçà des images originales. Quelque chose manquait. Je cherchais les souvenirs en pensant pouvoir attraper ce qui me hantait, mais en vain. Maintenant je sais que les souvenirs sont d'un autre ordre, très littéraires, aux contours bien marqués, quoique fades comme des récits. Les images dans ma tête au contraire se dérobent, puis se présentent à l'improviste pour me surprendre. Comme des spectres. Elles ne sont pas fixes dans le décor de la conscience, se mouvant en avant et en arrière, fuyant et ne respectant pas les dimensions du champ réel. Un seul visage peut apparaître énorme, se détachant du fond comme dans les miroirs déformants. Ou une petite blessure sur une main peut dominer la main entière, qui se fond à son tour dans le paysage lointain. Un corps étendu sur les rochers peut surgir dans les moindres détails, même si la scène est vue à distance: le corps allant et venant, faisant voir ici les pores de la peau ou la saleté des ongles, se fondant au loin avec les rochers en une sorte de masse grise. Comme si je pouvais percevoir simultanément tous les plans de la figure centrale pendant que, dans mon souvenir, je m'approche de la plage. Les mots que j'avais autrefois entendus bien avant d'aller voir le corps — « Il y a un noyé sur la plage! » — accompagnent l'image mouvante du cadavre, même si je me rappelle qu'il m'avait fallu plus d'un quart d'heure pour arriver jusque-là. Une sorte de souvenir ayant sa vie propre, avec à la fois les détails et la vue d'ensemble: les mots criés, le soleil très chaud, le vent salé de la mer, l'attroupement au loin, l'approche craintive, la masse étendue sur les rochers, le visage du mort, le sable fin qui remplissait ses narines, le mélange d'horreur et de curiosité. Rien à voir avec la logique du langage ou de l'espace, plutôt le traumatisme d'un accident. Tel visage gras et maquillé qui s'approche comme un train lorsqu'on est au bord des rails, et qui disparaît dans un fracas infernal. La verrue sur le menton du sténographe prend des proportions formidables, écrasant presque le souvenir des militaires qui s'affairent à confondre l'interrogé. Puis, ils se mettent à fumer, transpirant autour du col, et leurs joues se gonflent en suçant les cigarettes à bout filtre, pendant que la verrue disparaît pour céder la place à l'éclat de la bague décorant le poing qui cogne. Ou encore le panier de fruits odorants, rouge, vert et jaune, sous le ciel bleu et le violet de l'intérieur de la cabane. Tout se fond, les fruits, la fatigue, les cordes noires de tabac à mâcher et les moucherons verts sur le visage de l'enfant rachitique. Je peux localiser tout cela par le souvenir, je peux reconstituer la scène et son histoire, mais ces efforts n'ont pas de prise sur l'image qui m'obsède.

Le premier tableau véritable, conduit par une image, s'est imposé à moi de façon inopinée, clandestine, comme s'il me donnait une leçon. Alors que je dessinais des gestes, la configuration des lignes sur le papier m'a conduit à percevoir un corps étendu, mal dessiné. La position des membres était écartelée, peu naturelle; il paraissait estropié comme un corps soumis à une secousse trop violente. Ce dessin ne correspondait pas tout à fait à la représentation d'un corps humain. La pose me fascinait pourtant, par sa singularité et par ses proportions inusitées. J'ai repris l'esquisse malgré moi, renforçant délibérément certains aspects insolites, retravaillant la tête et structurant le tout un peu au hasard selon l'espace de la feuille de papier. Même sans l'aimer, je me sentais incapable de le jeter. J'ai fini par le transposer tel quel sur un large panneau, en refrénant mon envie de corriger ses formes bizarres. Mon malaise ne cédait pas; il y avait là une contradiction flagrante. Je me suis mis à le peindre. Le sentiment d'étrangeté est demeuré intact durant toute la nuit qu'a duré l'exécution du tableau. J'avais la nette impression de gaspiller du matériel, sans savoir au juste ce que je faisais, comme dans un jeu. Je me laissais emporter, et je ne me souviens pas d'avoir été fatigué, ni tendu. Une fois le tableau fini, l'impression d'erreur géométrique et de dislocation était plus forte encore. Je ne comprenais toujours pas pourquoi, mais le tableau me plaisait. Tout en buvant quelques verres de vodka en son honneur, je percevais nettement sa double nature. Tantôt, c'était la bizarrerie du dessin, l'erreur des proportions qui prenaient le dessus; tantôt c'était la forme de l'ensemble, le plaisir de l'avoir fait qui primaient. Je me sentais un peu soulagé d'avoir résisté à l'envie de corriger le dessin, de l'avoir entrepris presque comme une boutade. Mes sentiments étaient cependant ambivalents, et ce fut avec une impression amère dans la bouche que je suis allé me coucher quelques heures avant le matin.

Toute la journée, il est resté dans mon esprit; plus j'y pensais, plus j'étais insatisfait, déçu. L'idée de base était bonne, mais il aurait fallu reprendre le dessin. De retour à la maison, le soir après le travail, j'étais décidé à tout recommencer. Mais aussitôt que j'eus donné de la lumière, le tableau continua d'éclater, imposant son existence propre, indépendant désormais de mon travail. Je ne pouvais plus le retoucher. Je l'ai alors examiné à la façon d'un spectateur passif. Il me plaisait chaque fois davantage, mais ce n'était pas un tableau à moi. Soudain, comme lorsqu'on nous apprend quelque chose qu'on a déjà su longtemps auparavant, l'image originelle m'est apparue. Très nette, toute en couleurs; même le vent chaud de cet après-midi oublié est redevenu vivant. Seule l'horreur de la scène n'existait pas. Elle était devenue tableau et ne me hantait plus.

C'était une journée chaude, en fin d'après-midi, avec un soleil bas qui ne touchait plus les rails du chemin de fer. Mon père et moi revenions de son atelier, dans la banlieue de Quintino, le long de la voie ferrée de la compagnie Centrale. Une banlieue pauvre entourée de collines vides, peu peuplée. Nous allions prendre l'autobus pour rentrer à la maison. Il m'emmenait parfois à son travail; je passais la journée à jouer sur les terrains vagues ou à l'observer pendant qu'il fabriquait ses appareils électriques. Ce jour-là, il avait fermé de bonne heure et nous longions maintenant le muret qui séparait la rue des rails. J'ai vu la chose bien avant mon père:

une sorte de paquet, avec des bras et des jambes placés n'importe comment, plus éparpillé qu'écrasé. C'était un homme étendu à côté des rails, comme une marionnette tombée à la renverse. Il ne bougeait pas mais ses membres étaient animés d'un tremblement spasmodique. Sa tête intacte reposait sur une flaque de sang, les bras curieusement dressés, une jambe beaucoup plus longue que l'autre. La torsion du tronc était étrange, comme si, couché, il avait voulu faire une révérence. Je me suis approché, les yeux fixés sur la chose. Lorsque je me suis arrêté, mon père l'a aperçu à son tour. Nous sommes restés ainsi un bon moment à observer ce voyageur tombé du train. Sur les rails, un peu en bas de la rue, séparé de nous par à peine quelques mètres, son corps refusait de mourir, protestant en spasmes contre la misère des banlieues. Les membres complètement disloqués, en position bizarre, tout seul. Mon père m'a dit que les corps prennent parfois plus de temps à mourir que les gens, comme les oies qu'on décapite. Mais qu'il ne souffrait plus. Il venait à peine de tomber du train qui nous avait croisés un instant auparavant. Dans cette courbe qui allégeait si souvent le convoi trop chargé de grappes d'ouvriers. Il y avait là un poteau un peu plus rapproché des rails. Lorsque le train attaquait trop vite la courbe, ou qu'il était trop chargé, il arrivait qu'un des voyageurs soit happé. Mon père avait déjà vu la scène à d'autres occasions, et le fait était bien connu des autorités du chemin de fer. Après tout, ce n'étaient que des pauvres, trop pressés d'arriver chez eux, parfois après deux heures de trajet. Le maigre salaire, les trains bondés et souvent en retard, la peur des voleurs, la fatigue de la journée, la famille, la misère. Accrochés comme des fourmis autour des wagons, ils tombaient, anonymes et solitaires. Voilà mon tableau, l'image de ce que j'avais vu il y avait si longtemps. Il avait aussi quelque chose de mon père, par terre, l'air endormi et tordu, après sa chute dans une nuit lointaine, place Republica.

13

Depuis que nous allons à l'école, il y a beaucoup de changements à la maison. Ils ne sont pas venus d'un coup, mais je les remarque de plus en plus. Ma mère semble avoir abandonné la couture. Ses clientes continuent à venir chez nous, plus jeunes, criardes, très maquillées. Maintenant, elles viennent pour bavarder ou pour chercher ma mère. Elles sortent souvent pour aller rendre visite à d'autres clientes, et ma mère se fait faire de nouvelles robes par une de ses copines. Elle se maquille plus et se montre moins irritable, peut-être parce qu'elle sort souvent le soir. Mon père lui aussi sort davantage. Nous restons la plupart du temps seuls avec Lili. La petite tante par contre est plus nerveuse, inquiète; lorsqu'elle ne rencontre pas ses amis, elle dit qu'elle étouffe, qu'elle n'a pas d'appétit, que son sommeil est mauvais. Ou bien elle est toute lasse, pensive, se laissant tremper des heures entières dans la baignoire à lire ses photoromans.

L'armoire à glace a été remplacée par un réfrigérateur tout neuf qui ronronne à longueur de journée. Les visiteurs sirotent des limonades froides ou se frottent la gorge avec des cubes de glace. Les enfants sont un peu oubliés, et je ne suis plus aussi souvent dans le chemin des autres. Lorsqu'on arrive de l'école, il faut rester en bas dans la rue, pour jouer sagement en attendant. C'est qu'il n'y a personne à la maison; ou bien ce n'est pas le moment de monter. Les tantes aussi se font plus discrètes; elles sortent ou elles doivent rester en haut pour aider ma mère à faire le ménage. Dès que j'ai déposé mon sac d'école dans la loge du concierge, je suis libre de me promener à ma guise. Je sais que je n'ai pas le droit de m'éloigner, qu'elles vont se fâcher si elles ne me trouvent pas. Elles disent que je suis un vagabond, que ma manie de m'enfuir va me porter malchance. Mais c'est plus fort que moi: je ne suis pas capable de rester assis à attendre comme le fait mon frère. Il déteste ne pas pouvoir monter tout de suite, et il s'assoit là, boudant et grognant sans même remarquer si je m'éloigne ou pas. Les rues m'attirent trop. Je finis par m'approcher pour mieux voir les choses, vers les magasins, les bars, rien que pour observer les gens, les camions qui déchargent leur marchandise ou la devanture du marchand d'oiseaux. Pas pour mal faire, non, et presque malgré moi. Elles tardent à venir et je m'absorbe dans le spectacle. Ensuite, elles se fâchent, bien emmerdées de devoir venir me chercher, m'accusant de tous les torts puisque j'emmène le petit frère dans mes promenades. Il préfère me suivre que de rester à attendre le retour de sa marraine. Lili lui dit qu'il doit être sage s'il veut avoir un bonbon, qu'il n'a pas le droit de faire comme cette peste qui s'enfuit tout le temps pour vagabonder. Mais le petit ne comprend pas. Il est trop content de venir avec moi regarder les cages d'oiseaux.

Les femmes me frappent moins, comme si elles avaient des choses plus importantes à faire. Par contre, elles répètent sans cesse les mêmes récriminations, assurant que les enfants sont un véritable malheur, qu'ils ne savent pas apprécier tout le dévouement des parents ni les en remercier et qu'un de ces jours on ne viendra plus nous chercher. Il est aussi question de m'envoyer en maison de correction pour que j'apprenne à être gentil, ou encore de me donner en adoption à une famille portugaise, pour que j'apprenne à travailler. Le soir, l'ambiance à la maison est plus calme, puisque les gens se parlent de moins en moins.

L'autre nouveauté, c'est que nous allons passer les vacances scolaires dans la famille de ma mère. Je sais que ce ne sera pas bien, mais ils ne veulent pas en discuter. Ils ont tout préparé d'avance. À commencer par ma mère, qui n'arrête pas de vanter sa ville sans aucun motif, ni de dire que la grand-mère nous aime beaucoup et qu'elle désire tant nous voir, que les tantes seront gentilles, que nous allons faire de belles promenades, et aussi que je pourrai bien manger pour guérir ma tuberculose. Elle ajoute, certes, que le froid humide de là-bas n'est pas très bon pour moi, qu'il faudra me méfier et bien me protéger parce que ses frères sont morts justement à cause de cette humidité. N'empêche que le voyage nous fera du bien, que nous pourrons passer toutes les vacances à nous amuser. Malheureusement elle ne pourra pas y rester, quel dommage, à cause de son travail et aussi parce qu'il y a beaucoup de ménage à faire dans notre nouvelle maison. Parce qu'en plus nous allons aussi déménager. Dans un bel appartement, près de la mer, avec beaucoup d'espace, et nous serons très heureux. Surtout il n'est pas question que je reste à traîner dans la rue, à vagabonder durant toutes les vacances. Tout ça dit d'une manière vague, entremêlé de remarques sur notre ingratitude envers notre famille qui nous offre de si belles vacances, pendant que d'autres n'hésitent pas à simplement abandonner leurs enfants.

La famille de ma mère habite São Paulo, en plein centre-ville, tout près de la halle aux fruits et aux légumes. C'est un quartier plein d'étrangers, de Syriens, d'Italiens et de Japonais, d'où émanent de fortes senteurs d'épices, de gâteaux au miel, accompagnées de tout le brouhaha du grand marché central. Je me sens complètement dépaysé au milieu de ces couleurs, ces bruits, ces rues jonchées de détritus autour des immeubles gris. Les gens ont l'air d'avoir la peau plus blanche que chez nous; ils sont aussi plus gras, plus nerveux. Du commerce partout. Les passants s'affairent autour des nombreux camions qui déchargent leur marchandise, et les chariots à bras passent dans tous les sens en créant d'énormes embouteillages. Une petite pluie fine qui ne cesse jamais rend blafarde la lumière des enseignes des magasins. Puis l'immeuble, avec son entrée pompeuse d'autrefois envahie par la poussière, un ascenseur ancien, lugubre et bruyant avec ses portes métalliques. Nous voilà enfin chez ma mère!

Dès l'entrée, ça sent la femme renfermée. Les hommes sont morts, partis depuis longtemps. La horde de vieilles filles entoure la grand-mère qui se laisse faire avec des airs boudeurs. Parfums pénétrants, senteurs de fard, beaucoup de linge intime séchant sur les cordes, corps féminins accotés à des fauteuils ou étendus en poses lasses. Il y a partout des bibelots sur des napperons en dentelle. Des images naïves sur les murs entourent l'énorme photo du premier mort de la tuberculose, un genre de photo coloriée à la main, aux tons pastel tirant vers les bleus célestes. Des Christ aussi, la peau lisse, la barbe taillée et peignée, lèvres carmin et regard rêveur. Puis une image de la Cène, pareille à celles que distribuent les curés. Dans chaque chambre, il y a une large coiffeuse avec un grand miroir biseauté; les tiroirs débordent d'objets de maquillage, de peignes et brosses enchevêtrés de cheveux, de paquets de cigarettes entamés, de bijoux et autres quincailleries diverses. Des piles de photoromans. Les grandes armoires exhalent des odeurs de naphtaline, de parfum vieilli, de souliers, de moisissure et de vêtements sales. Les lits sont drapés de lourdes couvertures aux couleurs satinées; il y a plein de lampes aux abat-jour soyeux et plissés, entourés de dentelle. Les tantes ont des regards vagues; elles sont mal peignées, en chemise de nuit, et elles balancent leurs savates à pompon sur la pointe des orteils. Je reçois tout ça comme une secousse inattendue. Par la fenêtre, je vois la rue, mais surtout les appartements d'en face, pareils à celui-ci, pleins de filles, de femmes et de vieilles aux fenêtres. Tout le monde a l'air d'attendre paresseusement l'arrivée de quelque chose.

Dès le vestibule, cette viscosité nous assaille par des embrassades, des mains qui palpent avec des exclamations et des grimaces forcées de contentement. Je suis frotté aux fards, piqué par des ongles vernis, étouffé par des chevelures défaites aux odeurs de chemises de nuit. Mais les tantes ne s'éternisent pas. Elles retournent vite s'occuper des ongles, des cheveux, de la peau du visage ou des poils des jambes. Je peux alors explorer à ma guise.

L'ennui est si puissant que l'air semble poisseux. Je me rends aussitôt compte qu'il n'y a rien ici qui puisse intéresser un enfant. La salle de bain toujours occupée est encombrée de vêtements, de serviettes, de pots et flacons de toutes sortes, un pêle-mêle incroyable dans lequel seules les tantes ont l'air de se retrouver. Tout le monde se met à la fenêtre pour regarder la rue, surtout pour nous mettre au courant de ce qui se passe dans les appartements d'en face. Et j'ai la curieuse impression que les gens d'en face sont en train de s'amuser de la même façon avec notre arrivée. Les femmes passent la journée à jouer aux cartes, toutes seules ou en groupes, d'interminables parties où elles parient qu'un tel va arriver ou qu'un commerçant du marché se décidera enfin à les inviter à sortir. Les nombreux horoscopes sont soigneusement étudiés et commentés, les cartes du ciel sont épluchées à la recherche d'hommes cachés et de rencontres imprévues. Dès la fin de l'après-midi, le silence total est de mise: on écoute les feuilletons radiophoniques qui se succèdent jusqu'à tard dans la nuit. Les lumières sont éteintes, les tantes rivées au poste de radio, et seul le feu des cigarettes révèle la tension latente. Les soupirs sporadiques aussi. Les envies d'uriner sont difficilement maîtrisées jusqu'à la pause publicitaire, et là elles courent toutes aux toilettes, s'enfermant à plusieurs. Pas un seul livre dans la maison. Et puis, il faut appeler les tantes par d'autres prénoms: elles en changent souvent, histoire d'épater les divers soupirants, ou simplement pour faire changement, comme les actrices des photoromans. Lili devient Maria Helena ou Dorinha; Jini devient Vera ou Angela, en fonction de son visiteur. Sylvia se change en Laura, et curieusement ma mère se fait appeler Ligia. Au début, elles chuchotent beaucoup entre elles, ou parlent en langage codé, parce que ce ne sont pas des choses pour les oreilles des enfants. Mais cela non plus ne dure pas. Au bout de quelques jours, elles ne se gênent plus, et nous semblons déjà faire partie des meubles. Les conversations dévoilent alors des détails étonnants concernant l'intimité des amoureux. Je découvre aussi des choses formidables pendant qu'elles se rasent les jambes et les aisselles, peignoir ouvert et culottes rapiécées, ou encore pendant qu'elles se grattent. Mais tout devient si répétitif que j'ai continuellement envie de bâiller.

La grand-mère qui nous aime tant n'a pas l'air de nous remarquer beaucoup. Elle n'est pas méchante, non, plutôt effacée comme un petit enfant boudeur. Elle se réfugie dans la cuisine pour préparer des repas à longueur de journée. Les tantes l'attrapent de temps à autre pour l'habiller, la maquiller ou friser ses longs cheveux blancs. Elle feint alors de se fâcher, crie un peu et se débat, mais seulement pour la forme. Elle paraît aimer ces jeux de poupée et, si elle proteste, c'est seulement pour pouvoir s'étonner ensuite devant son image dans le miroir. Je trouve que les tantes y vont un peu fort; la vieille ressemble parfois à une momie peinte en clown, surtout sa bouche ridée qu'elles doivent étirer pour étendre le rouge à lèvres violet. Puis, sous la couche de poudre, ses rides se mettent à craquer de partout comme la boue sous le soleil. La grand-mère se prend au jeu, devient coquette, élargit le décolleté et se laisse poudrer la gorge, pendant que les tantes lui gonflent les seins par le bas avec des tissus enroulés à sa taille. La vieille perd alors tous ses scrupules: elle lève sa jupe, esquisse quelques pas lourds en faisant des moues avec les lèvres. Son corps énorme se trémousse, le visage congestionné. Puis elle retombe sur le lit, suffoquée par la haute pression. Et elle masse ses jambes variqueuses en se plaignant de son grand âge. Les tantes s'amusent follement à ces jeux, et elles se déguisent à leur tour pour danser.

On mange beaucoup, en effet, peut-être pour contrer la tuberculose. Mais aussi parce qu'il n'y a rien d'autre à faire. Les tantes ont beaucoup d'appétit; comme elles mangent peu aux repas pour ne pas grossir, elles grignotent ensuite toutes sortes de choses, continuellement. Le seul oncle qui a survécu à la tuberculose vient toujours pour manger le midi, rendre visite à la grand-mère et se faire gâter. Il est petit, maigrichon, et ça ne m'étonne pas que les autres soient morts. L'oncle est encore jeune, à peine plus vieux que Lili, mais il se donne de grands airs lorsqu'il parle de ses affaires en fumant des cigarettes américaines. Je trouve qu'il prend aussi des poses de photoromans, surtout pour inhaler la fumée en grimaçant, la bouche très ouverte. Les tantes le méprisent parce qu'il sort avec des femmes qu'elles n'aiment pas. Mais elles lui prêtent quand même de l'argent.

Les amis des tantes viennent aussi de temps à autre pour le souper. Il y en a même qui restent pour coucher, en attendant l'ouverture du marché, tôt le matin. J'ai été étonné la première fois que je les ai vus. D'après la conversation des tantes, je les croyais différents et plus jeunes, semblables aux photos de revues. Mais non. Ils sont bien plus vieux, souvent mal rasés, et quelques-uns franchement obèses. Elles disent qu'ils sont dans les affaires, ce qui est une autre façon de dire qu'ils transportent des légumes vers d'autres villes dans leurs camions. Mon père pense que ce sont tout bonnement des chauffeurs. Ils sont riches, c'est vrai, et ils ne se gênent pas pour montrer leurs portefeuilles bourrés de billets, ce qui provoque une grande nervosité chez les femmes. Il faut qu'ils aient toujours beaucoup d'argent comptant sur eux parce que les légumes se vendent à la criée, et aussi parce que les filles aiment dépenser. Ils rient en exhibant leurs dents en or, et ils se vantent en évoquant les dangers de la route, les bagarres, les femmes. Mais les tantes n'aiment pas toujours ces façons; elles soupirent, chuchotent, boudent, et voilà que l'une d'elles s'enferme dans la chambre en pleurant et ne veut plus ouvrir. L'amoureux gesticule, mal à l'aise, pendant que les autres tantes essaient d'arranger les choses. Elles la consolent jusqu'à ce que le chauffeur se décide à s'excuser, à dire des mots gentils. Des réconciliations, des ruptures, des cadeaux, de nouveaux amoureux, mais toujours la même langueur.

Il ne faut jamais mentionner le nom du grand-père. Il est mort, sans doute, il y a très longtemps, et c'est mieux de ne pas en parler. Mon père nous a bien avertis avant de partir. Mais mon frère, qui cherche toujours à se faire remarquer, n'a pas su se taire: il a même cru bon de dire que tout ça n'est rien d'autre que des mensonges. Les tantes sont devenues furieuses et il a reçu des coups, ce qui est bien fait pour lui. Tout en pleurant, il a ajouté que le grand-père est vivant, et que chaque Noël mes parents lui envoient une carte au couvent où il s'est retiré. Les tantes étaient livides de rage, la grand-mère s'est mise à suffoquer, et le reste de la journée s'est passé dans une lourdeur terrible. C'est vrai ce qu'il a dit, mais ce n'est pas sûr que le vieux Themistocle soit encore vivant. Il n'a jamais répondu à nos cartes de Noël. Mon frère aime avoir le dernier mot, rien que pour montrer qu'il en sait plus que les autres. Moi, je ne veux pas parler du grand-père puisque je crois qu'à sa place je serais parti aussi. Mais pas dans un couvent. Ça donne un peu raison aux tantes lorsqu'elles disent que Themistocle est devenu fou. Et là mon frère ne sait pas quoi répondre. Le soir les tantes étaient encore fâchées; dans leur rancune elles se sont mises à dire que beaucoup d'hommes sont des fous, qu'ils sont incapables d'apprécier la vie ou de gagner de l'argent. Et que certaines femmes sont des idiotes de rester accrochées à des types comme ça. Et que ce n'est pas étonnant que ma mère souffre autant, la pauvre, puisque, lorsqu'elle était encore jeune et jolie, elle n'a trouvé rien de mieux à faire que de croire à des inventions farfelues. Plutôt que de goûter à la vraie vie, avec un vrai homme. Mais ça seulement une fois que mon frère était parti se coucher, de peur qu'il ne raconte à mon père. Tandis que, moi, elles savent bien que je ne comprends pas ces choses-là.

Les vacances se déroulent ainsi, interminables et somnolentes. Je finis par connaître toutes les versions possibles de la vie des voisines d'en face. Je peux même reconnaître les hommes qu'elles aiment ou haïssent dans la foule du marché. Je connais tous les camions, et je sais un tas de choses sur les chauffeurs, même sur ceux qui ne viennent pas chez les tantes. J'ai appris à jouer aux cartes, mais je ne suis pas encore capable de faire les jeux de patience aussi bien que mon frère. Les tantes sortent souvent avec le petit, pour le montrer. Sinon il dort. C'est comme chez nous, mais pire.

Nous n'avons pas apporté nos jouets et, depuis que j'ai connu l'école, je n'aime plus rester sous les lits. De toute façon, comment jouer dans cette maison encombrée et sombre, où nous sommes effectivement dans le chemin de tout le monde ? Et où nous risquons au moindre geste de renverser les bibelots. J'observe les femmes se farder, ou parler, ou s'habiller, des activités qui, selon mon père, dévoilent l'art secret et millénaire de la tromperie. La moindre ride est objet d'horreur; les boutons, les points noirs sont traqués avec acharnement par des ongles trop longs et vernis de rouges fantaisistes. Les cils sont implacablement courbés, les sourcils arrachés pour être ensuite dessinés au crayon. Tout ça dans une odeur de liquides visqueux pour les cheveux. Même la bonne entre dans la danse, se faisant lisser les cheveux crépus avec un peigne métallique chaud, dans de fortes émanations de fumée, de poil brûlé et de graisse frite. Il ne me reste donc rien d'autre à faire que de fermer les yeux pour voir les choses apparaître. Comme je n'ai pas le courage de jeter les pots de fleurs de la fenêtre sur la tête des passants, je me borne à les voir tomber dans mon imagination. Ou bien je mets le feu dans l'immeuble d'en face pour que viennent les pompiers; je peux très bien voir les yeux pleins de panique des voisines lorsqu'elles sautent dans le vide, enveloppées de flammes rouges en guise de maquillage. Je fais revenir le vieux Themistocle complètement fou, avec une barbe énorme, et il rosse toutes les tantes avec un candélabre en argent qu'il fait tourner au-dessus de sa tête. Jini devient la femme étripée du feuilleton radiophonique; c'est le chauffeur aux dents en or qui la dépèce dans la chambre, avec le gros couteau. Comme la grand-mère lorsqu'elle découpe le poulet. Je pense aussi comment ce serait si les femmes étaient mortes de tuberculose, la grand-mère partie au couvent, et si les hommes étaient tous restés là. Mais ça, c'est bien difficile à imaginer. Je rêve quand même aux tantes s'étouffant à leur tour, tuberculeuses. En jouant de la sorte et en les regardant, j'ai appris que les autres ne peuvent pas savoir ce qui se passe dans ma tête.

Elles me trouvent très gentil lorsque je reste ainsi silencieux.

Les belles vacances touchent à leur fin, mon père est arrivé pour nous ramener. Il profite du voyage pour visiter la place commerciale, comme il dit, pour faire des contacts et vendre ses appareils. Les tantes s'animent en sa présence, deviennent gentilles et bavardes. J'aime sortir avec mon père malgré le temps perdu à convaincre les commerçants des avantages de la fluorescence. Il sait se promener. Au marché, nous nous perdons dans la richesse des odeurs et des couleurs, parmi les fruits, les allées entières d'étals de poissons, de cages d'animaux et de boutiques d'articles pour la macumba. Avec lui, on ne s'ennuie jamais. Puis, il s'arrête chaque fois pour regarder les vitrines, particulièrement celles d'armes à feu et de couteaux. Il me parle des pistolets qu'il a possédés autrefois, lorsqu'il était jeune, et il sait expliquer un tas de choses. Il aime tout autant les outils de travail; il les caresse des yeux, et se promet souvent qu'un jour il achètera une de ces belles foreuses électriques qui viennent des États-Unis. Ça ne lui fait rien de ne pas pouvoir acheter les choses; il se promène pour le plaisir de découvrir. Une énorme pile de pastèques, et voilà qu'il s'arrête en contemplation, les yeux grands ouverts, le sourire aux lèvres, en faisant des commentaires enthousiastes. Il peut aussi bien s'arrêter devant les commerçants japonais qui font leurs comptes à l'aide d'un abaque. Sans aucune gêne, il les observe attentivement, curieux. Les Japonais ne se fâchent pas, au contraire; ils sourient et marmonnent des choses incompréhensibles. Mon père s'amuse de ce qu'il voit, comme si tout n'était qu'un cirque. Ou alors il examine les poissons d'un étal, tâtant la chair, passant un doigt sur les dents pour voir si elles sont coupantes, et discutant avec le commis sur la provenance de tel ou tel fruit de mer. Il goûte les crevettes salées directement des tonneaux, et les vendeurs lui en offrent encore d'autres, tant ils sont contents de faire un brin de causette. C'est étrange comme les gens semblent apprécier sa compagnie lorsqu'il n'est pas en train de vouloir les convertir à la fluorescence. Les tantes et la grand-mère au contraire sont nerveuses, craintives; avec elles, il faut retourner vite à la maison, et on ne s'arrête que pour des conversations à voix basse avec des amies ou des amoureux.

Soulagés, nous quittons enfin cet endroit, après une séance frénétique d'embrassades, de cris et d'exclamations, avec les tantes exaltées clamant leur grand amour pour ces neveux si gentils, si intelligents. Elles répètent qu'il faudra revenir le plus vite possible, pour rester plus longtemps encore, pour reprendre nos belles promenades, les parties de cartes et les délicieuses conversations. Que tous ensemble nous irons souvent au cimetière, pour admirer les tombeaux en marbre qu'elles ont commandés pour les frères tuberculeux. De vrais mausolées!

Dès le retour de cet horrible voyage, les événements se précipitent, à grande allure. Ma mère avait parlé du déménagement sans trop de précision. Mais voilà qu'elle a mis son projet à exécution pendant qu'on était chez la grand-mère, et nous ne retrouvons pas la vieille maison. Le nouvel appartement est vraiment grand, avec deux chambres à coucher; il est tout propre et il ne faut pas toucher aux murs pour ne pas salir la peinture. Il ne faut pas non plus courir pour ne pas faire de marques sur le plancher. Dans sa hâte, ma mère a décidé que nous ne sommes plus des enfants et qu'il n'était pas nécessaire par conséquent d'emporter les boîtes avec nos collections. Nos jouets non plus n'ont pas suivi parce qu'il ne fallait pas salir notre chambre avec des vieilles choses, ni encombrer les armoires. Mais la petite place toute proche, avec ses balançoires, et le bar plein de clients nous font oublier ces détails. Et puis on a la mer tout à côté, même s'il n'y a pas de plage; c'est un embarcadère en pierre comme celui de la place Quinze.

Je peux maintenant regarder tous les jours les bateaux et les pêcheurs, ou rester seul dans la rue, car ce n'est pas dangereux pour les enfants. Il suffit de revenir à l'heure du souper. Ma mère préfère d'ailleurs que nous restions loin de la maison, à cause de son travail. Ou bien elle doit sortir, et alors nous ne pouvons pas rester seuls.

Le quartier est calme le soir, après la fermeture des bureaux. Mais durant le jour, il y a pas mal de mouvement à cause des banques et des ministères. De notre fenêtre, nous pouvons voir une jolie rue, avec des arbres; juste en face il y a l'Académie des lettres, avec son jardin fermé rempli de chats. Des vieilles aux allures de folles leur apportent à manger en miaulant. Sinon, ils passent leur temps à manger les gros rats qui se promènent dans la cour arrière de notre immeuble.

C'est drôle, les nouveaux meubles sont aussi tarabiscotés que ceux de chez la grand-mère. L'appartement est tout aussi sombre, encombré, et les couvertures des lits sont satinées. Ma mère a aussi pris goût aux dentelles et aux abat-jour. Heureusement qu'il y a la rue. De toute façon, nous passons très peu de temps à la maison; après l'école je peux me promener tant que je veux. Le soir aussi, puisque mon père travaille de plus en plus tard, et qu'il ne rentre plus pour souper.

Tout s'est passé vraiment vite. Je me sens libre comme jamais. Ma tuberculose, elle aussi, paraît définitivement oubliée. Je dors mieux, ma mère ne parle plus du dispensaire et elle a abandonné ses tisanes. Son nouveau travail l'occupe beaucoup, et le soir elle est plus calme, plus gentille. Ça confirme la théorie de mon père voulant que les femmes oisives sécrètent la bile et la méchanceté. Elle ne me surveille plus pour me surprendre. Il n'y a plus personne pour nous dire quoi faire, car Lili est restée chez la grand-mère pour se marier avec un commerçant de légumes. Ma mère dit qu'elle est très heureuse et que l'homme qu'elle a trouvé fait beaucoup d'argent avec son camion, qu'il est sérieux et qu'il adore Lili. Les autres tantes affirment qu'il boit et qu'il dépense son argent avec les femmes. C'est parce qu'elles sont jalouses. Mon père dit que si Lili ne fait pas la conne, elle finira par bâtir une famille. Sinon son chauffeur va lui apprendre: il est Turc, et toutes ses sœurs à lui vont pouvoir surveiller Lili, pour qu'elle ne fasse pas la pute.

Juste devant l'embarcadère commence le remblai, à perte de vue, désert, pour gagner du terrain sur la baie. C'est comme un immense champ, plein de pierres, qui s'avance lentement vers le large. Je peux l'explorer tous les jours sans être dérangé. Il ne reste qu'une petite anse de mer pleine de saletés, où accostent les chaloupes. Le matin, de bonne heure, les pêcheurs arrivent de leurs excursions au-delà des rochers du remblai. Ils apportent les prises pour les bars des environs, et les gens du voisinage viennent aussi en acheter. Les rochers sont assez loin, comme des îlots, et à marée basse on peut même s'y rendre par une longue passerelle de pierre. Tout au bout, d'autres gens s'installent pour pêcher, à la ligne ou au filet, et ça m'amuse de regarder les bancs de sardines. Ils ramassent aussi des moules, qu'ils font cuire sur des feux improvisés. L'eau est très propre, et on peut se baigner, mais il faut savoir nager, car il n'y a pas de sable et c'est très profond. Les plongeurs scrutent les trous entre les pierres avec leurs harpons, pour chasser les pieuvres, les mérous, les raies et les langoustes. Au début, j'avais un peu peur d'y aller. Je craignais encore d'être surpris ou de devoir avouer. Plus maintenant. Je me promène très loin, ou je joue des heures durant parmi les montagnes de détritus du remblai. Avec mes nouveaux camarades de la rue, nous allons parfois jusqu'à la pointe des rochers pour manger des moules. Ma mère ne s'aperçoit de rien. Elle me croit volontiers lorsque je lui assure que je suis resté sur la petite place, à jouer sagement sur les balançoires.

Les enfants du voisinage sont de bons copains; ils forment une bande bien organisée pour faire des coups formidables. Ils connaissent très bien le remblai, et ils sont les amis des pêcheurs, des concierges et des laveurs d'autos. Il y a aussi des vagabonds qui vendent de la marijuana et qui se réunissent le soir dans la cour pour jouer aux cartes. Des gens très gentils, qui nous ont acceptés immédiatement parmi eux. Le petit frère est encore trop petit pour nous suivre dans toutes les promenades, mais il est aussi heureux que nous de cette liberté nouvelle. Il nous accompagne chaque fois qu'il n'y a pas trop de danger. Sinon, il attend dans les balançoires avec les autres petits. Car si nous allons chaparder des choses, il faut pouvoir courir vite avant que les commis ne s'en rendent compte.

Nous restons parfois sur la petite place pour jouer aux billes. À cause du bar, il y a toujours de l'animation. Le soir, le zinc s'anime avec les clients qui viennent boire et bavarder, les ivrognes, les vagabonds qui racontent des histoires incroyables. Il y a aussi des bagarres. Et personne ne se fâche si nous restons là pour regarder.

Mais le meilleur de tout, c'est la cour intérieure, au milieu des immeubles. Une cour très grande, sombre, remplie de déchets et d'eau stagnante. On y entre par trois voûtes qui servent de passage aux camions de ramassage des ordures. C'est plein de recoins, d'escaliers condamnés, de trappes à déchets qui sont le refuge de plusieurs clochards, hommes et femmes. Le soir, seule la lumière faible des immeubles éclaire les piles de caisses et de cartons abandonnés. Les clochards arrivent fatigués ou déjà ivres, avec leurs sacs de jute, leurs paquets et leurs fripes. Ils ont des loques sales, le visage couvert de suie, les souliers dépareillés; leurs cheveux et leur barbe sont graisseux, leur peau est souvent grise. Ils ont tous l'air très gros à cause des vêtements qu'ils portent les uns par-dessus les autres, collés de saleté. Ils cherchent leurs places préférées, ce qui cause parfois des bagarres soudaines, des cris et des poursuites. On les reconnaît vite à leurs habitudes, à leur façon de s'entourer avec de vieux journaux ou de se cacher sous des piles de cartons. Parfois, le matin, il y en a un qui n'arrive plus à se lever; il reste là toute la journée, jusqu'à ce que la puanteur avertisse qu'il est devenu charogne.

Les clochards n'arrivent pas tous en même temps. Les premiers venus en profitent pour explorer la cour et les recoins des autres à la recherche de la nourriture restée dans les trappes. Puis, ils s'installent lourdement, allument parfois des chandelles, mangent, fument et boivent encore. Ils ne se parlent jamais, si ce n'est pour s'injurier, en blasphémant de leurs voix pâteuses. Nous les observons, bien cachés dans le noir, ou nous allons en groupe fouiller à notre tour, en faisant comme si on ne les voyait pas. La nuit, au moment de rentrer à la maison, je peux couper à travers la cour pour les voir endormis. Ils sont comme de grosses boules de tissu et de papier dans chaque recoin, qui s'animent seulement pour écarter les rats autour de leurs sacs. Les vagabonds qui jouent aux cartes nous rassurent en disant qu'ils sont trop ivres pour nous courir après, qu'ils sont inoffensifs. Les plus malades pissent et chient sans bouger de leur place; le matin, leur coin est puant et attire les mouches. Ceux-là disparaissent vite, laissant leur coin à des nouveaux, plus frais. Ou bien ils sont ramassés par le fourgon de la morgue, leurs sacs dispersés à coups de pied, car le préposé est enragé de voir des trucs si dégoûtants. Les habitants des appartements qui donnent sur la cour ne les aiment pas non plus, surtout quand ils font du bruit ou quand ils meurent et que le fourgon oublie de venir les chercher.

C'est vrai que, parfois, ils dérangent, ces clochards. Un jour, un couple s'est installé sous une chute à ordures. Tous les clochards étaient excités, et même les clients du bar venaient pour les voir faire l'amour parmi les journaux. La femme était tout échevelée et elle criait contre son homme, en l'écorchant avec ses ongles. Elle allait ensuite rendre visite aux autres clochards, et finissait par se rouler avec eux, les uns après les autres. Puis elle retournait vers son compagnon, le poussant du pied pour entrer dans les sacs. Les bagarres faisaient un bruit terrible à cause de l'écho. Tous les soirs. La police a fini par venir, et le mari de la folle a été arrêté; il était en train de crier pendant que les autres couraient, et il s'est fait avoir. La clocharde a fini par disparaître elle aussi à un moment donné. Elle avait choisi un autre compagnon pour dormir, mais celui-ci la frappait si fort qu'elle n'avait plus envie de bouger. Son visage était souvent en sang, ses vêtements déchirés, et elle ne criait plus si fort. Un jour, elle n'est plus revenue.

Je peux découvrir un tas d'autres choses amusantes dans la cour, parmi les déchets éparpillés. Les gens ne se gênent pas pour y jeter leurs ordures ménagères, directement de leurs fenêtres. Et d'autres trucs encore, comme des serviettes pleines de sang, des capotes usagées, des culottes, le cadavre d'un chien presque sec, des pigeons déchiquetés ou des pattes de poule qu'une cuisinière aura jetées d'un geste distrait. Les bureaux environnants ont aussi leur part dans ce fatras: piles de dossiers, caisses de vieilles ampoules électriques, accumulateurs suintants d'acide, rouleaux de vieux tissu, cordages, meubles cassés et baignoires rouillées. Une fois, un bébé mort a été abandonné là, soigneusement déposé au centre de la cour, avec plein de tripes tachées de sang comme s'il était une dépêche de macumba. C'était peut-être juste pour embêter les gens des immeubles, parce qu'ensuite la police est venue questionner les concierges, même s'il était évident que le bébé n'avait pas été jeté d'en haut. Et puis il y a les rats, beaucoup de rats, très gros, agiles, et qui courent des trappes aux bouches d'égout. J'ai toujours aimé observer les rats. Les chasser aussi. Mais ce n'est pas facile de les avoir en lançant des pierres car ils se méfient lorsqu'ils courent. Pourtant les chats de l'Académie des lettres viennent dans la cour et les attrapent facilement. Le chat reste près de la sortie de l'égout, tapi, paralysé dans l'attente. Le rat met son museau chauve dehors, en humant l'air et en lançant des regards nerveux, juste en face du chat mais sans le voir. Il sort alors la tête, confiant, puis le corps, en amorçant une petite course jusqu'à un autre trou. D'un bond élégant, le chat maigre saisit le rat, sans s'arrêter, poursuivant ses mouvements lents comme s'il ne sentait pas le corps pendu par le cou entre ses crocs. Nous restons émerveillés, tout un attroupement d'enfants dans le noir pour admirer la chasse et applaudir les chats. Le bruit de nos paris ne les dérange pas, ni même le fait que les rats sont énormes. On dirait une guerre entre chats et rats; plus les chats viennent chasser, plus il y a de rats dans la cour. Ils sont si nombreux et si effrontés qu'ils montent le long des chutes à ordures, se faufilant par les trappes parfois jusqu'aux appartements! Mon père dit que les rats, c'est comme les mouches: ils vivent de la puanteur tropicale. En fait, c'est plutôt la faute aux gars des camions, qui se contentent de ramasser les gros morceaux avec leurs pelles et qui éparpillent le reste.

Pour ma mère, l'important est que je parte de bonne heure. Elle me donne de l'argent et je peux m'acheter un gâteau à la noix de coco chez l'Espagnol de la petite boulangerie. Ce n'est pas cher parce qu'il est au milieu de la cour, envahi par les mouches. Il est tellement occupé à bavarder avec les mulâtresses qu'il me laisse prendre moi-même le gâteau que je veux. Je peux ainsi en chaparder deux ou trois en plus sans qu'il s'en aperçoive. C'est pour ça que je préfère y aller tôt, lorsque les femmes sont toutes là pour les achats du matin. Sinon, il n'a rien à faire et choisit lui-même mon gâteau, toujours le plus petit. Puis je vais m'asseoir sur la petite place ou regarder les pêcheurs. Quelquefois, les vieilles folles viennent de bonne heure au bar pour réclamer un verre de cachaça, en perturbant l'ambiance des petits déjeuners. Si le Portugais ne veut pas leur donner à boire, alors elles lèvent leurs jupes pour montrer leurs parties noires de suie, ou elles pissent par terre et ça déclenche des bagarres. Avec le temps, je peux même parier avec mes copains pour savoir lequel des habitués du bar deviendra clochard. Il arrive que l'un d'eux soit de plus en plus ivre, puis il revient avec des habits chaque fois plus sales, négligé, les cheveux en broussaille, les mains qui tremblent et le pas marin. Surtout les yeux, qui sont pleins de veines rouges, brouillés par les larmes qui ne tombent pas. Leur sourire est mou, leurs dents se couvrent d'une pâte jaune, et ils se mettent à baver en prenant de moins en moins la peine de s'essuyer. Un beau matin, ils se réveillent sur place, cherchent querelle aux autres clients, et bientôt ils ne reviennent plus.

Le bar attire une foule d'autres gens: des vendeurs ambulants avec leurs paniers de fruits, le livreur de viandes sur son tricycle, les preneurs de paris, les trafiquants de cigarettes et les policiers revenant de leurs rondes sur le remblai. Tous ces gens restent là à bavarder, racontant des histoires aux pêcheurs et aux laveurs d'autos. Après le café du matin, c'est bientôt l'heure de la bière, puis celle de l'apéritif, et la matinée passe très vite. Mes copains viennent jouer aux billes, au football, et je m'absorbe tellement dans le jeu que parfois j'arrive en retard pour le repas de midi. Là encore ma mère est devenue plus tolérante, si préoccupée par tout ce qu'il y a à faire à la maison qu'elle s'en fout si je mange froid, vite, pour repartir aussitôt.

Je connais maintenant tous les habitués de la place, même les vagabonds qui jouent aux cartes. On dit que ce sont des gens dangereux; je les ai vus se battre au rasoir et fuir la police. On dit aussi qu'ils volent, qu'ils vendent de la marijuana et qu'ils ont d'autres combines encore. Mais ils sont toujours gentils avec les enfants, et ils ne se font pas prier pour raconter leurs aventures. Ils vont et viennent, sans qu'on sache exactement ce qu'ils font lorsqu'ils disparaissent pendant un certain temps. On dit qu'ils sont en prison, ou en cavale; souvent à leur retour, ils ont des histoires extravagantes à raconter. Ils reviennent comme si rien ne s'était passé et se remettent à aller à la pêche le matin, à vagabonder et à jouer aux cartes le soir. Nous sommes fiers de penser qu'ils sont aussi nos copains. On se sent en sécurité quand ils sont là. Comme Pernambuco, par exemple; c'est un Métis maigre, tout en muscles, la peau tannée et un éternel cigare entre ses dents pourries. Malgré ses cheveux blancs, il saute comme un chat: il fait des sauts périlleux en arrière et retombe sur ses pieds sans lâcher son mégot. Il rit aux éclats à propos d'un rien, toujours l'air content malgré la vie difficile. Les flics ne le laissent pas en paix; ils cherchent à le coincer pour mettre fin au jeu clandestin dans la cour. Avec les descentes fréquentes, Pernambuco devient de plus en plus méfiant. Les autres lui disent que c'est l'âge, qu'il devrait trouver une vieille pour se faire entretenir. Mais juste pour le taquiner. Il est encore agile. Tout le bar a bien vu comment il pouvait sauter sur ses jambes maigres parmi les gourdins des agents lorsque la police a fermé les entrées de la cour pour surprendre la bande. Ses camarades de jeu, tous plus jeunes que lui, ont été tabassés comme il faut, puis traînés comme des guenilles jusqu'aux fourgons. Pernambuco criait, effrayé, et il a même perdu son mégot, mais la police ne l'a pas eu. Après la bagarre, les policiers ont bu à l'œil au comptoir du Portugais; même eux se sont moqués des cris aigus de Pernambuco, mais ils ne le haïssent pas.

Russo est un peu jaloux de lui parce qu'il est gros et qu'il ne court pas vite. Il a reçu une bonne bastonnade durant cette fameuse descente mais, dès le lendemain, il était de retour à son poste de laveur d'autos. Les gens disent qu'il ne risque rien parce que c'est un délateur; la police ne l'arrête que pour la forme, même si les coups qu'il reçoit sont pour de vrai. Comme il est jaloux de Pernambuco, il dit aux autres que les flics ne cherchent pas à arrêter le vieux, au contraire, qu'ils viennent seulement pour lui donner une leçon et s'amuser avec ses sauts d'urubu. Russo dit aussi que les policiers veulent seulement l'argent des joueurs, rien d'autre. C'est vrai que chaque fois ils commencent par ramasser l'argent et la marijuana, en laissant souvent les joueurs courir. Peut-être qu'il a raison, puisque Pernambuco boit parfois avec les policiers ; et le Portugais du bar, fâché de ne pas se faire payer, dit qu'ils font des coups ensemble. Pernambuco ment sans doute, lui aussi, mais ses histoires sont quand même de vraies aventures. Tandis que Russo est trop paresseux pour aller à la pêche et préfère laver des autos, se contentant des pourboires qu'il reçoit. Il n'est même pas russe ; on l'appelle comme ça à cause de sa moustache à la Staline. C'est un bon gars quand même, à sa façon. Il prend en charge toute l'organisation de la fête de la Saint-Jean, au point de payer de sa poche les feux et la décoration. Et puis il s'amuse comme s'il était un enfant.

Maluco, par contre, est un vrai petit enfant attardé. Rien qu'à sa tête on voit tout de suite qu'il est idiot. C'est un géant noir, effrayant pour ceux qui ne le connaissent pas, surtout lorsqu'il essuie la bave au coin de sa bouche d'un revers de la main. Sa présence écarte tous les intrus. En fait, il n'est pas méchant ; il se met à rire dès qu'il voit les enfants, sans jamais comprendre les choses que nous disons pour le taquiner. Il fait des yeux étonnés, grands ouverts comme sa bouche édentée. Malgré son apparence, il n'est pas clochard. Il travaille pour les concierges, en faisant le ménage des immeubles à bureaux. On lui donne un cubicule pour dormir. Il ne boit pas ; son seul plaisir est de fumer de la marijuana, pour aller ensuite se faire voler les gains de sa journée par les autres joueurs.

Monsieur Domicio, un des gars les plus respectés, est concierge attitré. En plus de la surveillance, il doit faire le ménage et rendre d'autres petits services spéciaux dans son immeuble de putes, juste à côté de la faculté de philosophie. On l'appelle Nego Pau entre nous, mais seulement entre nous, car il commande le respect. Il connaît plein d'histoires de femmes et des choses très drôles sur les gens de l'immeuble. Il accorde des attentions particulières à plusieurs dames des environs, et ce n'est pas pour rien qu'on l'appelle Nego Pau; en fait tout le monde sait que ça veut dire *Nego Pau de Jegue**. Sans se vanter, Domicio avoue être un spécialiste de la consolation; et il n'a aucune honte à dire qu'il ne refuse pas non plus de servir les homosexuels capables de payer. Et personne ne rit, parce qu'il est aussi grand que Maluco, et plus costaud encore. Le couturier Ambrosio, par exemple, est un de ses clients, on le sait, mais on reste discrets. Domicio n'aime pas le manque de respect; même les dames ne cherchent pas à le compromettre lorsqu'il est au bar avec ses copains. Ambrosio a d'ailleurs intérêt à rester effacé parce qu'il est maigrichon, chétif, d'une couleur jaune qui semble avoir coulé de ses cheveux teints, et extrêmement efféminé. Le couturier ne salue que les enfants, mais toujours à distance, de peur de se faire agresser à cause de ses remarques obscènes qu'il accompagne de coups de langue. Parfois il se comporte mieux, saluant sans dévergondage, pour nous raconter ses histoires d'amour. Ça finit en général par des choses drôles et indécentes, dont il sort toujours perdant à cause de sa passion pour les hommes violents. C'est ainsi qu'un jour quelqu'un a décidé de le mettre en contact avec monsieur Domicio, rien que pour confirmer le bien-fondé de sa réputation. Domicio est toujours resté discret là-dessus, disant qu'il avait seulement parlé plomberie et nettoyage avec Ambrosio.

---

* Nègre verge d'âne.

Mais le couturier, qui est trop bavard, a encore accru la renommée de Nego Pau avec plein d'évocations de saints, de martyrs et de comparaisons avec le bois de la Croix. Parce qu'Ambrosio est aussi très religieux. Il ne manque jamais une messe de dimanche à l'église Sainte-Luzie, toujours vêtu de blanc, la couleur des vierges.

Negão est un des personnages les plus sympathiques. Tous les enfants l'aiment beaucoup. Même s'il est déjà adulte, c'est plutôt un copain à nous. Il est bâti comme un gorille, plus large que haut, surmonté d'une petite tête aux traits de singe. Noir comme le charbon et innocent comme une fleur. Il n'est pas très intelligent, c'est vrai, mais fort comme un bœuf. Et toujours prêt à jouer et à faire les exploits les plus incroyables pour se faire accepter des enfants.

— Negão, déplace le banc!

Voilà Negão qui enjambe le banc en granit et le porte au milieu du trottoir, pour nous faire plaisir.

— Negão, déplace le poteau!

Et, très content, Negão empoigne le poteau de circulation lesté d'un bloc de ciment.

— D'une seule main, Negão, triche pas!

Et Negão le soulève d'un seul bras, le visage violet, mais sans lâcher prise.

— Negão, montre au Portugais que tu manges des blattes!

Et Negão attrape immédiatement quelques blattes en déplaçant les lourds tonneaux qui sont toujours empilés devant le bar. Il choisit les plus grasses et poilues, longues de cinq centimètres, et les mâche encore vivantes. La première fois que je l'ai vu faire, j'ai failli vomir. Maintenant je suis habitué. Puis, il reste planté devant le comptoir, en écartant les lèvres pour bien montrer qu'il ne triche pas. Le Portugais lui donne une bouteille de Coca-Cola pour qu'il parte sur-le-champ, sinon les clients vont faire un scandale. Negão ne boit jamais d'alcool, « c'est mauvais pour l'entraînement ». Il s'entraîne aux poids et haltères au club Boqueirao, où il est connu sous son nom, Antoninho. Mais il se surnomme lui-même Negão, pour nous impressionner. Il vit chez une dame, à la fois comme homme à tout faire, garçon de courses et filleul, pour le ménage et pour le lit. Mais il n'aime pas qu'on en parle; il le nie, l'air innocent et les yeux baissés: « La madame est très gentille, elle ne demande pas de cochonneries à Antoninho. » La dame en question est d'ailleurs très jalouse, et elle peut faire des crises s'il parle à d'autres dames. Comme il est serviable, il y en a toujours une pour lui demander une faveur: déplacer une armoire, porter les sacs du marché, ouvrir un robinet trop serré. Tout est prétexte pour inviter Negão à monter, voir s'il est capable.

Nous sommes une dizaine d'enfants. Les plus grands nous apprennent à regarder les seins des filles, ils nous mettent au courant de toutes les choses indécentes qui peuvent exister, et nous expliquent les histoires compliquées que les clients du bar n'ont pas jugé bon de traduire. J'apprends alors ce que la sœur d'un tel fait avec tel autre, ou ce qu'elle aurait fait volontiers si elle n'était pas si orgueilleuse. Puis que la mère d'un certain copain est encore trop jolie pour se contenter de son mari, qui est petit, chauve et ventru. Je parfais de cette manière mon instruction, en saisissant mieux les choses, en y incorporant même quelques détails sur les mœurs de ma famille. Des choses que je garde naturellement pour moi puisque peu à peu je commence à avoir honte.

Mon père semble de plus en plus amer. Il n'aime pas cet endroit, ni les ordures, ni les voisins. Il dit que ce sont des hypocrites, qu'ils se donnent des apparences respectables, mais que leurs vies ressemblent aux égouts. Je ne sais pas pourquoi. N'empêche que j'aime bien cette cour et le remblai. Je me sens libre, et ce déménagement a été une bonne chose pour moi.

14

Les langues étrangères me semblaient pleines de promesses, d'intonations pénétrantes, de racines propres à dévoiler l'inconnu. Ou encore, je les croyais riches d'un savoir millénaire, duquel je me trouvais coupé par ma situation tropicale. Leurs difficultés aux allures insolites suggéraient l'aventure, les cargos en partance chargés de vagabonds. Tout départ signifiait à mes yeux la découverte de l'identité, ou plutôt la redécouverte puisque je la soupçonnais cachée, entière et achevée sous la couche des habitudes quotidiennes. Cette identité était sûrement quelque part, ailleurs. Je ne savais pas encore qu'elle n'est jamais acquise, se confondant dans la trame des gestes du passé. L'inconfort de ma situation d'enfant se manifestait sous la forme de refus, de négation de cette même situation dont je me disais alors qu'elle n'était pas la mienne. Maintenant que je suis allé partout, je me rends bien compte que la langue n'a aucune importance. Je peux dire mon malaise ou mon désir en plusieurs idiomes, mais tout cela n'est que forme, simple algèbre. La réalité elle-même varie, mais nous éprouvons sans cesse nos propres sentiments. Et je sais désormais que, jusqu'à la fin, les rêves, les caresses et les cris de douleur jaillissent uniquement dans la première langue. Dans celle qui a compté, et qui nous a poussés à en apprendre d'autres.

Cette habitude de me trouver sans cesse en dehors de ma situation est trop ancrée, trop ancienne. Je reconnais dans tous mes souvenirs ce donjuanisme existentiel. C'est peut-être là l'aspect primordial de cette identité fuyante que j'essaie de retracer en révisant le passé. Une sorte d'insatisfaction avec les choses telles qu'elles sont, me conduisant naturellement à les regarder comme un spectacle changeant, comme une imagerie mentale. Une tendance spontanée à privilégier les représentations au détriment des choses concrètes, comme si à chaque moment je pouvais mieux placer l'ordre des événements, arranger ce qui était imparfait, sans égard aux exagérations ni aux déformations. Il m'est cependant difficile d'en retracer exactement l'origine, puisque mes frères n'étaient pas ainsi faits. Je reconnais par contre que mes parents étaient doués d'un certain mépris pour la réalité, chacun à sa façon. Sauf que ma mère ne se contentait pas de rêves; plus pratique, elle trichait ouvertement pour transformer les choses et utilisait le théâtre comme une politicienne. Mon père semblait respecter davantage le texte de son rôle, poursuivant le spectacle malgré les avatars du public ou de la salle. Mais chez tous les deux, le déguisement était la caractéristique la plus importante. Ils disaient des choses pour en signifier d'autres, et l'on se trompait toujours en s'attachant au sens propre. Les inventions, l'eau de lune, les maquillages, les clients de la maison, l'entreprise avec sa garantie éternelle, tout ça n'était que du langage, représentation symbolique du Mangue, équilibre précaire entre la cour à déchets et la façade donnant sur l'Académie des lettres.

Parmi les clients du bar, il y en a eu un qui m'a particulièrement marqué. Peut-être qu'il a incarné à lui tout seul, et dans un court laps de temps, l'essence même de cette double nature qui s'imposait à moi. C'était un ivrogne d'âge moyen, le visage bouffi, tout rouge, avec un nez violet et des yeux larmoyants. Lors de ses premières apparitions, il gardait encore une allure respectable, les habits froissés mais pas trop sales. Ses mains tremblaient lorsqu'il tenait le verre et sa parole pâteuse trahissait l'intoxication. Sauf que ce qu'il disait se tenait encore. Son discours était même d'une qualité certaine, les phrases bien agencées et le vocabulaire fouillé, chose rare parmi les habitués du bar. Il se disait professeur, en ajoutant qu'il avait tout perdu à cause de l'alcool et des femmes. Après quelques verres, il se mettait à réciter des poèmes avec des gestes exagérés, en figeant les poses d'une manière artificielle. On l'appelait simplement Camélias, à cause d'une chanson qu'il répétait inlassablement dès que son état d'ébriété était assez avancé. Je n'ai jamais su son nom. Il disait qu'il n'en avait pas ou qu'il l'avait abandonné avec le reste, pour se réduire tout entier à la chanson sur les camélias et les roses. Et curieusement c'était vrai. Les premiers soirs, il parlait encore avec les autres buveurs, racontait des faits divers, récitait ses poèmes et, peu à peu, il arrivait à la chanson. À mesure que les jours passaient son ivresse était plus soutenue; ses vêtements se salissaient, ses tremblements devenaient des secousses et son langage se détériorait. Il parlait moins, buvait plus vite, en sautant directement des poèmes aux obscénités, pour arriver aux camélias de son obsession. La dernière fois qu'il est venu au bar, après quelques jours d'absence où l'on commençait à se poser des questions sur sa fin, il était en loques. Il est arrivé très tard, déjà complètement ivre, et sans argent pour se payer à boire. Il tenait à peine debout, les yeux vitreux. Mais il y avait dans son visage quelque chose de nouveau, il paraissait illuminé d'une passion intense. Il n'était plus grotesque mais presque beau. Les clients qui attendaient le spectacle lui ont offert à boire. Tout en vidant les verres, il gardait le silence dans une posture distante, comme s'il était sur une scène de théâtre. Le public s'impatientait, mais Camélias buvait toujours silencieusement, le regard exalté, fier, comme si c'était le plus beau soir de sa vie. Le Portugais a fini par lui servir la cachaça dans un gros verre à bière, qu'il a posé sur le comptoir avec une légère révérence. Camélias a répondu à la salutation, s'est saisi du verre en tremblotant et l'a vidé à moitié. Puis il s'est mis à chanter sa chanson. Cette fois, tout le monde a été saisi, paralysé par le charme malgré sa voix complètement détraquée. L'homme était en fait tout entier devenu chanson, et il vibrait d'une énergie étrange. Même les paroles jusqu'alors trop naïves et mielleuses paraissaient prendre un sens nouveau en sortant de sa bouche déformée. Il a chanté longtemps devant le public muet et captif, comme à la messe. Souriant encore malgré les larmes, il a vidé le verre d'une main sûre. Et il s'est remis à chanter les mêmes couplets, qu'il répétait inlassablement, la voix cassée d'émotion. Ce n'était plus un ivrogne, ce n'était plus une chansonnette; c'était un homme devenu chanson. Comme ces moines du Viêtnam qui n'étaient plus des moines en s'immolant, mais des torches. Mon malaise ne cessait de croître et il chantait toujours. J'avais envie de pleurer moi aussi, ou de lui demander d'arrêter. Les autres baissaient la tête. Il chantait de façon que sa chanson s'imprime définitivement dans nos cerveaux. Puis, il nous a tourné le dos et il est parti, sachant qu'il venait de nous montrer une chose inoubliable. Un homme devenu chanson, après tant de tentatives. Il n'est plus jamais revenu. Les clients ont dit qu'il était mort cette nuit-là même, à quelques rues de chez nous. S'il est vraiment mort, comment se fait-il qu'il soit resté si vivant, tandis que les autres vivants sont disparus à jamais ?

Cette confusion entre le langage et le réel m'a toujours fasciné. Le contenu de la chanson n'avait aucune importance, ni son choix, ni son histoire. Seul le rêve comptait. D'autres, moins merveilleux que Camélias, me captivaient par leurs récits, mineurs certes, mais pleins de fantaisie pour camoufler le mensonge et le trivial. Je m'inventais moi-même des aventures ou des personnages pour m'accompagner dans les promenades au remblai, les transformant de la sorte en expéditions téméraires. Ou, lorsque je jouais avec mes camarades, ce qui pour eux n'était qu'activité physique de courses devenait pour moi aventures diverses. Je déployais dans ma tête des voleurs redoutables, des vagabonds dangereux, des persécutés et des héros. Lorsque mes copains se lassaient des jeux, j'éprouvais une grande déception, car pour moi l'histoire n'était pas encore finie, et je ne pouvais pas le dire. D'où ma prédilection pour les promenades solitaires, qui ne dépendaient que de moi. J'ai toujours été ainsi, accompagné de l'autre, de mon double, ce moi-même mystérieux et pliable, apte à recevoir l'ensemble de mes fantasmes. Un excellent compagnon qui ne me déçoit pas, même dans les moments les plus tristes. Seule mon habitude de parler tout seul trahit cette double nature, mais je dis alors que je suis un rêveur, et ça ne paraît presque pas.

Puis du jour au lendemain je me suis trouvé entièrement dégagé: enfermé dans un internat et libre d'être moi-même, de rêver à volonté, perdu dans la foule des autres enfants. Sans histoire, sans famille, sans passé. Non seulement ces choses-là ne comptaient plus, mais il était de mauvais augure d'en parler. Les autres enfants avaient des histoires à oublier, eux aussi, et ils se montraient distants lorsque leurs parents venaient leur rendre visite. D'aucuns refusaient carrément de les voir, s'échappant dans la forêt ou en ville jusqu'à la fin de la visite. Même ceux qui montraient un attachement quelconque envers la famille paraissaient gênés en compagnie des leurs. Les miens ne sont venus qu'une seule fois là-bas, plus par curiosité que pour nous voir, et d'ailleurs je me suis arrangé pour que mes copains ne le sachent pas.

Tous ces enfants plus ou moins sales, en uniformes gris, dégageaient une étrange sensation de sécurité. Quelques-uns cherchaient encore à garder des bribes d'identité en portant sous la veste un foulard ou un pull-over rapporté de la maison. Cette petite minorité trahissait un attachement opiniâtre à la vie du dehors, à la famille, et souvent c'étaient les mêmes qui pleuraient durant la nuit. Par une attraction naturelle, ils formaient des groupuscules isolés et craintifs, qui étaient la cible de quolibets et d'agressions. La masse cependant disparaissait derrière la toile grise. Pas d'endroit pour cacher des affaires personnelles, les cahiers et les stylos semblables, les poches étroites servant à planquer les mégots. Je me trouvais ainsi, pour la première fois, dans un monde auquel j'étais depuis longtemps adapté. Maintenant c'étaient les autres qui étaient mal pris, ceux qui n'avaient pas le mimétisme nécessaire pour se confondre avec la grisaille, et qui montraient grotesquement leurs plumes face aux agresseurs. En les observant, je pouvais comprendre quelque chose de leur souffrance, mais sans sympathie ni désir de m'en approcher. Les coups reçus dans le passé payaient désormais leurs dividendes; c'était au tour des autres de faire leur carapace.

L'anonymat de la masse et la stéréotypie de la routine avaient l'effet étrange d'élargir la voûte crânienne. Ceci se traduisait chez la plupart de mes camarades par un ennui profond, qu'ils cherchaient en vain à combattre par l'ivresse des exploits locomoteurs. Ça courait partout, ça jouait au football, ça se battait à n'en plus finir. Je faisais comme les autres, par pur besoin animal d'étirer mes muscles après les longues heures de classe. Il ne m'était pas difficile d'apprendre et, avec l'énorme quantité de temps consacrée aux études, presque tous réussissaient à suivre le rythme. Seul le rêve coupait l'épaisseur de l'ennui, les moins doués pour la fantaisie devant subir l'endormissement jour après jour comme une lourde punition. Même les courses, les jeux et les bagarres devenaient répétitifs lorsqu'ils n'étaient pas appuyés de l'intérieur par une fantaisie quelconque. Peu de semaines après le début des classes, une fois la nouveauté tarie, plusieurs déambulaient déjà comme des zombis, en répétant les mêmes gestes ou en s'endormant dans les coins.

Pour sauver la foule de l'apathie, il y avait le cinéma deux fois par semaine. Les films étaient choisis avec le souci de plaire aux professeurs et à leurs familles : toute la gamme des productions américaines et européennes d'avant et d'après-guerre, des films noirs pour la plupart, sans censure et très stimulants pour nos têtes d'enfants. Une semaine après l'autre, plongé dans l'obscurité, je faisais connaissance avec des personnages de l'Allemagne occupée, des faussaires, agents secrets ou équipages en lutte contre les sous-marins. Très souvent aussi des histoires de prisons, et nous nous transportions avec grand plaisir vers Sing Sing, Alcatraz ou San Quentin. Des femmes grandioses à profusion : Bergman, Crawford, Dietrich, Garbo, cigarette aux lèvres et fumée en spirales suivant les cheveux qui tombaient sur la moitié du visage. Je sortais des projections en état de grâce. Comme d'autres copains qui avaient les yeux brillants et l'air sérieux, je n'étais plus moi-même, mais bien un détenu qui complotait, un trafiquant qui échappait au cercle des agents américains. J'allais chercher refuge au-delà du terrain de football en attendant la sirène du couvre-feu, enroulé dans ma cape, entièrement absorbé dans mes pensées. Dans le noir, l'air frais, la cigarette passée de main en main, je revivais le film à ma manière, en le modifiant pour que ce soit plus parfait. Le collège devenait un pénitencier, les arbres se changeaient en ruines de Hambourg, les copains au loin arboraient les pyjamas rayés des détenus ou les cirés des sbires. Bogart échangeait son rôle avec le méchant du film, et les commissaires du peuple en vestes de cuir prenaient leur revanche dans ma tête, en partant avec les belles femmes. Les filles qui habitaient mes souvenirs apparaissaient alors à mes côtés pour m'accompagner parmi les ruines et pour m'offrir des cigarettes achetées au marché noir. Aucun souci de la réalité n'était nécessaire dans ces nuits de solitude. J'allais ensuite me coucher, en luttant contre le sommeil pour profiter encore de mes rêves éveillés.

Les centaines de films tout au long de ces années d'enfermement m'ont aidé à basculer du réel vers le langage, quel qu'il soit. Le monde prenait peu à peu un sens ludique, détaché, et le quotidien s'ajustait pour contribuer à la richesse de mon imagination. Je renforçais ainsi ma position de spectateur d'un cirque chimérique, en même temps que je développais la capacité de regarder mes semblables comme s'ils étaient des marionnettes. Ceci n'était d'ailleurs pas très difficile, car la majorité se montrait incapable de profiter des ouvertures oniriques. À peine le film fini, ils retombaient lourdement dans le concret, courant ou improvisant des matchs de foot pour passer le temps jusqu'au couvre-feu. Incapables de transcender quoi que ce soit. En tout point semblables aux gens qui m'entourent aujourd'hui, après toutes ces années. Le rêve, c'est quelque chose que l'on ne peut ni acquérir ni abandonner, comme une marque de Caïn; il fait des errants condamnés à parcourir la Terre sans souffrir du moment présent. Il valait alors la peine de garder le bonbon que l'on nous donnait juste avant le film, cette chose si rare, en s'efforçant de ne pas sucomber à la tentation malgré les bruissements de papier tout autour entre les doigts de ceux qui s'apprêtaient à le déguster. Tout cet effort pour l'échanger ensuite contre une demi-cigarette que je fumais jusqu'à me brûler les doigts, encens pour les rêves.

Plus encore que par les films, le monde du large m'a été révélé par la lecture. L'énorme bibliothèque de l'internat m'intimidait au début: tous ces livres d'un seul coup et ne pas savoir par où commencer! Je n'avais jamais lu un livre de ma vie. La bibliothécaire était une vieille fille très maternelle, assez jolie et gênée de sa grosse poitrine qu'elle comprimait dans un costume boutonné jusqu'au cou. Ainsi protégée des regards, elle se permettait de nous aimer, en nous guidant sans aucune censure vers les auteurs les plus excitants. Même ceux qui n'étaient pas très recommandables, dont elle parlait à voix basse, avec un éclat juvénile dans les yeux. Je découvrais là une source inépuisable de vies parallèles que je pouvais désormais essayer à ma guise, mélanger pour en créer d'autres, ou les refaire tant que je voulais. Ce qu'on lit n'apparaît heureusement pas sur le visage. C'était non seulement permis, mais encouragé par les professeurs. Sauf ceux de gymnastique, qui y voyaient un risque de déformation du caractère et un danger pour la jeunesse. Ils n'osaient cependant pas le proclamer très fort, et ils n'avaient déjà pas trop d'emprise sur moi. J'ai pris d'assaut les rayons avec la seule méthode possible, soit chaque auteur par l'œuvre complète, en ratissant tout ce qui était policier, aventures, toujours à la recherche des plus marginaux, des plus insolites.

Le rapport à la lecture divisait les enfants d'une manière plus radicale encore que tout le reste. Certains lisaient peu, mais respectaient quand même les livres, en se contentant des récits faits par les copains. La grande majorité restait à l'écart, confondant la lecture avec les vieilles rengaines théoriques répétées par les professeurs durant les cours de portugais. Ceux-là devaient ainsi vivre au jour le jour, combattant la mort dans l'âme par la sueur. Sans solitude, comme des animaux. Ils se dépensaient physiquement, l'ennui collé au corps comme un brouillard visqueux, la tête vide, en se plaignant continuellement d'être là, avec la masturbation pour seul somnifère. Ils parlaient peu, ils quêtaient la solidarité pour pouvoir survivre et, souvent, offraient à la ronde leurs cigarettes et leurs gourmandises en échange d'un brin d'imagination. Il y en avait qui étaient prêts à tout pour partir de là, d'autres qui ne cessaient de gémir tout en se conformant aux règles. Moi, j'étais profondément heureux. Sans l'avouer ouvertement, bien sûr, puisque c'était quand même une prison. J'y étais sans l'être tout à fait, la tête toujours ailleurs, de plus en plus enrichi par les jeux du langage. Les autres mondes, les autres vies, les autres moi comptaient davantage, comme les autres familles, et plus tard les autres langues.

15

Il fait froid ici à l'internat. Mais nous n'avons pas le droit de fermer les volets. C'est mieux pour la santé. Et ça éclaire un peu la chambre malgré la nuit. Les étoiles jettent une lueur sur la montagne en faisant un paysage d'ombres où les arbres paraissent crier. Tout semble mort. Notre dortoir est plongé dans une noirceur inquiétante, avec le bruit de ceux qui ronflent, d'autres qui pleurent sous les couvertures ou qui marmonnent dans leurs rêves. Mes cinq camarades de chambre sont silencieux, peut-être même trop, surtout les nuits où je n'ai pas sommeil. Notre chambre est juste au milieu du long couloir, loin des toilettes, et je me retiens même si j'ai très envie. D'ailleurs, personne n'y va durant la nuit, ici dans le dortoir des petits. Il fait trop sombre. La nuit, les autres ont l'air de cadavres, et ils font des bruits de fantômes en respirant. Certains prennent des poses comme s'ils étaient estropiés, râlant par les bouches béantes; d'autres se recroquevillent pour se protéger. On ne parle pas de ces choses durant le jour, mais lorsque vient la nuit je me souviens que je suis un enfant.

Je peux regarder longtemps dehors, les yeux presque fermés au cas où on voudrait me surprendre. Parce qu'on n'a pas le droit de ne pas dormir la nuit. C'est mauvais pour la santé. D'habitude, je dors bien. Mais parfois le froid qui entre par la fenêtre me réveille, et de mon lit d'en haut j'ai une vue plongeante sur le parc. Ça compense pour le froid et pour la difficulté à bien tirer les draps le matin. Ceux d'en bas ont moins de mal à faire leur lit. Les surveillants sont très stricts sur ces choses, parce qu'il faut que les petits apprennent à être responsables. Surtout au début. Les professeurs disent que nous avons trop de mauvaises habitudes, que ce n'est pas pour nos beaux yeux qu'on nous a envoyés ici. Ils disent qu'ils vont nous mater pour qu'on devienne des adultes. C'est pour ça aussi qu'ils nous obligent à prendre des douches froides : les vrais hommes sont capables de résister et de se laver même si ça fait mal. Le froid réveille les muscles et la volonté. On a si mal qu'on a des crampes et des maux de tête, comme lorsqu'on mange une glace trop vite. Alors tous les petits puent. Ils ne nous donnent des sous-vêtements de rechange que le samedi. Certains copains peuvent passer tout le mois sans se laver. Moi aussi j'ai peur de la douche froide ; j'essaie de tricher en me lavant de temps à autre avec une serviette. Ça ne fait pas adulte à leurs yeux, mais c'est mieux que rien. De toute façon, ils sont menteurs, comme tous les adultes qui cherchent à bien paraître aux yeux des enfants. Mon frère m'a raconté que les grands ne se laissent pas faire, qu'ils ouvrent eux-mêmes l'eau chaude. Il paraît que les surveillants et les professeurs préfèrent se baigner dans leurs baignoires, bien enfermés dans leurs appartements. Ils ont l'air d'avoir plus peur de l'eau froide que nous. Puis, ils ferment leurs fenêtres pour avoir chaud la nuit, et c'est la femme de ménage qui fait leur lit.

Lorsque je suis ainsi tout seul, je pense aux clochards qui dorment parmi leurs sacs, entre les rats et la pisse. C'est vrai que là-bas il fait plus chaud qu'ici dans les montagnes, mais tout de même. Ils sont courageux, les clochards. Quand je ferme les yeux, personne ne peut voir ce que je pense. Je suis seulement un des petits. L'important, c'est de me taire, parce qu'ainsi ils me foutent la paix. Je trouve très bien d'être ici. Mais je ne le dis pas, pour ne pas attirer l'attention sur moi. Et je trouve qu'on mange bien, tant qu'on veut. Les copains se plaignent et regrettent ce qu'ils mangeaient à la maison. Pas moi. J'ai même un peu honte de manger avec autant d'appétit.

Je ne regrette pas la vie là-bas, bien au contraire. Mais depuis que je suis arrivé ici, je pense souvent à ce qui s'est passé, à tous les bouleversements après le déménagement dans le nouvel appartement. Tout paraissait si bon, je me sentais si libre. Plus question de la lourdeur ni des craintes qui me serraient autrefois la gorge au point de m'empêcher de respirer. Tout ce qui comptait, c'était de sortir vite du lit, d'avaler le café et de partir manger dehors le pain du petit déjeuner. Pour aller jouer. Ma mère semblait très affairée dans la nouvelle maison; il ne fallait pas que les enfants restent autour, pour déranger. Je m'en fichais. Mon frère râlait toujours; il ne voulait pas sortir parce qu'il pleuvait, ou parce que les autres enfants ne sortaient pas si tôt. Je le laissais là et je partais avec le petit. J'avais encore peur qu'ils interdisent mes promenades, ou qu'ils me surveillent. Mon frère exaspérait la mère et les tantes avec toutes ses questions. Elles finissaient par le mettre dehors, en fermant la porte à clé pour qu'il ne puisse pas revenir. Ensuite, il se fâchait contre moi parce qu'il ne m'avait pas trouvé, et qu'il avait dû rester seul. C'était sans importance, car personne ne lui demandait de me surveiller. Et quand il racontait des mensonges ou qu'il rapportait que j'étais allé trop loin, jusqu'au bout du remblai, ma mère ne réagissait pas. Maintenant elle me croyait volontiers lorsque je disais que ce n'était pas vrai, que je restais bien sage sur la petite place à jouer dans les balançoires, que je ne traversais jamais les rues et qu'au contraire c'était lui qui voulait sans cesse me convaincre de rentrer à la maison. Elle me croyait d'autant plus que j'étais toujours prêt à partir, et que j'acceptais de m'occuper du petit frère, comme un bon garçon.

Au début, j'étais trop attiré par la rue pour m'apercevoir que, malgré la grandeur de notre nouvelle maison, l'espace vital s'était rétréci de façon radicale. Chez nous, la porte restait fermée, et ma mère nous avait bien avertis de ne pas sonner, car elle ne serait pas là. Mais mon frère savait qu'elle était là, et il s'amusait à sonner à la porte. Il se sentait exclu, révolté contre tous les changements. Il montait et remontait à tout propos; je le perdais de vue en poursuivant mes promenades. Le petit et moi, on fouillait dans les caisses vides de la cour, puis on allait vers la mer regarder les pêcheurs, et le temps passait. C'est vrai que parfois l'ennui nous gagnait, comme lorsqu'il pleuvait et qu'il fallait rester sous les auvents. On jouait aux échecs, mais le petit n'est pas bon et il n'aime pas perdre. Quand venait le temps d'aller à l'école, c'était plus facile puisqu'on ne rentrait que le soir. Sinon, nous pouvions revenir pour le repas de midi, mais il fallait attendre dans la petite pièce attenante à la cuisine, manger vite et repartir. Les portes du salon et des chambres restaient fermées. Ma mère disait qu'elle avait de la visite ou qu'il ne fallait pas salir; puis elle a cessé de nous donner des explications.

Puis, il y a une bonne qui est apparue dans le décor pour aider ma mère, Belinha. C'est une mulâtresse très jolie, qui se maquille et qui est très soignée. Elle n'est pas méchante, non, mais elle nous regarde de haut, comme si notre présence la dérangeait. Depuis que Lili était revenue chez nous — le mariage avec le chauffeur n'a duré que quelques mois —, elle restait souvent à la cuisine pour fumer une cigarette et nous tenir compagnie. Puis elle repartait au salon en fermant la porte. On sonnait à l'entrée, et il nous fallait attendre, ou sortir vite par la porte de derrière. Chaque fois qu'on sonnait, c'était le tumulte, et les visiteurs paraissaient de plus en plus nombreux.

Comme d'habitude, je me contentais de regarder, sans poser de questions; j'attendais. Tôt ou tard, je finirais par comprendre pourquoi Belinha ramenait tout ce linge sale des chambres et l'empilait dans le réduit. Laver des draps et des serviettes était devenu une manie chez nous; elle les changeait sans cesse, même tard le soir, avant l'arrivée de mon père. D'ailleurs depuis le déménagement, il n'était presque plus à la maison; il travaillait davantage lui aussi, même la nuit, et il attendait toujours la fin de l'agitation pour se montrer. La nuit et le dimanche, nous pouvions circuler librement dans tout l'appartement, mais l'habitude de sortir était devenue si forte que nous faisions comme si la porte était encore fermée. Finies les promenades du dimanche avec mon père. Nous étions devenus comme les boules de billard lorsque le premier joueur ouvre la partie en cassant le tas. Chacun de son côté, sans devoir donner d'explications.

Le malaise de mon frère était de plus en plus évident. Moi aussi, je sentais qu'il ne fallait pas que les copains viennent chez nous. Mon frère inventait les mêmes excuses: que ma mère ne voulait pas, ou qu'elle travaillait, qu'elle devait coudre pour les clientes, n'importe quoi; le but, c'était de ne pas attirer l'attention. Lorsque Domicio racontait des histoires de couples et de putes dans son immeuble, ça ressemblait étrangement à ce qui se passait chez nous.

Jusqu'au jour de l'accident du petit. Un accident bête, une coupure de rien du tout avec le couvercle d'une boîte de conserve alors que nous jouions à faire des rivières dans la boue. La blessure saignait beaucoup, le petit était livide, les passants s'en sont mêlés, sa main a été enroulée dans une chemise, il fallait le faire soigner. Je pensais que ma mère n'était pas à la maison, mais mon frère est quand même monté la chercher, et elle est partie avec le blessé à l'hôpital. Dans l'énervement, mon frère m'a confié que toutes ces histoires n'étaient pas vraies, qu'elle était tout le temps à la maison et que c'était nous qu'elle ne voulait pas voir. Nous sommes remontés tous les deux. L'éternelle cuisine. Belinha nous a dit qu'on devait rester assis et bien sages à cause de l'accident, que ma mère allait se fâcher parce qu'on avait laissé le petit sans surveillance. Les amies de ma mère, en visite au salon, sont alors venues nous voir pour demander des détails sur la blessure. Trois jolies femmes, jeunes, maquillées comme Belinha, gentilles, et habillées très légèrement à cause de la chaleur: robes de chambre, chemises de nuit, pieds nus dans les savates. Lili aussi semblait avoir chaud. Le regard un peu fatigué, elles fumaient avec des poses lascives. Mon frère est resté muet, boudeur, sans aucun égard pour leur gentillesse. Puis, comme il voulait aller dans la chambre et que Lili l'en empêchait, il s'est mis à crier contre les femmes. Je ne saisissais pas bien ce qu'il voulait dire, mais cela a mis Lili dans une véritable fureur. Elle lui répondait que c'était du travail, pour nous, et qu'elle-même travaillait fort pour préparer le bain des clients qui venaient chez nous se rafraîchir durant la journée. Quelque chose comme ça, pour expliquer que ma mère tenait une «maison de bains». Avec la chaleur qu'il faisait, les gens payaient pour venir prendre une douche durant les escapades du travail. Ou ils habitaient trop loin, je ne me souviens plus. Ça avait l'air cohérent; ça pouvait même expliquer la présence de ces belles femmes presque déshabillées qui attendaient sûrement pour aller se doucher. Mais mon frère ne marchait pas. Il s'est mis à crier que Lili était une pute comme les autres, et qu'elle recevait des hommes sur son lit à lui! Ça alors! La bagarre a éclaté, féroce, Lili cherchant à le griffer pendant que les femmes s'enfermaient dans le salon. Heureusement qu'on sonnait à la porte. Lili est partie et nous en avons profité pour nous échapper, car même Belinha avait l'air de vouloir nous tuer. Mon frère avait peut-être dit qu'elle était pute, elle aussi.

Je sentais que c'était du sérieux, que cette bagarre allait se retourner contre nous. Mais la curiosité m'excitait. Il a fallu faire plusieurs fois le tour du pâté de maisons avant que mon frère se calme pour tout m'expliquer. Et quelle explication! Une seule question restait en suspens: est-ce que ma mère le faisait aussi? Il ne le savait pas. Elle a l'air d'être un peu trop vieille pour faire la pute, surtout en comparaison de celles qui étaient là. N'importe qui aurait choisi une des jeunes femmes, ou Belinha, même Lili à la rigueur. Mais on ne sait jamais. Domicio, qui s'y connaît en putes, raconte que certaines vieilles sont très vicieuses et qu'elles attirent encore pas mal de clients à cause de leur savoir-faire.

Nous avions eu peur pour rien. Le soir, tout était tranquille, et l'accident du petit n'a pas eu de suites. Comme si rien ne s'était passé. L'ambiance était quand même lourde, parce que chacun savait que l'autre savait. Sauf que ma mère s'est mise à parler plus ouvertement des clients, des bains, du linge sale et de la nécessité d'être discrets. Elle gagnait ainsi, d'une certaine manière, notre complicité. Même mon frère ne râlait plus. Nous n'avions pas envie d'entendre ses explications, et elle n'avait plus besoin de tout cacher.

Les baigneuses nous sont devenues familières, celles de la journée de l'accident et d'autres encore. Parfois, elles attendaient avec nous à la cuisine lorsque les clients venaient déjà escortés de leurs propres compagnes de douche. Des filles en général très gentilles, souvent négligées dans le boutonnage, sans les airs supérieurs de Belinha, et qui paraissaient s'ennuyer autant que nous. Leur ressemblance avec les tantes était frappante. Non pas tant les visages, car je les trouvais plus jolies, moins méchantes, mais les poses, la manière de fumer, les regards de côté sans tourner la tête, ou encore les noms sophistiqués aux saveurs de photoromans. Elles s'en foutaient quand mon regard était surpris là où il ne fallait pas, et elles me passaient des cigarettes comme si j'étais un copain. Puis nous avons fini par entrevoir quelques clients dans le va-et-vient des portes et des filles. Parfois, en insistant, nous pouvions aller chercher des choses dans notre chambre, entre deux clients. Ou bien tout était rangé, les draps propres, nos lits rapprochés, la lumière tamisée, ou bien c'était le pêle-mêle des odeurs de transpiration, des serviettes froissées, de la chaleur humide comme durant les siestes que je faisais quand j'étais petit. Je ressortais un peu dégoûté et plus curieux encore, regardant ensuite les filles avec un intérêt tout à fait singulier. Comme si tout d'un coup, j'étais en train de me transformer, d'aimer les filles d'une autre façon, presque comme j'aimais la Vierge Marie et sainte Rita.

Ces souvenirs me dérangent souvent la nuit, depuis que je suis ici à l'internat. Je pense aux filles de la rue, si orgueilleuses et qui n'ont jamais voulu jouer avec nous. Mais lorsque le froid m'empêche de dormir, alors elles se mettent à faire des poses dans ma tête, croisent leurs jambes et me regardent de côté comme si nous étions en train d'attendre dans la cuisine.

La vie a continué, après l'accident du petit, presque comme elle était avant. Mais la rue, les promenades au remblai et la cour à déchets ne me donnaient plus autant de plaisir. Il y avait comme un danger dans l'air, une crainte continuelle que les autres le sachent. Parce que, mon frère et moi, nous avions beau nous taire, faire comme si de rien n'était, si ça venait à s'ébruiter je deviendrais fils de pute... Les histoires de Domicio aussi devenaient moins drôles. Et nous évitions de croiser

Paulo, le concierge de notre immeuble, car il était de plus en plus copain avec Lili. Il ne pouvait pas ignorer où allaient tous ces gens. Quant à mon père, j'évitais carrément de le regarder, et j'avais le sentiment qu'il en faisait autant. Je préfère ne pas penser au rôle qu'il joue dans toute cette histoire, et j'ai peur qu'un jour il se décide à me raconter lui aussi des histoires de maison de bains.

En ce sens, mon départ pour l'internat a été un soulagement. Ici, les professeurs sont très différents, généralement irritables et toujours prêts à se venger. Il ne faut pas se faire remarquer. Les plus ridicules sont ceux qui enseignent les langues parce que ce sont d'anciens curés qui ne savent pas encore cacher leurs manières quand ils s'énervent. Mais ici, on n'est pas puni à cause de la rêverie, seulement si on dérange le prof en posant des questions idiotes. Quelques-uns d'entre eux sont même très jaloux de leur matière, et ils peuvent devenir méchants si un élève répond à une question qu'ils jugent difficile. Alors il faut hésiter beaucoup avant de répondre ou ne répondre qu'à moitié. Il paraît que c'est bon pour former la jeunesse au respect, comme la douche froide.

Avec les profs de gym, c'est encore différent, peut-être parce qu'ils haïssent d'autres types d'enfants. Ils repèrent ceux qui ont le corps fragile, ou trop gros, pour ensuite les persécuter en s'attirant la sympathie du reste de la classe. Le football est le seul sport qui compte à leurs yeux, le seul qui forme les hommes. Comme je suis gardien de but, je me fais discret, car ils se méfient des solitaires. C'est l'esprit d'équipe qui doit compter. En réalité, ce n'est que de la paresse de leur part. Pour le foot ils n'ont pas besoin d'être là. Il leur suffit de nous passer le ballon et, qu'il pleuve ou pas, ils ont la paix. Olavo, par exemple, s'enferme dans son bureau et ne veut pas être dérangé. Il est bricoleur, passionné de constructions avec des coquillages et des cailloux. Il a

appris à les faire pendant la guerre, où il était surveillant dans une prison. Entre nous, on l'appelle « le
geôlier ». À force de ne rien faire, Olavo grossit; ça le
rend aigri et il peste contre nos natures paresseuses. Je
me méfie particulièrement de lui parce qu'il sait que je
triche; il n'aime pas que je fume et il s'attendait à ce que
je fasse quelque chose de mieux que simple gardien de
but. Il n'aime pas que l'élève soutienne son regard, et
trouve bien dommage que nous ne soyons pas des soldats. Ça ne sert à rien de vouloir s'expliquer parce qu'il
ne sait pas discuter; il se fâche dès qu'il soupçonne
la moindre insubordination. À tout coup, il faut reconnaître qu'on a tort. Il aime que le repentir soit sincère.
Quelques copains sont devenus des spécialistes du repentir sincère, et Olavo est bien content d'eux. Surtout
s'ils aiment le foot.

On passe la majeure partie du temps à étudier. Mais
s'il n'y a pas de chahut, les profs nous foutent la paix.
Quelques-uns sont de vraies mauviettes, et ils ont peur
de nous; comme Xavier qui sait qu'on raconte des cochonneries au prêtre sourd durant la confession, mais
ne dit rien. Même la fois où Palhares s'est masturbé en
classe pour tenir un pari, Xavier a fait comme s'il ne le
voyait pas, de peur de devoir prendre position. Palhares
s'est arrêté immédiatement, bien sûr, et il a perdu le
pari à cause de l'inhibition. Xavier est alors devenu tout
rouge, et il a bafouillé jusqu'à la fin de son cours, mais il
n'a rien fait.

Le samedi, les cours finissent à midi, et le temps ne
passe pas vite jusqu'au dimanche. Même la bibliothèque est fermée. Il y en a qui dorment toute la journée
dans un coin en attendant l'ouverture des dortoirs.
L'ambiance est lourde et beaucoup de bagarres ont lieu
sans aucun motif. L'ennui pousse les élèves à se provoquer, les coups partent sans qu'on le veuille, surtout les
jours de pluie. Les souliers ne sont pas étanches, on a
froid et envie de bouger, la lumière est grise. On sort

quand même et on revient plein de boue. On finit malgré soi par avoir envie de se battre. Parfois deux bons copains se sautent dessus, se cassent la gueule tout en le regrettant, car bien souvent ils n'arrivent même plus à se souvenir de ce qui a motivé la bagarre. Mais quand la bagarre éclate, il est impossible de l'arrêter, de faire la paix, de s'excuser. C'est trop tard. Celui qui recule reçoit une raclée; et puis les autres ne le respectent plus, et il n'a pas fini de se faire provoquer. Alors on prend parti, les copains nous poussent à ne pas nous laisser faire, ils excitent les adversaires en fermant le cercle pour voir le spectacle. Par moments, c'est plus fort que moi, et il arrive que je me batte plus souvent qu'à mon tour. Mon frère aussi me pousse lorsque ses copains me provoquent; comme je suis grand, même les plus vieux s'en prennent à moi, et il faut que je me défende. D'autres fois, ce sont des trucs bêtes, comme quand je refuse d'aller jouer parce que je suis en train de lire. Ou encore quand je fais un bon arrêt et qu'ils crient au penalty seulement parce que j'ai dû pousser un peu quelques joueurs pour arrêter le ballon… Les plus petits ne se font jamais provoquer et leur vie est plus facile. Après chaque bagarre, je me promets ne plus m'énerver à l'avenir, de ne plus répondre. Mais je m'oublie. Si quelqu'un a le malheur de prononcer le maudit «fils de pute», là je ne me contrôle plus, il faut qu'il encaisse. Même s'il est plus fort, que je vais recevoir une volée, je lui saute dessus. D'autres vont parlementer longtemps, s'insulter, en tolérant plusieurs «fils de pute» avant de passer aux mains. Pas moi.

Il y a des élèves qui sont carrément fous. Je ne parle pas des épileptiques, qui font des crises effrayantes, mais qui sont de bons copains lorsqu'ils reviennent à la vie. Je pense aux vrais fous. Mucio en est un. Il avait l'air bien normal au début, quand on ne savait pas encore que c'était le frère de Toninho. Toninho est un excellent camarade, très bon en classe, gentil, et le meilleur de l'équipe de foot. Mais il est mulâtre; et on n'avait pas du tout fait le rapport avec Mucio qui est blond. Il n'y avait que les profs qui étaient au courant. Mucio est renfrogné, peureux, il pleure quand il a envie d'aller aux toilettes et que le prof le fait attendre. Ses notes ne sont pas mauvaises, mais Toninho le bat toujours. Un jour, Ibsen, le chef des profs, qui est très malin, a demandé à Mucio si lui et son frère avaient le même père. Rien que pour emmerder Mucio. Alors tout le monde a su. Ça n'a pas du tout dérangé Toninho, ou bien il n'a rien laissé voir, ce qui est encore mieux. Mais depuis ce jour, Mucio fait des crises en classe: il crie, il vomit et il fait semblant de s'évanouir. Et ça n'arrête plus. Il a fallu que les parents viennent le voir. Toninho a été transféré dans une autre classe, mais ça n'a rien changé. Mucio fait le vide autour de lui, surtout que maintenant il a le droit de recevoir des gâteaux envoyés par ses parents, et qu'il a peur de devoir les partager. Il les avale presque sans mâcher pour éviter le regard des copains; puis il vomit en pleine classe et fait mine de perdre connaissance en imitant les épileptiques. On sait qu'il joue la comédie. Une fois, Campos, qui est gardien de but dans l'équipe des professeurs, lui a appliqué une gifle retentissante, histoire de le réveiller de ses vapeurs. L'effet a été immédiat. Si c'était de l'épilepsie, ça n'aurait pas marché. Mucio est malheureux, ça se voit, mais d'une manière qui n'attire pas la pitié. Il cherche aussi à tirer avantage de ses crises, et en profite pour frapper les autres: si on réagit, il s'évanouit. Alors on doit cogner vite, avant qu'il tombe.

Quand il fait beau, j'oublie les bagarres et la haine. Les autres aussi sont plus calmes. On peut aller partout; le terrain est immense, isolé dans les montagnes. J'aime bien suivre en amont un petit cours d'eau qui descend des rochers à travers la forêt. C'est une rigole sale qui s'étale en lacs et en marécages lorsqu'il a trop plu. Il y a plein de têtards dans ces flaques, parfois même des serpents très jolis, émaillés de rouge et jaune. Je construis des barrages et je fais la chasse aux crapauds. Dans la forêt, il y a des grottes formées par d'anciens éboulements, où on peut descendre en imaginant des choses formidables. Je reviens de ces promenades avec un appétit du tonnerre, et il est rare qu'il reste quoi que ce soit sur la table. On est toujours tellement affamés qu'au début certains arrivaient en courant et crachaient sur les haricots, dans l'espoir de dégoûter les autres et de pouvoir alors tout manger. Puis les huit élèves de chaque table ont pris l'habitude de cracher en même temps dans les soupières, pour qu'on soit quitte et que tout le monde mange. Alors ça ne servait plus à rien et les crachats ont cessé.

La cuisine est un monde à part dont on nous interdit l'accès de peur qu'on pille tout. Les cuisiniers sont toujours de bonne humeur et, si nous ne sommes pas trop nombreux, ils nous distribuent ce qui reste durant l'après-midi. Le samedi, on peut aussi se divertir en regardant Ponciano tuer les poules pour le repas du dimanche. C'est le plus costaud des cuisiniers, et il aime donner le spectacle aux élèves. Il suffit de ne pas faire trop de bruit, car les profs n'aiment pas trop qu'on s'intéresse à ça. Ponciano roule les yeux et fait des mimiques à mesure qu'il prend de la vitesse pour achever la centaine de poules. Sa façon de faire est très impressionnante. Il plonge la main dans la cage pour attraper une poule, puis il la coince sous son aisselle gauche, comme une carabine. D'un coup sec de la main droite il lui arrache la tête. Le corps part d'un côté, la tête de l'autre, et déjà sa main cherche à nouveau dans la cage, automatiquement. Des gestes rapides et bien enchaînés, qu'il répète soigneusement jusqu'à ce que toutes les cages soient vides. C'est quelque chose à voir! Nous restons jusqu'à la fin, impressionnés par les couleurs de plus en plus éclatantes à mesure que le carnage se poursuit: des giclées rouges en avant, des giclées verdâtres en arrière, le tout parsemé de plumes collées sur le torse noir du cuisinier. Il a l'air d'un Indien derrière son large sourire aux dents blanches.

La piscine est un vivier à crapauds. Ça fait des années que l'eau n'a pas été changée. L'eau de la pluie s'est mélangée avec la boue qui coule des rochers, tapissant le fond d'une masse brune d'où montent des algues un peu sinistres. Les carreaux sont recouverts de végétations gluantes aux reflets huileux qui se confondent avec les serpentins gélatineux des œufs de crapauds et les myriades de têtards. De gros crapauds morts flottent à la surface lorsque le niveau d'eau est trop bas, parce qu'ils n'arrivent plus à sauter et meurent noyés. Ou bien il s'agit des victimes de nos expéditions de chasse qui remontent à la surface le lendemain. Le samedi après-midi, il y a toujours des élèves autour de la piscine, armés de pierres et de bâtons pour guetter le gibier amphibien.

De temps à autre il se passe quelque chose d'insolite pour rompre la routine. Comme lorsque la mère de Lauro s'est suicidée. Lauro était un gars obèse, dégoûtant, avec une face de porc, et personne ne le respectait. Sa mauvaise réputation venait en partie de sa mère, qui l'embrassait comme un bébé lorsque nous prenions le train pour revenir au collège. C'était une femme grosse et criarde, qui cherchait à bavarder avec les autres élèves et avec les parents, en demandant protection pour son fils et racontant sa vie à qui voulait l'entendre. Elle disait tout haut qu'elle était une femme du monde, avec beaucoup de connaissances parmi les politiciens et les artistes de la radio, et elle ajoutait souvent qu'elle buvait comme une rate. Pourquoi une rate, on ne l'a jamais su. C'est ainsi qu'on a commencé à appeler Lauro « la rate-soûle », ou simplement « la rate ». Il avait honte de sa mère, mais il cherchait quand même à la défendre. Un gars sans aucune importance. Et voilà qu'un jour, il est devenu le centre de l'attention parce que sa mère était morte. Lorsqu'il a appris la nouvelle, on était tous contents pour lui, et on a décidé que, dorénavant, il serait « la rate-crevée ». Il était un peu hébété, et il s'est mis à raconter qu'il savait qu'elle allait se tuer, qu'il s'attendait même à apprendre sa mort d'un jour à l'autre car elle lui avait écrit une lettre d'adieu. Les profs ne voulaient pas le laisser seul, de peur qu'il ne se tue à son tour. Au groupe de copains qui l'entouraient pour l'aider à faire sa valise, il révélait des détails intimes scabreux, qui rendaient ce suicide encore moins regrettable. Mais il ne s'arrêtait pas, il fallait qu'il raconte encore, et encore. Même les profs restaient bouche bée face à ce que la rate avait jusqu'alors caché. Les copains essayaient de lui faire comprendre que c'était mieux ainsi, qu'elle ne l'embêterait plus, qu'il n'aurait plus besoin d'avoir honte. Mais en vain. Il est parti la journée même et n'est plus revenu. Les commentaires et les hypothèses ont duré quelques jours, chacun pensant secrètement à sa propre mère ou aux avantages que lui procurerait le suicide de ses parents. Je me suis mis à la place de la rate pour imaginer comment je réagirais à une pareille nouvelle, me demandant si mon frère se mettrait à dire des conneries. Mais mon seul souci était de savoir si je serais obligé de quitter l'internat. L'émotion s'est estompée assez vite, et déjà le dimanche suivant la chapelle était vide parce que les profs avaient dit que la messe serait en souvenir de la rate-soûle.

Parfois les professeurs décident de faire un couloir polonais pour punir un élève d'une faute grave, ou simplement pour mettre un peu d'ambiance. Si le fautif se laisse faire, son délit est pardonné. Mais ce n'est pas drôle. Ils choisissent vingt autres élèves, tous à peu près de la taille du coupable, qu'ils font se mettre en deux rangées face à face. Le gars doit alors passer au pas entre les deux rangées pendant que les autres lui tapent dessus, aussi fort qu'ils peuvent. S'il essaie de courir, c'est pire, car alors on a le droit de le faire tomber et de le cogner par terre. Ça cause des disputes puisque ensuite il cherche à se venger de certains de ses agresseurs, ceux qu'il est sûr de pouvoir assommer. Olavo n'aime pas le couloir polonais à cause de son caractère désordonné; il dit que ça fait plus peur que mal, et souvent le coupable n'est pas puni comme il se doit. Il préfère le saute-mouton, qui ne fait pas saigner et qui assure une bonne correction, tout en permettant au mouton de réfléchir entre les coups. Il choisit vingt élèves lui aussi, le nombre vingt étant le nombre officiel des punitions, même si dans les films les pelotons d'exécution sont formés de douze soldats seulement. Douze, c'est trop peu. Alors le mouton se penche, torse nu, en offrant son dos aux puissantes tapes des vingt exécutants. Ceux-ci se doivent de chauffer convenablement la victime avant de sauter. Olavo aime l'ordre et la justice; il peut ainsi vérifier si les tapes sont bien données, pour éviter que les copains ne fassent semblant. À la fin, le mouton est sans le souffle. Ça dure bien plus longtemps, mais dès qu'il remet sa chemise on ne voit plus les marques. C'était peut-être la méthode qu'il utilisait dans sa prison, si efficace que tout le monde préfère le couloir polonais. Il s'y connaît en punitions, Olavo, je dois l'avouer. J'ai dû quelquefois passer par le couloir polonais, et c'est vrai que ça fait plus peur que mal. Tandis que les gars qui ont vécu l'expérience du mouton passent parfois des jours entiers éloignés des autres, craintifs et silencieux.

Quand je suis dans la bibliothèque, il n'y a ni déception ni temps mort, et l'internat tout entier disparaît. Les couleurs sont plus belles, les gens mieux définis, et les choses se déroulent d'une façon bien plus intéressante que dans la vie. Le temps fuit. Et lorsque la sirène me fait sursauter, c'est à chaque fois comme si je sortais d'un rêve. Ma tête est exaltée, et il ne tient qu'à moi que le monde se transforme. La foule des élèves devient tout d'un coup une bande de musulmans sauvages, la

cour est le bazar où guettent les surveillants sangui-
naires qui me cherchent. Je me faufile, invisible parmi
les lianes de cette jungle épaisse, sûr de moi, sentant la
présence rassurante de mon Browning sous le chandail.
Je me dissimule encore dans la nuit menaçante, hors des
murs de cette forteresse, où complotent des groupes de
trafiquants enturbannés. Et je fume une dernière cigarette légèrement parfumée de kif avant de rentrer dans
les rangs pour le dernier contrôle, avant d'être enfermé
dans une cellule humide parmi les torturés. Jusqu'à
demain.

16

Mes tableaux rappellent étrangement les inventions de mon père et, comme lui, je m'entête à les faire. Il avait peut-être lu trop de choses sur le capitalisme américain, au lieu de faire comme Quichotte et se limiter à la chevalerie. Quant à moi, dès le début, l'idée d'exil me fascinait; mon jeu était celui de l'étranger. J'avais toujours rêvé de partir; mes personnages imaginaires débordaient sans cesse la situation actuelle vers des virtualités que je croyais ouvertes. La lumière des grands espaces me semblait particulièrement brillante parce que je ne savais pas en décomposer les éléments.

C'est ainsi qu'un jour je suis parti pour de bon. En pensant maintenant à tous ces départs, l'image de la cour à déchets me revient à la mémoire. Un petit vieux aux lunettes épaisses habitait un des immeubles. Tous le savaient célèbre; un silence respectueux se faisait lorsqu'il passait de son pas calme. C'était le poète Manuel Bandeira. On ne savait pas grand-chose de lui, sauf que c'était quelqu'un d'important et qu'il avait écrit des pétitions poétiques pour que la municipalité fasse nettoyer la cour. Il l'avait qualifiée de marais immonde et de foyer d'infection. Ses souhaits sont restés lettre morte malgré son siège à l'Académie des lettres. Bien plus tard, j'ai appris à aimer sa poésie, sa familiarité avec la mort. Il décrivait le souvenir comme l'éveil d'un enfant durant la nuit, pendant que les autres dorment profondément. C'est une image bien juste. Et si je me demande maintenant où sont les autres, la cour, le remblai, mes putes et mes amours, je sais qu'ils dorment profondément. Et je suis seul. Ils ont pris racine de façon si opiniâtre que l'étranger partant en exil portait sans le savoir dans son flanc les germes d'une impossibilité absolue de se fixer. Les horizons me semblaient ouverts; il s'agissait simplement de partir de là. J'ignorais alors que je verrais tous les nouveaux paysages à travers le kaléidoscope du Mangue, du carnaval et des murs suintants, vert-de-gris et saumâtres de la cour à déchets. Sans intention de revenir, je devenais donc un homme de nulle part. Je n'ai jamais revu la cour, ce n'est pas nécessaire. Elle est tout le temps avec moi-même si les autres dorment profondément.

De sa fenêtre, le poète Bandeira pouvait voir l'aéroport, et il a écrit qu'il y puisait des leçons quotidiennes de départ. C'était une figure de style pour parler de la mort. Mais j'étais trop jeune pour restreindre ainsi le concept de départ. Je croyais alors que les embarquements et les envols relevaient seulement du domaine de l'espace. Le temps se réduisait pour moi au décalage horaire. La trame de l'existence m'était inconnue, et je suivais ses méandres en me pensant tisseur.

Beaucoup de choses s'étaient passées depuis mes premiers essais de dessin. L'étudiant d'université s'était transformé spontanément en militant politique, pour le simple plaisir de l'action et pour les charmes de la clandestinité. Les relations de camaraderie que j'avais avec d'autres exaltés comme moi me donnaient l'impression de sortir de ma solitude, de trouver un sens global à la vie. Ce n'était qu'un mirage. D'abord j'ai subi le choc de mes illusions de progrès social avec le quotidien des médiocrités individuelles. La passivité naturelle des masses laborieuses a aussi vite fait de m'apprendre qu'il ne faut pas vouloir trop changer les choses, car on risque de les empirer. D'ailleurs, je me sentais déjà plus à l'aise dans le monde des abstractions. Le concret ne me touchait que sous la forme de jouissance pour les yeux. La tête remplie de théories soigneusement isolées de la vraie vie, je cachais mon écœurement sous la ferme décision de croire au progrès. Et je me plaisais alors à penser que j'étais un voyageur avec peu de bagages.

Un camarade m'avait reproché d'aimer plus les masses que les individus. Mais il avait disparu bien vite pour aller chercher refuge chez ses riches parents lorsque la police s'était mise à nous chercher. D'autres parlaient encore de lendemains qui chantent, tout en s'occupant de leur présent immédiat. J'avais si bien su couper les ponts et m'enfoncer dans la merde jusqu'au cou que mon départ semblait une nécessité de fait à mes propres yeux. J'y étais obligé, et tout à fait ravi de cette obligation. Aujourd'hui, je comprends mieux ce processus de cache-cache; à quelques reprises, j'ai même pu l'observer dans le sourire complice d'autres exilés qui dissimulent des étrangers ou des bâtards sous leurs masques de bannis. L'exil n'est un dur métier que lorsqu'on vieillit; comme le métier de vivre n'est difficile que si l'on a besoin des autres pour se sentir vivant. Rien de cela le jour de mon vrai départ. J'étais impatient de sentir le décalage horaire, rassuré par tout l'espace qui se mettrait entre moi et la vie antérieure.

Comme une ivresse: quelques instants à peine après le décollage, l'avion avait déjà traversé l'Atlantique. Escale à Dakar au petit matin. Le ciel cobalt tirant sur le gris mettait en relief la savane vert chrome sous l'air lourd. Un aéroport vide qui m'a semblé particulièrement moderne. Des gens très noirs, très longs, aux allures élégantes, ralentis, me faisaient découvrir une négritude différente de celle que j'avais connue dans mon pays. Leurs gestes et leurs mimiques ne se laissaient pas lire par mes yeux. C'était l'étranger, au-dessus de l'Équateur, mais encore une simple escale que j'ai laissée derrière moi sans trop faire attention.

Rome au début de l'après-midi. Il faisait chaud. La lumière étincelait d'une palette infinie de tons ocres que je ne connaissais pas. Même les blancs des marbres étaient jaunâtres comme le carrelage des toilettes de mon internat. Les rues me semblaient presque vides, sans le mouvement nerveux ni l'empressement des pays tropicaux. À la pension où je suis descendu, les gens étaient accueillants, sans toutefois cacher leur crainte que je ne puisse pas payer la note. Ils me donnaient des conseils et ils avaient l'air de se soucier de ma sécurité. Ce détail m'a paru tout à fait risible. J'étais enfin à l'étranger, inconnu et noyé dans le flot, sans passé.

La ville me semblait petite, tassée sur elle-même comme pour protéger les marbres en ruine et les ocres qui s'effritaient. En déambulant par les rues étroites, je ressentais une délicate fraîcheur qui venait des pierres du pavé et des eaux coulant un peu partout. Pas de moisissures verdâtres ni de flaques stagnantes. Dans les recoins, ça pouvait certes sentir l'urine, mais jamais la pourriture comme chez moi. Presque pas de mouches. L'eau sale dont étaient remplies les fontaines me paraissait limpide, plus attirante encore que celle d'une piscine interdite dans une école de mon enfance. Les pièces de monnaie jetées par les groupes d'idiots américains brillaient avec des accents cuivrés imitant le chlore. La bière fade m'a permis de découvrir les délicieux vins blancs. Comme tout le monde, je suis allé visiter le Vatican; et là, pour la première fois de ma vie, j'ai vu des œuvres d'art. La présence presque palpitante de la Pietà aux chairs roses m'a fait une impression particulièrement étrange. Le choc a été si fort que je suis resté depuis lors un peu amoureux de cette Vierge sensuelle sous ses draperies de marbre. Elle semblait si jeune, si éloignée de ce que je connaissais comme souffrance, qu'elle avait l'air de se donner au regard des passants. Les petits pieds des Vierge du passé s'interposaient malicieusement, et je ne pouvais pas m'empêcher de voir la femme dans le bloc de marbre. Comme la Marie du temps où j'allais à l'église, celle-ci paraissait être la maîtresse du Christ qu'elle tenait dans les bras. La même lassitude que celle de Mars et de Vénus dans le tableau de Botticelli. Une impression sournoise, celle que la jeune femme ne faisait qu'attendre le réveil de cet homme las qui la prendrait une fois de plus, s'immisçait entre moi et la sculpture.

Les images me bouleversaient singulièrement, mais le Vatican tout entier m'a laissé une impression de foire. Toutes les Vierge et leurs cohortes de jeunes filles me semblaient destinées avant tout à guider d'une main sûre la prière nocturne des garçons et des curés. Les images baroques de mon enfance, quoique moins parfaites, exprimaient à mon avis une nature plus souffrante, plus mystique. À Rome, les églises me paraissaient dépouillées, moins oppressantes avec leurs marbres polis, presque comme des halls de banques. Les ruines de la ville se marient avec les églises, et j'avais continuellement le soupçon qu'il s'agissait de ruines d'églises. Comme si, de tout temps, les Romains avaient été catholiques, à leur façon: sans pathétique, sans souffrance, sans misère ni mélange de races. Les rues étaient habitées par des gens blancs; les rares Noirs me semblaient blancs, eux aussi, à cause de leurs habits et de leurs corps bien nourris. On aurait dit que les automobiles étaient toutes neuves, et elles s'arrêtaient aux feux de circulation avec une discipline presque magique. Plus merveilleux encore, elles laissaient passer les piétons! Je cherchais malgré moi les contrastes, je comparais les gens et je m'étonnais sans cesse de l'allure uniforme des choses. Tout avait l'air propre, les jardins aux plans géométriques, les ruines à leur place. Les rictus de haine, les haillons, les estropiés et les misérables faisaient défaut dans cette ville harmonieuse. Même les ouvriers et les vieux avaient l'air d'être en vacances. Je me disais qu'il me faudrait un peu de temps pour m'adapter, pour perdre mes œillères tropicales.

Je m'envolai ensuite vers la France, où j'allais vivre quelques années grâce à des bourses d'études. Le thème de ces études n'avait rien à voir avec ce que j'avais étudié jusqu'alors, ni avec l'art. On m'aurait donné une bourse pour étudier en administration ou en théologie que je serais parti quand même. Je voulais une bourse, n'importe laquelle; l'important, c'était de partir au plus vite.

À Paris, j'ai eu la même impression de colonie de vacances. Il y avait, certes, un peu plus d'étrangers et de peaux basanées regardant parfois la réalité avec un air aussi étonné que le mien, à la recherche de coins cachés, de surfaces moins lisses. Ou qui riaient discrètement d'une façon un peu sarcastique devant l'assurance naïve des autres étudiants. Les pierres me paraissaient plus belles cependant, leur vieillesse moins entretenue, plus pierres que le stuc et plus nobles que le marbre. Mais plus encore qu'à Rome, les choses étaient irréelles. Le contraste entre la vie, le mouvement des rues, les vitrines, l'allure des gens et ce qui attirait mon regard était frappant. Tout ici était représentation symbolisée, artifice du langage: les musées pleins d'images, les immeubles délimités par les styles, les librairies remplies de livres, les antiquaires, la conversation des gens, le verbiage des professeurs, la Seine sale dont on disait des merveilles, le contraste entre les mythes culinaires et le quotidien des cantines universitaires. Des indications historiques accrochées un peu partout pour attirer le touriste, sans aucun égard à l'histoire concrète de chaque habitant. Des contradictions et des non-sens à vous couper le souffle, cohabitant harmonieusement dans un discours répétitif aux mille facettes et mots d'esprit. Malgré ma compréhension du français, je me rendais sans cesse compte de mon incapacité à dire les mêmes choses que les autres. Les visages dans le métro, l'odeur des gens, leur quotidien, leurs gestes, grimaces et stéréotypies de langage rendaient mon dépaysement chaque fois plus profond. Leur existence si pauvre était enrobée d'une couche épaisse de déguisements allégoriques, à la façon d'un gâteau sec au glaçage somptueux. Le fard trop lourd des femmes de mon enfance, les masques du carnaval et les travestis me venaient à l'esprit aux moments les moins propices. Je perdais souvent de vue l'ensemble de la situation pour m'attarder sur une mimique particulière, une tirade trahissant l'insécurité qu'elle voulait cacher, ou d'autres mondanités qui m'étaient étrangères. J'étais tout à fait fasciné par ces couches successives d'accoutrements dissimulant des nudités. La réalité se dérobait, se voilait d'apparences fugaces et de vapeurs de discours. J'avais l'impression de regarder un spectacle fantastique, une danse de spectres, et je craignais parfois, surtout dans la fatigue des longues soirées, de voir arriver le moment où les visages se déchireraient et où tomberaient les masques visqueux, découvrant ainsi d'autres cadavres que ceux de mon enfance. En pensant à cela, je comprends la fascination des Français pour le surréalisme.

À Paris, je rencontrai quelques camarades partis avant moi, et déjà bien avancés dans l'art de passer inaperçus en Europe. Un art complexe, auquel Sud-Américains et Africains s'adonnaient avec empressement. J'ai connu un Portugais qui vivait à Strasbourg depuis son adolescence et qui maîtrisait comme nul autre le rôle de Français. Il était toujours sérieux et surveillait sans répit sa propre personne, comme s'il était sur une scène. Lorsque nous étions seuls, il se détendait, souriant, heureux de parler sa langue et d'échanger des souvenirs à l'abri des regards indiscrets. Puis il s'ajustait de nouveau à son double, et l'on n'aurait su dire lequel des deux était le vrai. En observant ces pantomimes, et parfois même ma façon maladroite de les imiter, la rupture se faisait de plus en plus profonde dans le sentiment que j'avais de mon identité.

Nous discutions beaucoup du structuralisme à la mode, de l'amour des masses envers le Grand Timonier, de la révolution culturelle en Chine, des torts du révisionnisme, de la forclusion du nom du père et d'autres trucs folkloriques qui paraissaient alors si essentiels. Je ne pouvais cependant pas m'empêcher de lorgner les seins de mes camarades les plus sérieuses, et mon regard vagabond captait souvent des choses qu'il ne fallait pas. Je m'efforçais de suivre le jeu théâtral des autres, mais il devenait chaque fois plus clair que mon habit d'étranger me collait à la peau. Mes bagages, en fait, n'étaient pas aussi légers que je l'avais voulu au départ.

J'apprenais des choses plus essentielles en regardant les manières des professeurs, les étudiants parlant de leur propre vie, les gestes spontanés. Je les comparais avec de multiples situations de mon passé, essayant d'imaginer comment les gens réagiraient en tel ou tel moment critique. Ces jeux imaginaires m'ont de tout temps plu davantage que les choses sérieuses. Parfois aussi mon passé revenait à la surface, particulièrement au cours des visites aux musées. Certaines peintures avaient la propriété insolite de mettre en branle mes souvenirs, en déclenchant l'apparition d'images mentales complètement éloignées du sujet de la toile. Des scènes anciennes m'assaillaient à la sortie de l'exposition, et j'étais incapable de déterminer lequel des tableaux les avait sollicitées. Mais à coup sûr les peintures en étaient responsables. Un petit détail de la surface pouvait attirer mon regard de façon insistante, et se transformer aussitôt en morceau d'un souvenir éloigné. D'autres fois, le thème lui-même ou les personnages se transformaient dans ma tête, et je me retrouvais à comparer ce qui était devant moi avec les visages d'autrefois. Quelques peintres anciens savaient traquer les rides, les expressions et les intentions d'une manière si précise, si indiscrète, que leurs œuvres dépassaient à mes yeux la valeur esthétique d'autres plus reconnues. Je n'arrivais pas à développer un regard purement plastique devant les tableaux, mais je gardais ce jeu pour moi, de peur de passer pour un idiot. Mon respect devant leur pouvoir grandissait chaque jour.

Cette propriété qu'avait la peinture de tourmenter mes propres souvenirs s'ajoutait au bouleversement que je ressentais devant la masse de médiations culturelles, langagières et mondaines tout autour. Parfois j'avais l'impression d'être un sauvage sorti d'une réalité trop concrète vers un monde surnaturel. Mais au lieu de me laisser emporter par son flot formel, comme c'était le cas de certains camarades qui devenaient subitement structuralistes, lacaniens ou dandys, je me rebiffais en m'attachant aux rats et aux misérables de mon enfance. Mes réflexions sur la peinture auraient d'ailleurs été bien déplacées. Je confondais en outre le pur plaisir du regard avec le bavardage sur les styles, et la confusion s'accentuait davantage entre ce que je ressentais et ce qu'il fallait y voir. Les impressionnistes, par exemple, me laissaient tout à fait froid avec leurs petites choses bucoliques en forme de couvercles de boîtes à bonbons. Les gens s'extasiaient devant les fillettes roses de Renoir, mais je n'étais jamais rassasié des putes de Rouault, des mulâtresses de Gauguin ou des maigres expressionnistes. Peut-être que la lumière des paysages m'était trop étrangère, sans contrastes, ou encore que je trouvais leurs scènes trop ridicules, leurs villages sans tension.

Je m'éloignais des tableaux vers la ville trop lisse, artificielle comme le jeu formel des cubistes, tarabiscotée de significations qui ne me touchaient pas. Les Halles me rendaient, en plus pâle, l'ambiance des marchés de mon passé, mais à peine, en tons pastel souvent délavés. Certaines toiles abstraites aux significations si transcendantes me rappelaient parfois les tas d'ordures, les flaques de boue séchée, la texture huileuse des vêtements des clochards, le fard gravé sur les rides ou le stuc miné par la moisissure. Toute l'importance qui était donnée aux facéties des surfaces rendait en quelque sorte plus précieux mes souvenirs des textures réelles et le bourdonnement optique de la pourriture tropicale.

J'avais beau poursuivre ces traces d'évocation, la richesse vitale se dérobait. Je demeurais en suspens, plus étranger que jamais, à la fois sans prise sur ce monde nouveau et sans attache avec ma vie d'autrefois. Ce fut cette impression de déracinement qui m'a poussé à ce travail inutile d'accumulation d'images peintes. Pour retrouver la vie. Car si le souvenir a l'air d'être constitué de scènes, son mouvement propre n'est en fait que langage formel. Il peut retracer certaines choses, en les emprisonnant dans le filet de la syntaxe lorsqu'il organise en propositions le liquide du passé. Ces rares prises sont illusoires et sans vie. Les substances palpables disparaissent dans les ellipses, les personnes se retrouvent simples pronoms, les adverbes et les adjectifs se vident de leur matière. Nous ne retrouvons qu'une grille et nous perdons le moelleux des tissus. Le regard en arrière de l'homme mûr est trop usé; il doit se contenter de la corde de ce qui fut étoffe, et le plus souvent fripée.

17

Le dimanche, tout le monde a très faim. On dévore le repas en un clin d'œil pour pouvoir partir au plus vite en ville. Ceux qui ont apporté des vêtements personnels peuvent les mettre; les autres se contentent de l'uniforme. Si l'un de nous est trop sale, il doit se faire discret ou bien descendre en cachette par la forêt. Les profs sont très fiers de notre réputation; il ne faut pas qu'on donne une mauvaise impression du collège aux habitants de la ville. Si un gars pue et que ça ne se voie pas, d'accord. Mais si le pantalon est taché de boue, c'est la catastrophe, la retenue. Il faut donc rester sur ses gardes pour ne pas se faire voler son pantalon le samedi soir; des pantalons et des vestes propres, on n'en a qu'une fois par mois.

La ville a l'air morte le dimanche après-midi. Je m'y sens libre, même si j'aboutirai inévitablement au cinéma, comme les autres, après avoir fait plusieurs fois le tour de la place principale. Le trottoir devant la pâtisserie

Vienna est envahi par les nombreux mangeurs de gâteaux qui se sont faufilés dehors pour être plus à l'aise,
pendant que la foule se comprime à l'intérieur en mobi-
lisant toutes les serveuses. Si j'attends un peu et si je
m'approche discrètement, je peux me faire offrir des
morceaux de tarte, ou des gâteaux à peine mordus dont
les copains trop repus ne veulent plus. Parfois je me sens
humilié, écœuré, et je repars en promenade les narines
inondées d'odeurs de vanille, de chocolat et de fruits
trop sucrés. Un peu enragé aussi de voir mes copains
qui se gavent, et de ne pas avoir le courage de considérer les gâteaux dans la poubelle de la même façon que
les mégots. Le tabac est une chose sérieuse, tandis que
les sucreries, c'est de l'enfantillage. Je me déteste alors
d'aimer les enfantillages.

Dans la file au cinéma, je dois encore me dominer à
cause de l'essaim de vendeurs ambulants venus tenter
les enfants: du pop-corn, des cacahuètes grillées, des caramels, des sucettes à la mélasse et d'autres merveilles.
Avec le temps, j'ai appris à penser au plaisir que me
donnent mes cigarettes, le soir, avant d'aller me coucher,
et je réussis à conserver mon argent. Dans la salle, avant
que ne commence le film, l'ambiance est des plus
bruyantes. J'en profite pour admirer les filles de la ville
qui se tiennent en groupes serrés. Elles sont excitées par
notre présence, mais font mine de ne pas nous remarquer: elles parlent fort, se mettent à rire, s'appellent à
distance, se bousculent, nous jettent des regards mépri-
sants et chuchotent à n'en plus finir. Je les trouve très jolies. Le souvenir de ces petites bouilles va me hanter durant toute la semaine. Elles vont se mêler à mes
aventures jusqu'à se fondre en un personnage vague, au
visage indéfini, que je renouvellerai le dimanche suivant.
J'éprouve une tristesse étrange en regardant les filles, une
tristesse mélangée d'un soupçon de rage, lorsque je me
rends compte qu'elles ne me remarquent pas. Le tout
s'accompagne d'un parfum de solitude et ressemble

curieusement à ce que je ressens en voyant les copains engloutir leurs tartes aux fruits. Ça ne fait rien. Ici en ville, les films sont toujours en couleurs, et dès que les lumières s'éteignent le monde se transforme.

À la sortie du cinéma, la grande place est remplie de filles et de couples qui se promènent. J'évite d'aller du côté de la pâtisserie qui déborde de clients, avec ses vitrines à nouveau remplies de tartes et de fruits confits. Je me sens exclu de cette abondance, et j'ai déjà fait mon plein de souvenirs. Je retourne au pensionnat en pensant seulement au souper qui nous attend. J'ai mes cigarettes et encore quelques caramels, de quoi finir le dimanche en écoutant les aventures des copains. Je sais qu'eux aussi sont un peu mélancoliques à cause des filles; et puis ils pensent aux gâteaux mangés à la hâte, qui vont les hanter durant toute la semaine. Nous sommes tous un peu déçus chaque fois que nous rentrons à l'internat. La sortie si attendue finit toujours par l'arrivée au dortoir, par le lundi qui s'annonce. La puanteur qui monte des toilettes est épouvantable, accrue par l'acidité des vomissures de ceux qui se sont amusés à s'enivrer. Pourvu que le film soit bon ce soir, sinon nous allons tous nous endormir très tristes.

Arrive finalement le jour de rentrer à la maison. Comme la plupart des camarades, je n'ai rien à transporter. Pas d'argent non plus. J'entame la longue descente vers la ville en brûlant mes derniers mégots. Le brouillard épais mouille le pavé, le rend glissant, et cette marche me réveille un peu. La gare est grise, endormie, avec des reflets verdâtres filtrant des lampadaires comme à travers les ailes d'une mouche. Quelques-uns portent leurs propres vêtements et se distinguent comme des étrangers parmi la foule en uniforme. Les wagons se remplissent de gens ensommeillés, à l'humeur maussade.

Je ne comprends pas la joie qu'affichent certains copains à l'idée de revenir chez eux. Ils se réveillent peu à peu de la torpeur du matin, et se mettent à raconter ce qu'ils mangeront à la maison, les sorties à la plage, les fêtes, ou encore ils parlent des filles qu'ils vont rencontrer. Je les trouve tout à fait déplacés. J'ai un goût amer dans la bouche, j'ai peu dormi, et je n'ai pas mangé à cause de l'heure matinale. D'autres sont comme moi, silencieux, concentrés sur le paysage, taciturnes. Ils savent peut-être eux aussi comment se passeront ces congés ridicules et ils ont hâte d'en voir la fin. Maintenant les alliances se défont, les groupes se mélangent, des gars qui ne se parlent jamais se mettent à discuter de la plage, se souvenant qu'ils habitent le même quartier. La camaraderie s'estompe. Chacun reprend contact avec son propre monde. Si j'aperçois mon frère, j'évite de lui parler, car lui aussi a l'air d'avoir la bouche sèche.

Dernières salutations mornes à la gare, et nous voilà seuls. L'animation des rues me semble étrange, bruyante. Puis l'entrée de la cour, qui me paraît plus petite à chaque retour. Notre immeuble, et enfin la table de la cuisine. Les mêmes portes fermées. Ma mère s'exaspère de notre présence trop envahissante et de nos bavardages avec le petit. L'air sent l'ennui; Belinha se plaint de devoir nous servir le repas. Elles ont tant de choses à faire qu'elles finissent par nous pousser dehors. En disant qu'elles étouffent. C'est alors une très longue attente du vendredi au lundi matin. Je refais les mêmes promenades en surveillant la porte fermée. C'est pire encore, le soir, quand mon père arrive. Je ne sais pas quoi lui dire; il y a une gêne certaine dans nos retrouvailles, et chacun cherche à se montrer affairé pour ne pas regarder les autres. Ma mère ne s'en fait pas. Elle nous oublie même tout à fait lorsqu'elle demande d'une façon automatique, en pensant à autre chose, si nous nous sommes bien amusés avec les autres enfants. De la même façon distraite, elle peut ajouter que nous sommes chanceux, ou ingrats, puisque ce ne sont pas tous les parents qui envoient leurs enfants dans un si bon internat. Et elle change aussitôt de sujet, sans attendre la réponse. Mon père se cache derrière son journal. Ma mère a décidé une fois pour toutes que nous sommes des enfants, et cette condition nous éloigne à ses yeux, irrémédiablement, du monde des adultes. Avant, cette façon hautaine m'irritait: méprisable, avec son habitude de nous regarder sans nous voir, les idées ailleurs, sous prétexte que nous ne sommes rien d'autre que des enfants. Puis aussi le fait qu'elle pense que nous ne faisons que jouer; et son attitude lorsqu'elle coupe court à toute discussion, ou encore qu'elle interrompt les autres pour donner des avis qu'elle croit très pertinents. Mais je m'habitue. Maintenant elle ne fait que m'agacer légèrement, sans colère, parce que moi aussi j'apprends à l'exclure de mon monde. Je me surprends à l'examiner comme si elle était une chose, pour repérer ses manières, pour prévoir certains de ses gestes, et à la fin je suis très content de ne pas lui ressembler. J'évite de faire la même chose avec mon père, par une sorte de respect naturel, même s'il m'arrive aussi de savoir d'avance ce qu'il va dire. Je deviens comme ces serpents qui se dépouillent de leur peau pour grandir et qui l'abandonnent, par terre, sans égard. Sauf que ma peau est ma famille. Et ils restent là, sans éclat et ratatinés, identiques à chaque visite pendant que je continue à changer.

Je ressens la même distance envers les copains de la rue. Je ne suis plus tout à fait dans le coup, nos souvenirs sont distincts et, encore là, j'ai l'impression qu'ils ne font que se répéter pour tuer le temps. Mes promenades sont plus solitaires encore; je prends plus de soin à regarder les choses ou à écouter les histoires des autres pour refaire ma provision de rêves. Et j'attends mon retour là-bas. Je garde mes secrets et je ne me dévoile plus. À force de changer de peau, je deviens très insensible au monde extérieur.

Pendant les grandes vacances, je suis obligé de m'adapter, d'attendre, de faire comme les autres. Je passe la plus grande partie du temps à la plage, sur cette petite bande de sable sale au bout du remblai. Je peux nager autour de l'anse, plonger pour capturer des hippocampes et des étoiles de mer dont je ne saurai pas quoi faire, ou simplement m'étendre au soleil pour regarder les mulâtresses en maillot de bain. Le va-et-vient des chaloupes des pêcheurs, les rameurs du club Boqueirao qui s'entraînent tôt le matin, ça fait passer le temps. Au bord des rochers extérieurs, la mer est très claire, à cause des courants du large faisant le tour des brise-lames, jusqu'à l'aéroport. Bleue et transparente par temps clair, battant les rochers couverts d'algues vert laitue qui flottent comme des méduses au rythme de l'eau. Par temps couvert et venteux, la mer frissonne en vert-gris sous l'écume blanche, comme si le ciel s'abaissait. Rien de très fantastique, mais j'en profite pour rêver de navires battus par la houle, en voyages périlleux. La brise humide dépose sur mes bras une poussière fine de sel au goût amer et aventureux. La senteur d'iode noie la puanteur des excréments mélangés pêle-mêle aux poissons pourris, aux bouts de sardine, aux têtes de crevettes et aux coquilles de moules que les pêcheurs abandonnent tout le long de la ligne des rochers.

Nous y revenons le soir pour regarder les couples qui font l'amour. Les mulâtresses du voisinage y cherchent des clients hâtifs avant de rentrer, et les homosexuels pauvres s'y cachent pour leurs ébats. Si nous sommes nombreux, nous pouvons même les déranger, en jetant des pierres et en criant « la police ! », rien que pour les voir détaler en remontant leur pantalon, sautillant pour ne pas trébucher. C'est que la police vient souvent, en effet ; les phares de leur voiture éteints à l'entrée de la passerelle, les policiers avancent en silence pour surprendre les gens et leur soutirer de l'argent. Souvent ils profitent aussi des femmes, sans payer.

— Sors de là, vagabond ! Baisant en public ! Dévergondé !

Le client doit alors déguerpir discrètement sous les cris de l'autorité établie, et il se sent soulagé de ne payer que de son argent, sans être embarqué. Si la femme est jolie, elle reste un peu plus, « pour interrogatoire ». Lorsqu'elle est relâchée, elle pleure tout bas, et s'en va en rajustant ses jupes, en essuyant ses cuisses, hâtive, de peur que d'autres policiers ne surgissent pour continuer l'enquête. Les flics ne dérangent pas les pêcheurs, même s'ils sont à poil dans leurs bateaux en compagnie de filles. Ceux-ci ont l'air d'être copains avec les agents de la ronde nocturne, qui vont parfois jusqu'à leur rendre visite à bord pour prendre un verre. S'il y a des descentes pour saisir de la marijuana, les pêcheurs sont avertis d'avance, et ils s'en vont passer la nuit ailleurs.

Souvent le matin, la voiture de police est encore là. Soit qu'il y ait un mort trouvé par les pêcheurs, soit une fille tuée par un client. Leurs histoires n'intéressent personne, anonymes. Des règlements de compte, des passions perverses et n'importe quoi d'autre. Mais ces corps largués au hasard, comme des algues rejetées par la mer, nous changent de la routine. Le plus souvent, ce sont des noyés. Ils échouent dans notre anse, attirant les mouches et dérangeant la baignade. Et restent là très longtemps, attendant que le fourgon se décide à venir les chercher. Une fois étendus sur les pierres, ils ont un aspect étrange, impersonnel, qui draine inlassablement le regard sans qu'on sache pourquoi. Leur couleur surtout est si différente qu'ils ont l'air de poupées de cire.

Après le Congrès eucharistique, le remblai est devenu plus intéressant à cause des énormes gradins construits pour la foule venue regarder le pape. Je n'ai pas vu grand-chose de cette fête; il y avait tant de gens que la police a dû isoler le terrain, sinon les pauvres auraient dérangé le spectacle. Les pauvres sont très friands de miracles. Comme il y avait une quantité énorme de curés, la population était persuadée que la Vierge allait faire au moins une petite apparition. Il ne s'est rien passé. Rien que des messes à n'en plus finir, des chants et des processions, car chaque curé voulait à tout prix dire sa messe à l'un des nombreux autels. Contrairement à ceux du carnaval et de la Saint-Jean, on ne vendait dans les kiosques que des images et des rosaires. C'est bien fade, un congrès eucharistique; ça attire surtout la foule des femmes et des infirmes. Ma mère a dit que c'était mieux encore que si Lourdes était venue chez nous, ou même Fatima, parce qu'avec tous les curés étrangers ça concentrait la foi sur une même place. Malgré l'absence de la Vierge, l'endroit est donc devenu en quelque sorte sanctifié.

Les immenses échafaudages sont restés là, abandonnés, avec leurs labyrinthes internes, pourrissant au soleil. Sous ces gradins, nous sommes bien protégés des regards, à l'aise pour épier les couples qui viennent baiser en toute tranquillité. Plusieurs clochards y sont installés en permanence, mais c'est si grand que personne ne nous voit. Le soir, nous arrivons de bonne heure pour trouver les meilleurs postes d'observation, sous les poutres supérieures, où nous pouvons nous accrocher comme des singes. L'attente n'est jamais longue. Nous les voyons de loin, éclairés par les lumières de la ville filtrant à travers les trous du bois. Des mouvements rapides, dans de drôles de positions, des gémissements étouffés, des visages grimaçants aux yeux fermés. Certains sont pressés, craintifs, et repartent presque en courant. D'autres prennent leur temps; et il nous arrive d'avoir envie d'applaudir lorsque la reprise est immédiate, l'homme étant capable de recommencer aussitôt malgré ses genoux tremblants. Il y a même des femmes qui arrivent avec deux clients à la fois, se les faisant l'un après l'autre sans sourciller. Nous restons silencieux. Sauf si l'homme est gêné, s'il n'arrive à rien et si la femme doit l'aider. Là nos rires nous trahissent. Il nous faut parfois partir en courant si le gars décide de se venger de notre indiscrétion. Mais, le plus souvent, c'est le client qui se sauve en entraînant la femme, parce qu'il ne sait pas combien nous sommes.

Une fois, ç'a été le viol d'une jeune Noire, un peu loin, dans la pénombre. Deux gars sont venus se planquer sous les gradins. Ça avait l'air d'une histoire d'homosexuels, mais ils ne faisaient qu'attendre. Puis un couple est arrivé à son tour. L'homme tirait la fille avec autorité, pour la convaincre. Peut-être qu'elle voulait seulement l'embrasser, se laisser un peu caresser; mais arrivée là, si loin, elle a dû se laisser faire. Il l'a prise pendant un bon moment, sans bruit ni rien, comme font les amoureux. Ensuite, il a donné le signal aux deux autres en allumant une cigarette. La fille se débattait, sanglotait, implorait, mais en vain. Son copain aidait à la tenir. Après avoir reçu quelques coups, elle s'est tue. Même en suppliant le petit Jésus, elle a dû leur céder. Les trois gars l'ont gardée longtemps, se relayant pour aller pisser et fumer, pendant que les autres revenaient à la charge. Nous sommes restés figés dans nos perchoirs, la bouche sèche, un peu dégoûtés et sans savoir quoi faire, comme lorsque nous regardons à distance les interrogatoires des policiers. Quelqu'un a eu l'idée d'aller avertir les pêcheurs, mais on n'osait pas bouger. Et puis la fille risquait d'être violée par d'autres encore, s'ils la trouvaient là, déjà inerte. Devant les choses sérieuses, nous redevenons des enfants et notre courage disparaît. Ils l'ont enfin tirée hors des gradins, par les bras, en traînant ses jambes sur le sable, comme une morte. Ils l'ont secouée. En fumant tranquillement, ils ont attendu qu'elle se lève. Elle a fini par obéir. Péniblement, elle s'est mise à marcher, titubante, les mains pressant son ventre, un peu en arrière des trois hommes. Ils s'éloignaient vers les lumières de la ville, au-delà de la croix qui surplombe les échafaudages. Nous sommes rentrés à notre tour, mal à l'aise, sans savoir au juste si nous étions du côté des gars ou du côté de la fille.

Nos rares congés de fin de semaine passent à peu près vite, mais les vacances sont interminables. La répétition identique des choses devient si écrasante que même les copains de la rue ne savent plus quoi faire. Puis, le jeu de mon père est trop évident, et j'ai honte pour lui. Notre présence devient intolérable pour tous à la maison; les bagarres se multiplient, les menaces, les crises de toutes sortes. En particulier pendant les journées très chargées, lorsque les clients doivent même passer par la cuisine pour laisser la place à d'autres. Ceux qui arrivent n'aiment pas voir ceux qui partent, car les filles sont les mêmes; quelques-uns n'aiment pas être vus, ça leur coupe la fringale. Le pire, c'est que les filles m'intéressent de plus en plus, et ma mère n'aime pas l'insolence. Il nous faut vider les lieux dès le matin, pour aller jouer et, si possible, ne pas montrer le nez de toute la journée.

Le petit est docile, il sait ce qu'il faut faire. Le grand frère fait des histoires pour la forme, le salaud. Il a conclu une sorte de marché avec ma mère. Elle n'est pas bête. Il remonte seul une fois par semaine, très discrètement et un peu fâché de nos sourires, les jours plus calmes, lorsque les filles ont du temps libre. Rien que pour faire la conversation, qu'il dit, rien d'autre. Le veinard! Je me tais. Je ne suis pas dans le coup, trop jeune. Surtout, je ne sais pas comment il est arrivé à aborder le sujet avec ma mère. Peut-être que c'est elle qui lui a offert de coucher avec les filles, pour qu'il la laisse tranquille. Et ça m'étonnerait qu'elle me propose la même chose. Mon frère est menteur; ça ne sert à rien de lui demander comment ça s'est passé. Il répond que c'est la Zuleyca — une fille jolie, raffinée comme une riche et toujours bien habillée —, qui le lui a proposé, qu'elle est amoureuse de lui. Il ne raconte jamais les détails, mais je sais qu'il ment. C'est vrai qu'il couche avec elle, mais de là à dire qu'elle est amoureuse de lui, il y a une marge. Je suis sûr que c'est une combine de ma mère, mais comment en profiter ? Je trouve assez gênante l'idée de marchander avec elle, et je fais comme si de rien n'était en attendant qu'une occasion se présente. Après tout, les filles sont beaucoup plus belles que les mulâtresses du remblai... ça donne des idées. Une fois, mon frère était sur le point de tout me raconter parce qu'il n'a personne d'autre à qui en parler. Mais j'ai tout gâché par pur dépit. Je lui ai fait remarquer à quel point il était devenu docile, maintenant que ma mère lui fait profiter de la marchandise. Il s'est fâché, et j'ai cru percevoir qu'il était jaloux de la Zuleyca. Il n'a plus voulu rien dire, et depuis il essaie de se cacher lorsqu'il monte pour ses visites.

Moi, ce n'est pas la Zuleyca que je choisirais, même si elle est très gentille. Je prendrais plutôt Isabel qui a l'air un peu indienne, très rêveuse ; elle ne parle pas beaucoup, mais me passe souvent des cigarettes à peine entamées. Elle dit qu'elle est hôtesse de l'air pour la compagnie Paraense. Je ne sais pas si c'est vrai. Possible. En tout cas, elle ne vient jamais en uniforme, et je trouve ça dommage, car elle aurait beaucoup de succès. Une hôtesse de l'air, ça alors ! Tandis que Zuleyca est trop copine avec ma mère ; elle doit ensuite tout lui rapporter. D'autant plus que ma mère est du genre commère, et qu'elle la questionne sûrement, pour en tirer parti contre mon frère. Alors, je me méfie.

De toute façon, je dois attendre. Ça ferait trop plaisir à ma mère si je le lui demandais. Puis il y a mon père dans l'histoire. Tant que je suis en dehors du coup, je peux encore le regarder, avec l'air de rien. Mais si je ne peux plus me dire que je ne sais rien, je crois que ça va paraître, que je ne pourrais plus me cacher. Comment le regarder alors ? Je ne crois pas qu'il couche avec ces filles ; d'ailleurs il n'est jamais là lorsqu'elles arrivent. Il a peut-être honte, ou il trouve que c'est trop dégueulasse pour lui, ce genre de femmes. Qui sait, peut-être qu'il a beaucoup mieux ailleurs ? Ce qui est dur avec lui, c'est qu'il ne prend pas position, qu'il fait comme s'il ne savait rien, comme si tout ça n'existait pas. Ça lui est facile, bien sûr; il n'est pas là durant la journée. Mais pour moi, qui dois côtoyer ces belles filles pour ensuite aller me promener nulle part, ce n'est pas drôle. Le petit ne dit rien, même s'il est très attentif quand nous faisons le guet au remblai. Mais il appelle encore les filles « madame », ce qui fait un peu bébé.

Des fois, ma mère se montre plus généreuse sans qu'on sache pourquoi, et elle nous donne de l'argent pour aller au cinéma. D'autres fois, nous y allons même sans argent, quand nous sommes un groupe de copains à arriver ensemble au guichet et que quelques-uns arrivent à se faufiler sans payer. L'après-midi est alors sauvé; nous pouvons regarder deux ou trois fois de suite le même film, sans sortir de la salle. On s'amuse à prévoir les scènes avant qu'elles arrivent, ou à rire juste avant les passages drôles. Je fixe de la sorte dans ma mémoire les films qu'on commentera lorsqu'on n'aura rien d'autre à faire. C'est la même chose avec les bandes dessinées, particulièrement à l'internat où elles sont lues et relues des dizaines de fois. Nous les connaissons si bien que chacune des images peut être décortiquée, et il nous arrive de faire des concours où s'affrontent les experts en capitaine Marvel, Superman ou Batman. J'éprouve d'ailleurs un grand plaisir à relire un livre; curieusement, il me captive parfois davantage qu'à la première lecture. C'est comme s'il devenait une partie de ma propre vie, glissant de l'imagination au souvenir. L'histoire semble devenir plus vivante, de la même façon que mes pensées nocturnes sont plus vivantes si je pense aux filles que je connais. La plupart des copains sont différents de moi sur ce point: pour mieux imaginer, ils préfèrent les revues avec des photos de femmes nues. J'aime aussi regarder ces revues, lorsque les camarades m'en prêtent, même s'ils arrachent les meilleures pages par simple jalousie. J'y trouve toujours des filles qui me plaisent, mais dans ma tête je dois échanger les visages contre ceux des filles que je connais. Sinon ça me laisse froid, ça n'active pas ma pensée. C'est pareil avec les livres, et je me réjouis chaque fois qu'un film repasse à l'internat. Les gens qui ne savent pas imaginer ont toujours besoin de choses nouvelles, sinon ils s'ennuient.

C'est pour cette raison aussi que les filles de la cuisine me dérangent davantage que celles que je vois nues au remblai. Même si je fais un effort énorme, je n'arrive pas à mettre Isabel, Zuleyca ou Belinha à la place des mulâtresses qui baisent sur le sable. Avec elles, ça m'a l'air d'être différent, comme ça doit aussi être bien différent de caresser les filles de mon âge. Ce sont là des choses très étranges. Je peux très bien les imaginer dans mes fantasmes, sauf qu'elles me laissent ému, un peu triste, avec une plus grande envie de les embrasser que de les déshabiller. Ces sentiments m'assaillent de plus en plus souvent, et ça me fait rêver. Là encore les copains ne réagissent pas comme moi; ils peuvent blaguer à tout propos, sans faire les mêmes distinctions entre les choses qui me semblent si éloignées. Le métier debout, par exemple, c'est un truc dégoûtant; tout le monde est d'accord là-dessus. Nous allons le regarder de temps à autre quand il n'y a rien de mieux à faire, les soirs où même le bar est désert, sans ivrognes ni vagabonds pour raconter des histoires. C'est au centre-ville, près des cinémas, dans une cour comme la nôtre, une cour tout aussi noire, entourée d'immeubles à bureaux, au coin de Graça Aranha et de Nilo Peçanha. Le soir, tout est vide, et les vieilles putes déchues se tiennent là pour les files de clients misérables qui se contentent de baiser debout. Les femmes sont trop moches, mais l'endroit est assez animé, avec un va-et-vient continuel. Les clients font ça à la hâte, devant les autres qui attendent leur tour. Il y a des dizaines de femmes appuyées contre les murs, la jupe levée jusqu'au ventre, le bassin cambré en avant et les jambes ouvertes pour enlacer le bonhomme.

Les clients ne baissent même pas le pantalon: ils se bornent à ouvrir la braguette, genoux pliés, fonçant de bas en haut. Il leur faut faire vite. Ceux qui attendent rouspètent, ou ils encouragent les plus mous pour accélérer le tempo. Des surveillantes, plus vieilles ou trop malades, restent à l'entrée de la cour pour guetter la police. Parfois, elles avertissent trop tard, et c'est la débandade parmi les coups de gourdin. Le métier debout est un spectacle qui bouge à la verticale; les couples se poussent comme au carnaval, accrochés pour ne pas perdre le rythme ni l'équilibre, crampés comme s'ils s'étranglaient. Le changement de client se fait tout aussi naturellement, sans que la femme ait à baisser sa jupe: paiement discret, le suivant se déboutonnant avant que le précédent ne se soit éloigné à pas titubants, les genoux en purée. Pas question de tâter les seins ni de tenir les fesses. La pute empoigne aussitôt la nouvelle bite comme un pis de vache, pour mettre l'homme en train; elle l'aide avec les mains et se cambre pour faciliter l'accouplement. Aussi réglé que devant les guichets des bureaux où les gens font la file pour payer les taxes.

Au bout d'une demi-heure, ça devient ennuyeux et, si nous restons un peu plus longtemps, c'est dans l'espoir de voir arriver la police, pour assister à la débandade. Comme un coup de pied dans une fourmilière. Tout le monde détale parmi les cris de panique, certains trébuchant dans leur pantalon, d'autres trop ralentis par les spasmes reçoivent les coups avec étonnement, les femmes nu-pieds et les jupes encore retroussées s'éparpillent dans les rues endormies. C'est très laid. Malgré tout, il y a des copains qui sont capables de faire des blagues, de s'exciter avec la scène, ou encore d'imaginer qu'ils rencontrent là les filles auxquelles ils rêvent. Un des clients du bar, par exemple, qui est commis dans une banque, vient regarder le métier debout avec nous pour imaginer ainsi la femme qu'il aime. Le pire, c'est qu'il est vraiment amoureux; il se soûle souvent par jalousie, et il raconte à tout le monde ses peines d'amour. Il a quand même besoin de ces images pour mieux aimer sa fiancée. Ce gars confond tellement les choses qu'ensuite il boit pour oublier les saloperies que la fille doit faire en son absence. Car avec les détails qu'il nous raconte et la vision des femmes coincées contre le mur, il ne peut plus faire confiance à cette infidèle. Même les ébats des clochards dans la cour sont parfois source de fantasmes pour mes camarades.

À l'internat, les choses se passent souvent de la même manière. Certains copains poussent la gentillesse jusqu'à décrire l'intimité de leurs sœurs, en sachant très bien qu'ils les exposent de la sorte aux viols imaginaires de garçons affamés. Les vrais solitaires sont au contraire silencieux; ils gardent leur monde bien protégé du regard des autres. Ce n'est pas seulement une question de romantisme, c'est une question d'imagination. Parce qu'il y a des romantiques qui confondent tout autant les choses. Comme Velho, un copain de ma classe. Il est très tranquille, un peu trop lent même dans ses réactions. Une seule chose arrive à le faire bouger: Brigitte Bardot. Il en est très amoureux, comme s'il la connaissait personnellement. Sa collection de coupures de journaux concernant son idole est remarquable, dans toutes les poses. Naturellement, il cache les meilleures photos, trop jaloux de voir les copains se rincer l'œil avec l'objet de sa passion. Mais il ne se fait pas prier pour montrer les autres, les photos plus décentes, qu'il commente avec une fierté certaine en ajoutant des détails scabreux. Si on se moque d'elle ou si les propos deviennent trop cochons, il se fâche; et ses colères peuvent être formidables. On le laisse tranquille un peu par pitié, car il a de plus en plus l'air déséquilibré. Surtout depuis qu'il a saccagé les toilettes et s'est blessé les mains. C'était à cause d'une photo de la Bardot en bikini, volée par un autre copain qui s'est enfermé aux cabinets pour rendre hommage à la déesse. Velho a perdu complètement la tête, et il a défoncé la porte pour venir au secours de la photo. Pendant la bagarre, comme il ne pouvait pas sauver l'image, il s'en est pris au lavabo et à la cuvette, en criant qu'il allait détruire ce lieu de perdition, où l'on avait violé sa fiancée. Il s'est calmé depuis, mais il reste taciturne, toujours attaché à ses photos, sans lesquelles la muse n'existe pas.

Il m'est facile de me taire, de ne jamais parler de chez moi. Même avec mon frère, je n'aborde pas directement le sujet. C'est une entente tacite. Il ne faut pas que ça se sache. Puis j'ai la nette impression que je suis plus riche que les autres en matière de souvenirs. Malgré ce qu'ils racontent, je sais qu'ils exagèrent, tandis que les filles de ma cuisine sont bien réelles. Et comme je mélange mes amours avec les visages des filles, en substituant les corps des mulâtresses par les peignoirs ouverts des amies de ma mère, il vaut mieux que je ne dise rien. C'est bien long à passer, ces visites à la maison. Chaque fois plus long à mesure que je grandis. À l'internat, je dirige mieux mon imagination. Surtout grâce aux livres, qui permettent à mon esprit de dévier vers des aventures plus sérieuses. Là-bas je suis plus à l'aise pour tout. Et quand vient la journée du départ, je me sens beaucoup plus soulagé que ma mère, ce qui n'est pas peu dire.

Les poches remplies de cigarettes, je me sens libre pour le voyage. Sans valise ni rien d'encombrant, je quitte la cuisine comme si j'allais simplement flâner. Nos adieux sont brefs, à la sauvette de part et d'autre. Nous nous rendons à l'embarcadère de la place Quinze, pour traverser la baie en direction de Niteroi. Les vieux bateaux jaunes se remplissent à ras bord de passagers et d'automobiles avant de se mettre à avancer paresseusement, en sifflant et en crachant de la fumée noire chargée de suie. La mer calme est sale, jonchée de déchets de toutes sortes qui flottent en suivant le sillon, parmi les immenses taches d'huile couleur arc-en-ciel et les poissons crevés aux reflets métalliques. La ville disparaît lentement entourée de mouettes. J'ai une heure complète pour regarder la mer qui bouge, les reflets qui font mal aux yeux. Chaque fois, c'est comme si je partais en vacances, mais je ne le dis pas, par principe. Tout le monde aime protester contre le fait d'être enfermé. Ça nous donne un certain avantage sur les profs et les surveillants; sans ça ils deviendraient insupportables d'orgueil. Quoique certains camarades soient vraiment malheureux, en général ceux qui se font accompagner de leurs parents, les mêmes qui emmènent des valises remplies de vêtements et de victuailles. Ils ne sont pas méchants, seulement ils se sentent abandonnés. D'ailleurs, dès que commence le voyage, ils se mettent à distribuer une partie de leur avoir, ou ils veulent le vendre, histoire de mettre les copains de leur bord. Puis aussi pour pouvoir manger sans se faire rançonner. D'autres sont comme moi, ravis et pleins d'entrain, sans aucun désir de parler du séjour à la maison.

Nous nous retrouvons nombreux pour la traversée. La camaraderie rompue dans le train se renoue automatiquement, comme si rien ne s'était passé. Les revues de nus et les bandes dessinées circulent, les plus impatients se hâtant de les lire aussitôt, de peur qu'elles ne disparaissent. Pas moi. Je goûte plutôt le voyage. Je sais que ces revues vont passer et repasser dans toutes les mains, jusqu'à ce qu'on les connaisse par cœur. Nous sommes parfois fouillés à l'arrivée. On nous confisque surtout la nourriture et les grosses provisions de sucreries; sinon ça pourrit dans les chambres. Mais les revues et les cigarettes passent toujours, même si nos sous-vêtements doivent être remplis au préalable d'une façon si voyante que la fouille devient une farce. C'est encore là un des aspects de la fameuse soupape dont parle le prof Rossi, sans laquelle la casserole risquerait d'exploser. Seuls les profs catholiques tolèrent mal les revues pornographiques; ils ont peur pour notre vertu, et ils sont trop mièvres pour savoir apprécier les bonnes choses. Il arrive parfois qu'un prof plus rigide soit à l'entrée et qu'il fasse du zèle, plutôt par dépit de nous voir de retour. Mais c'est rare.

Cette traversée de la baie m'aide à me nettoyer des choses que je viens de vivre à la maison, de tout l'ennui qui s'est accumulé en moi. La vue du large met en branle des rêves d'aventures qui me détachent de cette vie fade. Je n'ai plus besoin de passer inaperçu, ça se fait spontanément. En enfilant l'uniforme gris, je deviens comme ces papillons qui ressemblent aux écorces, bien protégés des regards ennemis. Ici, c'est tout naturel que je sois isolé dans un coin, muet à regarder la mer. C'est bien dans les normes d'être mélancolique lorsqu'on retourne au collège, ça se comprend. Et personne ne s'avise de venir me déranger; tous savent que je suis comme ça. L'uniforme me donne une place entièrement à moi, un rôle bien défini qui n'a pas besoin d'être expliqué. Curieusement, la mer devient plus belle, cette même mer qui longe le remblai en transportant les noyés. Maintenant qu'elle me transporte, j'oublie les cadavres, la saleté, les gradins du congrès eucharistique, et je me sens à la fois plus sérieux et plus innocent. Si ça dépendait de moi, le voyage ne finirait plus, s'étendant au-delà de la baie, bien plus loin. Tiens, je suivrais ces grands cargos qui font la file pour entrer dans le port, et je repartirais avec eux. Lorsque notre bateau longe un de ces colosses aux coques noires, dégoulinants de rouille, je me sens ému; les sourcils froncés, je cherche à distinguer les moindres détails. Leurs pavillons, leurs noms exotiques, les ports d'origine aux écritures étrangères, tout en eux me captive et me transporte vers une agréable nostalgie. Le ronronnement de notre pauvre bateau s'amenuise, les gens autour disparaissent, toute la petitesse des choses s'évanouit pour laisser la place à des images charmantes. Elles me serviront longtemps lorsque les autres s'ennuieront là-haut.

La gare de Niteroi est vide. Mais le départ tarde parce que la vieille locomotive crachotant du charbon met du temps à se décider. Le voyage est long, avec de nombreux arrêts dès que l'ascension sera entamée avec l'aide des crémaillères. Ce n'est pas grave, personne n'est pressé d'arriver. Les provisions sont étalées, les revues passent de main en main, les bousculades commencent, parfois même les bagarres, histoire de retrouver l'ambiance et de garder son rang. Les copains racontent leurs histoires, en exagérant au maximum. Qu'importe ? Il m'est toujours agréable de participer aux aventures des autres, surtout quand elles se passent dans un monde qui m'est inconnu. Il y en a qui sont membres de clubs privés, où ils se baignent à la piscine en compagnie de belles filles; et ils n'ont pas besoin de rentrer pour manger, puisque le restaurant les accueille sur le compte de leurs parents. Il y a des bals dans ces endroits de rêve, et ceux qui savent danser disent comme c'est bon de tenir une fille parfumée dans ses bras, de sentir son corps, les soupirs qu'elle pousse. Je sais que ce n'est pas vrai. Il suffit de voir la gueule pleine d'acné de celui qui raconte, ou comment lui-même salive de plaisir rien qu'à s'écouter. Mais peut-être qu'il a entendu l'histoire d'un autre, et celui-là d'un autre encore, et qu'en fin de compte il y a un petit fond de vérité quelque part. Ils s'emballent avec les récits et en rajoutent encore, donnant des détails sur les baisers des filles, et en particulier sur ce qu'il faut faire en ces occasions pour ne pas paraître ridicule. On écoute attentivement ces leçons, les yeux brillants, la bouche ouverte. Une fille très éloignée et hypothétique réapparaît ainsi en chaque imagination, aux contours familiers, dévoilant ses charmes dans une intimité profonde. Ça finit par de longs silences tristes. Ou encore la plage, la vraie plage avec des vagues et du sable blanc, pas une pointe de rocher et de terre sale comme sur notre remblai. Pas de boniches non plus, rien que de belles filles riches en bikini. Des filles de notre âge ou à peine plus vieilles, mais pas du tout orgueilleuses, au contraire. Puis, amoureuses, elles les accompagnent au cinéma l'après-midi; et voilà que les leçons sur ce qu'il faut faire avec sa langue reprennent de plus belle, même si les avis sont souvent partagés. On ne s'encombre pas de ces détails; on veut du contenu, quel qu'il soit. Le voyage est long, et la plupart d'entre nous n'ont jamais vu de près un club privé, un restaurant, ni une jolie fille en bikini. Il ne faut pas être trop difficile.

La plaine finit à Macacu. Le convoi fait un long arrêt pour charger le charbon et remplir le réservoir d'eau de la locomotive. Ici, c'est déjà la forêt tropicale, avec d'énormes arbres entourant la rivière rocailleuse. Macacu est un village minable: le stuc verdâtre des vieilles maisons ravagées par l'humidité se joint à la mousse épaisse qui coule des toits en tuiles. C'est inondé lors des crues, et le train semble alors flotter comme une île parmi les maisons. Les habitants s'arrêtent pour regarder le train, leur seul spectacle à l'année longue. Je ne peux pas imaginer ce qu'ils font le reste du temps ni même s'ils bougent. Ils sont déjà immobiles lorsque nous arrivons, et restent ainsi jusqu'au départ. Seuls les enfants maigres se meuvent dans ce paysage, sautant de wagon en wagon pour vendre des fruits, des gâteaux ou des fritures. Ils se dépêchent pour liquider leur marchandise, ou pour faire nos commissions dans les bars des environs, à la recherche de cigarettes et de limonades. Des enfants pauvres, en haillons, aux yeux brillants et nerveux, très sales. Quelques-uns sont si difformes qu'ils font peur et ne réussissent jamais à écouler les produits de leurs paniers: des becs de lièvre en rictus de sourire-gencives, des culs-de-jatte sautillant sur des moignons, pleins de blessures qu'on devine continuellement grattées, d'énormes têtes sur des jambes minuscules, les ventres gonflés, le reste très maigre. Les premières fois j'ai été saisi, puis je me suis habitué, même si à chaque fois ça me gêne encore. Ils font partie du côté laid de la vie, qui me rappelle que mes rêves ne sont pas tout à fait complets. Ils m'obligent à me souvenir que je triche. Pour peu de temps. Dès que le train se remet en marche, que les derniers retardataires sautent ou se décrochent des fenêtres, je peux déjà les oublier. Je les range dans un coin sombre de ma tête, en me promettant d'y revenir, un jour, peut-être.

Le convoi rentre dans la forêt. Le jour décline, le brouillard tombe et la lumière devient comme du plomb, accentuant le vert des arbres. La locomotive tousse, se racle la gorge, crache des cendres et des charbons incandescents, ses roues glissent, son corps entier se met à trembler. Aidée par la crémaillère, elle repart péniblement jusqu'à la prochaine côte trop à pic. Dans les wagons, les fenêtres fermées reflètent nos visages entourés par la pénombre du dehors. Le feu des cigarettes brille par intermittence, et nous attendons, somnolents, que le voyage s'achève.

Une fois en ville, il nous reste la longue montée vers l'école. La fouille, les visages désagréablement familiers des professeurs qui nous accueillent, irrités. Enfin les dortoirs. Distribution de draps et de serviettes, la file pour les sous-vêtements. Puis de nouveau la cour. Une collation de sandwichs pour la soirée, beaucoup d'agressivité dans l'air et une rage vague qui nous envahit tous. Une sorte de déception. D'où les razzias sauvages dans les provisions des plus fortunés. Rien que pour détruire. On vide à pleines mains leurs pots de miel, les confitures que leurs mères ont bien rangées dans leurs valises, leurs pains d'épice qui auraient dû durer des mois entiers. Ils essaient parfois de réagir, rien que pour la forme, puis ils acceptent de partager pour en sauver un peu, ou encore ils pleurent de rage, en silence, au moment où ils découvrent le désastre. Nous allons tous regretter ces gestes au cours des semaines suivantes, ce gaspillage et cette méchanceté, lorsque le même copain va nous refiler une cigarette. Mais c'est comme ça chaque fois; il faut qu'il se passe quelque chose. Sinon la déception est trop forte, trop triste. Même une bagarre, ça tue le temps.

18

Je me souviens de cette époque de l'internat comme d'une chute en avant, un déséquilibre semblable à celui de l'enfant qui commence à marcher. Mes valeurs se modifiaient; elles devenaient en quelque sorte réelles. Je me laissais entraîner par ce flux sans savoir au juste où cela me conduirait. Comme ce que j'ai éprouvé plus tard, en me laissant guider par la sarabande des images qui se transforment en peintures. Je ne faisais que glisser, en accueillant la nouveauté comme si elle était une évidence. Et même si tout s'apparentait à un jeu, mon attitude était aussi grave que si je m'engageais dans des aventures essentielles. Les risques, les chocs affectifs, l'identité qui se structure comme allant de soi et sans qu'on s'en aperçoive, le fait de se reconnaître le même avec étonnement chaque jour, une insécurité absolue sous des apparences crâneuses, c'est peut-être ça la crise d'adolescence. Et encore accepter que ce soit ainsi, avec une révolte à la recherche de cibles, histoire de se situer clairement quelque part, plein de contradictions tout en rêvant de cohérence. Surtout, en cachant une sensibilité enfantine qui nous harcèle subitement, venant de nulle part.

Une seule chose m'agaçait, qui m'agace toujours d'ailleurs malgré les années passées à me frotter à mes semblables. C'est leur manque de sérieux dans tout ce qu'ils entreprennent, qu'ils accompagnent cependant d'un effort continuel pour paraître responsables du mouvement du monde. Ils me déçoivent toujours. Je crois d'ailleurs qu'à force de mieux connaître les hommes j'en suis venu à les mépriser davantage. Je ne pense pas que les gens gagnent à être connus, au contraire des choses, qui nous captivent encore plus à mesure qu'on les approfondit d'un œil averti. Chez les gens, c'est le sens de leurs actions, leurs intentions profondes qui méritent de rester dans l'obscurité. Tant qu'on les regarde en tant que choses bougeant dans un paysage, ça peut encore aller, et ça peut même paraître beau. Comme des tableaux, par exemple, dans leur anatomie, dans leurs expressions ou dans la chorégraphie de leurs gestes sociaux. S'ils se perdent dans le groupe, ça devient une chose, une masse qui bouge, et ça peut paraître exaltant. C'est que les choses n'ont d'autre sens que leur apparence. Pas les gens. Dès qu'ils se retrouvent face à face, les identités refont surface; et alors, la plupart du temps, seules la naïveté ou l'ignorance peuvent cacher leur petitesse.

Je ne voyais pas la réalité avec autant de clarté à cette époque-là. J'étais plus simple, sans besoin de tout expliquer. Si un camarade se mettait dans mon chemin, je cherchais à l'en écarter, pour faire ma place, sans d'autres considérations. Si ce n'était pas possible, et si je n'étais pas en mesure de me défendre, j'encaissais en silence en attendant mon heure. Mes camarades étaient de la même espèce, en attente, dans les limbes. Mais les perspectives d'avenir n'étaient pas alléchantes: ça ne valait pas la peine de vieillir. Le monde des adultes m'apparaissait définitivement comme le monde du souci. Un souci pénétrant, corrosif, qui rouillait n'importe quoi à la façon d'un Midas dégénéré, transformant toute existence en besogne, tout jeu en amertume, toute passion en ennui. Je ne connaissais pas d'adultes heureux. Ils avaient tous de graves problèmes; ils se fâchaient à propos de rien, insatisfaits de leur propre sort et incapables de changer. Toujours à la recherche de boucs émissaires pour justifier leur paralysie. Ils passaient ici et là par de courtes périodes d'amusement, surpris de leurs propres éclats de rire. Rires qu'ils regrettaient d'ailleurs aussitôt par des toussotements et des regards sévères. Mais jamais tout à fait heureux. Rares étaient ceux qui poursuivaient des buts personnels autres que celui de gagner de l'argent ou d'exercer leur pouvoir sur leurs semblables. Leurs explications étaient aussi idiotes que celles des gens d'ici, dans ce pays froid et très riche. Là-bas c'était la pluie, ou le soleil trop fort, la mer trop salée. Ici c'est la neige, l'hiver ou le manque d'argent pour continuer à acheter compulsivement des choses inutiles. Dans les centres commerciaux de cette grande ville vide, les samedis produisent plus de haine que toutes les guerres du monde. Une haine morcelée, conjugale, comprimée dans leurs maisons confortables où ils étouffent d'ennui. En attendant Noël ou les vacances. Mes tantes se gavaient de feuilletons radiophoniques, qui sont ici télévisés. Hormis le sport et la politique corrompue, seule la peur du vide s'étale comme un nuage pestilentiel.

J'avoue que ces leçons m'ont bien rendu service dans la vie. Mon regard a appris à chercher les perles de connerie derrière les façades les plus respectables. Et je m'amuse beaucoup de la comédie des gens, tout en perfectionnant ma carapace. La pratique depuis l'internat m'a enseigné à jouer l'honorable lorsqu'il le fallait, à faire l'innocent lorsqu'on m'a interrogé, tout en affinant le regard pour l'exercice de l'art du portrait.

Tout au début, cependant, je ressentais seulement qu'il manquait quelque chose, que la vie ne pouvait d'aucune façon se réduire à ce que je voyais. Je refusais donc, je m'opposais, opiniâtre et perplexe.

19

Je suis si content que je n'arrive pas à m'endormir. Soulagé aussi. Les autres ronflent ou parlent en rêvant, mais cette nuit il n'y a pas de fantômes. Le souvenir d'Yvonne domine tout le dortoir : ses odeurs, son regard, son corps, la tendresse avec laquelle elle m'a guidé. Tout s'est passé si bien, si doucement, que l'énergie accumulée durant la dernière semaine m'excite toujours, sans pouvoir se dissiper. Je revois la mine basse de Platon lorsqu'il a dû payer ; pire encore, lorsqu'il n'a pas voulu choisir une fille à son tour. Il avait peur, il ne pensait qu'à partir de là. Lui qui pendant si longtemps nous avait bernés avec ses histoires de femmes passionnées dans les bordels de luxe… Rien que des mensonges. En réalité, il voulait seulement voir le bordel de la ville en compagnie de quelqu'un, pour pouvoir ensuite se vanter et en profiter pour se moquer de moi devant les autres. Il ne savait pas que j'étais si curieux ni que je ne peux jamais reculer. Puis, il racontait si bien ses histoires, ça semblait si facile, qu'il m'avait rassuré sans le vouloir. Lorsque nous sommes revenus en ville, il a même payé à boire, en cherchant à minimiser sa couardise, mais sa déconfiture était évidente. Sa radio transistor, son briquet Zippo, les amours de sa sœur ou ses souliers faits sur mesure ne lui étaient plus d'aucune utilité. C'est moi qui pouvais raconter aux copains. Et ç'avait été si bon que je n'avais pas besoin d'exagérer.

Platon s'était habitué à me raconter ses aventures galantes. C'étaient les seules choses qu'il pouvait raconter, puisqu'ici il ne se distingue en rien; il s'ennuie et il quête la compagnie des autres pour ne pas se sentir seul. Mais ses histoires étaient si pleines de détails, si riches qu'il paraissait vraiment s'y connaître. Il se répétait un peu, il se trompait parfois, en confondant les événements que nous connaissions déjà, qu'il avait auparavant racontés autrement. Ce n'était pas important. Il variait suffisamment pour alimenter nos imaginations gloutonnes. Puis la semaine dernière, sans connaître les raisons personnelles de toutes mes questions, et encore là pour se faire valoir devant les copains, il a rétorqué que dans le fond j'avais très peur des femmes. Et que, si j'avais tellement envie d'en savoir plus, je n'avais qu'à aller chez Sofia, le bordel de la ville. Mon excuse était l'argent. Une très bonne excuse d'ailleurs, car je n'en ai même jamais assez pour m'acheter des cigarettes. Pour une fois, j'étais content de ne pas être riche. Une visite, tout le monde le sait, coûte le prix de dix paquets de cigarettes; et il faut encore avoir de quoi payer quelques bières. Platon étant riche, il ne pouvait pas croire à mon excuse. C'est aussi bien évident que j'avais peur, comme tous les autres d'ailleurs, qui en parlent souvent mais qui ne vont jamais chez Sofia. Mais je ne l'aurais pas avoué pour tout l'or du monde. J'en ai même rajouté, comme c'est mon habitude, pour ne pas perdre la face. Alors, très sûr de lui, le salaud a offert de tout payer; si j'avais le courage, naturellement. La merde! J'étais coincé. D'autant plus que son offre paraissait si fabuleuse qu'elle ne pouvait pas être vraie. Les copains, tous puceaux comme moi, en ont profité pour changer de sujet, de peur que Platon n'offre la tournée. Lui non plus ne pouvait pas reculer, parce qu'il avait aussi sa réputation de riche à sauvegarder. Nous en sommes restés là. Mais les copains ont veillé à ce que ça ne tombe pas dans l'oubli.

Dimanche après-midi, un peu poussés par les autres, Platon et moi nous sommes mis en route. Gordo, un bon copain à moi, nous accompagnait pour servir de témoin. À trois, ça me paraissait plus facile. La mort dans l'âme, en cherchant à cacher ma nervosité, je suis descendu avec eux comme l'agneau du sacrifice. Ils étaient bien à l'aise, Platon évoquant diverses occasions semblables, dont quelques-unes s'étaient très mal passées; le candidat pouvait même recourir au suicide si sa performance avait été trop honteuse. Parce qu'un premier échec ne pardonne pas et que les femmes de ce genre sont bien trop salopes, sans parler des maladies qu'on attrape rien qu'en entrant dans la chambre. Des propos inquiétants, qui contrastaient cependant avec ce qui se passait chez moi. Et ça ne pourrait pas être pire que le métier debout! Ma bouche était sèche, mon regard vigilant, comme si j'allais sauter en parachute. La longue marche à travers la ville m'a paru désagréablement courte; et j'ai ressenti une pointe d'envie en voyant les copains qui faisaient la queue pour aller au cinéma. Je regrettais ma crânerie, mais trop tard.

Sofia s'est révélée être une petite vieille noire, très propre, ratatinée et gentille. Sa maison publique est au fond d'une ruelle attenante à la gare, juste avant la montée du cimetière. Un ensemble de maisonnettes basses autour d'une cour remplie de tables, où les clients attendent en buvant de la bière. Le soir, il y a aussi de la danse; les cheminots et les patients du sanatorium de la marine militaire peuvent y passer la nuit entière à s'amuser avec les filles. Mais nous sommes arrivés trop tôt, et le personnel venait à peine de se réveiller. Sofia nous a accueillis comme si nous étions en visite chez la grand-mère, puis nous a présenté quelques-unes de ses protégées qui sirotaient leur café, encore en chemise de nuit. Ça bâillait, ça passait enroulée dans une serviette pour aller se doucher, ça se coiffait en sous-vêtements, tout en souriant de nos mines gênées. Mais sans méchanceté, plus copines que mes tantes, et en faisant semblant de ne pas trop nous remarquer. Un Noir attablé devant une bière nous a fait signe de nous asseoir. Des cigarettes allumées à la hâte, des regards circulaires sans rien fixer pour ne pas manquer de respect, des bières commandées par Platon avec une désinvolture affectée. Le Noir était avenant; en habitué de la place, il s'intéressait à notre problème. Au lieu de se taire, Platon lui a tout dit: que j'étais puceau, que je ne savais pas comment faire, que si, malgré tout, j'avais le courage d'aller jusqu'au bout, il me payerait une fille. Le Noir — c'était un marin du sanatorium — connaissait la fille qu'il me fallait, naturellement, parce que les garçons timides ont besoin d'une fille expérimentée. D'ailleurs, il banalisait la chose pour me mettre à l'aise. Des rires, de nouvelles cigarettes. Mon regard distinguant déjà un peu mieux les filles, elles me paraissaient plus sympathiques, moins menaçantes. Le Noir a fait des présentations tout en blaguant et en tâtant des fesses à travers le coton léger des chemises de nuit. Platon et Gordo étaient de plus en plus à l'aise, et ils blaguaient à leur tour, pendant que j'essayais de sourire aux regards directs que les filles pointaient sur moi. Quelques-unes s'étaient assises à notre table et conversaient comme si de rien n'était, en laissant voir leurs seins lorsque Platon s'affairait, briquet Zippo très actif, pour allumer les cigarettes qu'il distribuait à la ronde. C'était presque comme s'ils m'avaient oublié, insouciants dans la fraîcheur de la petite cour. C'était un peu irréel. Ma nervosité ne paraissait pas; ma carcasse bougeait toute seule. Et les impressions du dehors m'arrivaient très détachées les unes des autres, les visages dissociés des mimiques, les sourires indépendants des paroles, d'une façon presque comique. J'avais perdu la notion du temps, mais j'étais décidé à me dégonfler. Pourquoi pas ? Je suis si jeune, ils auraient compris.

J'ai alors aperçu une jeune femme assise un peu à l'écart, plus jolie que les autres. Une mulâtresse claire, les yeux très profonds, qui bâillait en me regardant d'un air amusé. Je lui ai souri à mon tour en montrant toute mon indécision. Elle m'a fait un clin d'œil, en m'invitant d'un signe de tête, exactement comme si elle voulait me montrer quelque chose de drôle, ou me raconter une blague à l'oreille, rien que pour moi. Elle s'appelait Yvonne, ce qui est un nom distingué pour une pute. Les autres étaient simplement «Chinoise», «Gamine», «Cacahuète», Marialva, Dédé.

Pendant ce temps, le Noir avait pris la direction des opérations, et il m'exhortait à choisir une des filles de la table, ou même deux si je m'en sentais capable. Elles ne semblaient pas très intéressées, trop bavardes, ni même jolies. Yvonne, au contraire, avait quelque chose de tendre dans son sourire amusé. Lorsque le moment de vérité est venu, je me suis décidé à lui faire un signe de tête. Elle s'est alors approchée comme si dès le début elle avait su que je venais pour elle. Ses manières étaient douces, presque complices; et après s'être fait allumer une cigarette, elle l'a déposée entre mes lèvres d'un geste naturel, semblable à celui d'Isabel lorsqu'elle doit quitter la cuisine. Je m'apprêtais à la suivre lorsqu'une peur beaucoup plus profonde m'a saisie, plus réelle. Je n'avais pas d'argent. Sûrement que le salaud de Platon allait se tirer en me laissant tout seul, peut-être même avec l'accord de mon copain Gordo. Je me suis retourné vers lui:

— C'est toi qui paies, non ? Alors paie.

Le Noir s'est interposé, conciliant, assurant qu'il ne fallait pas se préoccuper avec ça, qu'on payait après, qu'Yvonne n'était pas si pressée. Rien à faire, il fallait qu'il paie d'avance; je le connaissais trop bien. Platon a payé à contrecœur, se sentant déjà lésé par mon apparence si calme devant le danger, par l'agressivité dans ma voix.

Je ne me souviens pas de la chambre ni de rien dans la maison, sauf que c'était frais, apaisant; l'après-midi est passé sans que je m'en aperçoive. Yvonne s'est montrée d'une infinie douceur dès qu'elle a eu la certitude que c'était vraiment la première fois, que je n'avais même pas essayé avec mes copines, ni avec des garçons ou avec des chèvres. Elle s'est alors chargée d'en faire une chose très drôle et excitante à la fois. Elle a commencé par me guider, en se déshabillant avec pudeur et malice, puis en explorant mon corps. Elle m'a fait même recommencer à nouveau parce que ça lui faisait plaisir, et que les autres clients ne viendraient que le soir. Je ne sais pas si elle avait du plaisir, mais elle faisait comme si c'était vrai, en me disant des choses amusantes, en gémissant lorsqu'il le fallait, me caressant toujours avec une tendresse délicieuse. Je pense que s'il y avait un Dieu, Yvonne serait au ciel pour initier les anges.

Je suis sorti très amoureux. Mais maintenant ici, couché dans mon lit, je pense qu'elle a tout simplement voulu me faire la fête, comme ça, par plaisir de me voir apprendre. Elle m'a dit beaucoup de choses jolies, que même dans mes meilleurs moments de rêverie je n'aurais pu imaginer, du cœur et du métier à lui sortir par les yeux, tout en goûtant mon corps comme si j'étais Bogart lui-même. Elle aussi paraissait avoir une grande imagination pour arranger la vie. Puis elle est sortie enlacée à moi; et elle a dit aux copains qu'elle prenait congé pour la journée, trop satisfaite et trop épuisée pour faire encore la pute. Pour la première fois, j'aimais toutes les femmes du monde.

J'étais heureux, très las, et c'était au tour des autres d'être craintifs. Le Noir invitait Platon à choisir une fille lui aussi, et celui-ci offrait à Gordo de lui en payer une. Ils commandaient encore des bières en allumant d'autres cigarettes. Il se faisait tard. Gordo n'avait pas l'intention de perdre son pucelage. Platon prétextait que ce n'était pas la bonne journée pour lui, qu'il était habitué à des filles plus belles, qu'il n'était pas du genre à aimer les mulâtresses et qu'en fin de compte lui aussi aurait voulu aller avec Yvonne. Mais, de plus en plus dégonflé, c'était à lui maintenant de se sentir comme l'agneau du sacrifice. En plus, il avait peur des maladies. Et il me disait tout bas que ce Noir avait l'air trop dangereux, comme une espèce de bandit. Qu'il valait mieux partir au plus vite avant que la soupe ne devienne trop chaude... Il avait payé pour voir le bordel de Sofia, et il l'avait vu. C'était le moment de s'en aller.

J'ai fait le chemin du retour comme sur un nuage, le cœur en fête, très généreux sur les détails. J'en ai tellement dit que Platon s'est promis d'y retourner le dimanche suivant avec Gordo, pour essayer à son tour une de ces femmes si adorables. J'étais soulagé que ma bravade n'ait pas paru, et je goûtais à ma réussite avec un calme que je ne me connaissais pas. Platon a raconté à tous les copains combien Yvonne était belle, mais surtout comment il s'était fait copain avec un Noir des plus dangereux. Maintenant que j'y pense, Yvonne a été le cadeau de mes treize ans. Un peu en retard, certes, mais merveilleux. Ma fête est passée inaperçue il y a quelques semaines; ici on ne célèbre pas les anniversaires et on ne reçoit jamais de cadeau. Sauf pour gagner des paris.

La vie continue, et dans le fond je ne me sens pas tout à fait transformé. Après les premières semaines, le succès de mon exploit s'est dilué dans la routine, même si seulement quelques rares copains se sont décidés à rendre visite à Sofia. Platon n'y est toujours pas allé; il a même retiré son offre d'inviter Gordo, peut-être de peur d'être obligé d'y retourner. Mais désormais, la nuit, j'ai le souvenir d'Yvonne pour me consoler. Mon Yvonne est d'ailleurs flexible, et se laisse transformer à ma guise en toutes les filles que je veux. Comme elle m'a transformé dans sa tête, pourquoi pas ? Ça me fait de la peine d'aller en ville et de devoir me contenter du cinéma. Je passerais un bien meilleur après-midi si je pouvais aller chez Sofia, entouré de filles, chacune différente à sa façon, sans artifices, comme de vraies copines. Avec les filles de la ville que je croise, ce n'est pas la même chose ; je deviens vite attendri d'une manière étrange, leurs regards me laissent triste. Mais la nuit, lorsqu'elles viennent dans mon lit, elles gagnent la franchise du regard d'Yvonne, se déshabillent en copines, et je peux ensuite les oublier plus facilement. N'empêche que depuis que j'ai rencontré Yvonne je suis plus mélancolique ; je cherche plus souvent la solitude pour ne penser à rien, pour regarder le temps qui passe.

Avec le temps, il y a de plus en plus de garçons qui s'isolent comme je le fais ou qui se tiennent en petits groupes fermés. Mon frère n'est pas revenu au pensionnat cette année, peut-être parce que le petit frère devait venir à son tour, et il a dû en profiter pour marchander un accord quelconque. Maintenant je suis dans le dortoir des grands, et je ne vois presque jamais le petit. Mais chaque fois, il me donne l'impression de s'amuser beaucoup ici, sans regret de la vie à la cuisine. Je me demande comment s'adapte l'autre là-bas, lui qui est si nerveux. Mais c'est ce qu'il voulait depuis longtemps, et il doit avoir ses raisons. Quand nous allons en congé à la maison, il a toujours l'air un peu distant, un peu supérieur, et j'évite de lui poser des questions.

Je m'intéresse de moins en moins aux études. Mes notes sont encore assez bonnes. Je réussis sans faire d'efforts ou bien je copie les examens des autres, et ça ne paraît pas. Les copains aussi semblent plus intéressés par les discussions vagues sur la vie et sur la mort. Ils racontent leurs amours ou parlent des filles qu'ils auraient aimé avoir. Les profs nous laissent tranquilles, sans chercher à nous embrigader dans les activités sportives comme ils le faisaient avant. Maintenant qu'on peut sortir les livres de la bibliothèque, je passe les soirées à lire, sans heure fixe pour me coucher. S'il y a des parties de basket-ball au gymnase durant la soirée, je peux me faufiler sans être vu pour aller me balader en ville avec des copains. Sans but précis, seulement pour faire quelque chose de défendu. Aussi parce que ça nous fatigue davantage que de rester à regarder un match. Nous revenons de ces escapades avec le sentiment d'avoir gagné la journée, d'avoir échappé à la destinée commune, ne serait-ce que pour quelques heures.

Mes sentiments sont devenus plus confus, et Yvonne n'en est pas la seule cause. Le voyage récent à Castelo, avec l'équipe de basket-ball du pensionnat, a contribué à me bouleverser, à m'attendrir. Mes rêves aussi sont devenus confus et je découvre pour la première fois une sensibilité étrange, très triste. Ce voyage a été un coup de chance pour moi, car je ne fais pas partie de l'équipe. Mais comme c'était pendant les vacances, il y avait peu de candidats. C'est pour ça que Moura et moi avons été choisis, même si nous sommes plus jeunes. Le reste de l'équipe était formé des plus âgés, et il y avait deux profs pour nous surveiller. L'autobus du pensionnat nous a emmenés le matin, suivant la petite route qui longe la ville en direction du nord. Je n'avais jamais remarqué que cette route continuait vers l'intérieur du pays. Elle devient un chemin très étroit, boueux, qui serpente à n'en plus finir dans une région montagneuse aux forêts très denses. Sur la carte, ça paraissait un voyage de quelques heures mais, avec la pluie, c'est devenu un bourbier. Les villages en chemin étaient encore plus misérables que Macacu: déserts, rongés par l'humidité et plongés dans la bruine. Cordeiro, Macuco, Deus-me-Livre, Boa-Sorte, Bom-Destino, Paraiso, Cachoeiro, et d'autres encore que le chauffeur reconnaissait à peine en pleine nuit.

Nous avons failli passer tout droit, parce que Castelo se trouve dans une vallée étroite au milieu d'une forêt, avec une rue en terre battue et un couvent presque en ruine qui sert toujours de collège. Le village était complètement endormi. Avec le bruit de l'autobus, les aboiements des chiens et notre arrivée à l'auberge, la population s'est réveillée pour venir nous regarder. Les gens sortaient en pyjama ou en short, les femmes enroulées dans des couvertures, et restaient là à bâiller et à commenter ce branle-bas inhabituel. Le bar a ouvert ses portes, les bières et la cachaça ont été servies, toujours sans que nous sachions si, oui ou non, nous étions attendus. En fait on nous attendait, mais sûrement pour le mois suivant, le directeur du collège ne se souvenait pas très bien; ou peut-être que cette visite n'était qu'à l'état de projet, non? Les pourparlers continuaient, de plus en plus animés. Les gens de l'endroit trouvaient formidable que nous ayons pris cette route, car personne ne passait plus par là. Nous étions arrivés quand même, et notre chauffeur racontait à la ronde les péripéties de sa randonnée. Les autres ajoutaient leurs commentaires, détournant la conversation vers la chasse au jaguar et au porc sauvage. Un très long bavardage. Pendant ce temps ils demandaient aux familles des alentours de nous recevoir, puisque l'auberge n'avait pas suffisamment de place pour nous héberger. Il n'y avait jamais de visiteurs, sauf les fermiers des environs qui restaient parfois, trop ivres ou désireux de passer la nuit avec une pute.

Les gens de Castelo sont finalement arrivés à la conclusion que notre visite ne pouvait pas être ajournée. Mon copain et moi avons été casés dans une maison, un peu éloignée du centre du village, une énorme maison en pierre, étonnamment bien entretenue. C'était un couple qui s'occupait d'une exploitation de canne à sucre grâce au concours du ministère de l'Agriculture. Leurs enfants n'étaient pas là en ce moment. D'ailleurs, toute la maison paraissait vide, avec seulement le couple et une légion de servantes. Le mari et la femme étaient très gentils avec nous, nous entourant d'attentions comme si nous étions de la famille. La dame faisait elle-même nos lits, elle nous offrait du chocolat le soir, et nous réveillait chaque matin en nous parlant doucement. Son mari paraissait très content de nous avoir avec lui à table, mais, comme sa femme, il était très discret, sans chercher à savoir à quelle heure nous allions rentrer. Chaque soir, il y a eu une fête quelque part, suivie inexorablement d'une halte au bar, où on nous faisait boire jusqu'à l'ivresse. Les fermiers, les gens du collège local, le policier et d'autres habitants de prestige étaient bien contents d'avoir un si bon prétexte pour se divertir en ville. Et ils nous fêtaient en conséquence. Avec l'intention claire, comme nous l'avons vu ensuite, de décimer notre équipe de basket-ball. Mais sans méchanceté, par pur patriotisme.

Chaque nuit, la dame nous attendait et, lorsque nous nous couchions, elle venait très doucement nous border et nous embrasser sur le front, en chuchotant à chacun de nous le plus délicieux «bonne nuit, mon petit garçon». Puis elle repartait à pas feutrés, jolie et encore trop jeune pour être ma mère, mais plus âgée qu'Yvonne. Le matin, elle était de nouveau là, pour nous réveiller, en nous regardant dans les yeux d'une façon attendrissante. Le premier soir, ça nous a étonnés, sans plus. Le deuxième soir, nous étions trop ivres, mais elle n'a rien remarqué. Le soir suivant, ç'a été trop fort; mon copain Moura se sentait ramolli par ces attentions, et il s'est mis à pleurer lorsqu'elle l'a embrassé. Il n'a jamais eu de mère, et toute cette sollicitude lui a fait perdre pied, d'autant plus que nous étions encore éméchés et un peu tristes. Moura croit que toutes les mères sont gentilles; il regrette de ne pas avoir connu la sienne, même si on lui dit que c'est peut-être mieux comme ça, qu'il peut rêver sans en être déçu. D'habitude, il n'a rien d'un gars mou, bien au contraire, mais cette dame était si différente que, même moi, je me sentais tout drôle en sa présence. Comme il pleurait, elle s'est assise à côté de son lit, et elle lui a dit des choses douces en lui caressant les cheveux: que ce n'était rien, que ça allait passer, qu'elle penserait à lui. Ç'a été pire. En essayant de se maîtriser, il s'est mis à sangloter de plus belle. Et la dame est restée là, en silence, à lui caresser les cheveux. Puis elle s'est tournée vers mon lit en me disant qu'elle penserait aussi à moi, qu'il ne fallait pas que je sois triste; et elle m'a embrassé les cheveux. Je ne sais pas ce qui m'a pris, mais moi aussi j'avais les larmes aux yeux. Un mélange de tristesse et de tendresse, avec un étrange fond de rage. Elle s'appelait Maria Lucia. Plus jolie qu'Yvonne, plus douce encore, comme les filles dans mes rêves. Moura n'a pas voulu parler de ce qu'il avait ressenti; il a passé toute la journée du lendemain très renfermé, comme s'il avait encore la gueule de bois.

Notre visite à Castelo n'a duré que quelques jours. Mais le temps a été si rempli que seul maintenant, de retour à l'internat, je peux commencer à remettre les morceaux en place. Il y a eu Maria Lucia, dont la tendresse m'a laissé une sorte de nostalgie à vide, de je ne sais pas quoi. Puis on aurait dit que tous les habitants du village s'étaient ligués pour nous rendre heureux. Pourvu que notre équipe perde la partie. D'ailleurs, cette fameuse partie a failli faire des morts, et seule la prévoyance du policier nous a sauvés du massacre. Mais nous ne pouvions pas le savoir, rien n'avait été dit sur cette condition. Pour le reste, chaque matin, les gens du village étaient là pour nous entourer de sollicitude: on ne nous laissait pas payer au bar, nous étions invités dans toutes les familles importantes et les cireurs de chaussures nous poursuivaient pour frotter nos souliers. Ma popularité a d'ailleurs commencé avec l'étonnement du premier cireur de chaussures qui m'a attrapé, lorsqu'il a constaté la taille de mes souliers. En fait ils ne sont pas énormes; pointure 46, comme c'est l'habitude dans la famille de mon père. Personne n'avait jamais vu des pieds comme les miens; et là, devant l'agglomération, il m'a fallu me déchausser pour qu'on s'assure que je ne trichais pas. Mes copains se marraient de mon succès de cirque, et m'ont aussitôt surnommé « la terreur des blattes ». Sur le coup, lorsque j'ai été découvert, j'ai eu peur: plusieurs étaient armés, les revolvers accrochés aux ceintures comme dans les films américains, et ils étaient si excités que j'ai cru qu'ils allaient lyncher quelqu'un. Ça s'est calmé au bar, mais j'étais encore au centre de l'attention. Puis la fête a repris de plus belle avec l'arrivée d'un jeune homme baraqué comme une armoire. Ils étaient allés le chercher entre-temps; et il est venu, armé lui aussi, pour connaître celui qui osait avoir les pieds plus grands que les siens. C'était « Pied de Bœuf ». En me voyant si jeune, il est devenu enthousiaste à son tour, surtout quand il a su que nous avions le même prénom. Il est vrai que mes pieds sont plus longs, ce qui a été constaté en mensurations successives par divers arbitres. Mais il ne s'appelle pas « Pied de Bœuf » pour rien: ses pieds sont une masse colossale, ronds et calleux, et pour ce qui est du volume ils laissent les miens très loin derrière. Son honneur était sauf, et notre prénom commun attestait d'une certaine façon son propre prestige.

Pied de Bœuf est resté mon meilleur copain durant tout le séjour. Il m'a emmené partout dans la ferme de son père, en insistant pour que je porte à la ceinture un 38 extrêmement lourd et avec une gâchette trop dure. J'ai eu beau lui demander de me prêter un calibre plus petit parce que mes tirs devenaient dangereux, il n'a rien voulu savoir. Il avait aussi armé plusieurs de mes camarades, et nous sommes tous allés dans la forêt pour chasser le jaguar. Une chasse effrayante. Il n'y a plus de jaguar. Les vieux de l'endroit n'en ont plus vu depuis au moins un quart de siècle. Mais Pied de Bœuf et ses copains tiraient dans toutes les directions, sur n'importe quoi, en exhortant les autres à en faire autant. Moi aussi, je tirais, en essayant de viser le ciel puisque le recul de mon arme faisait partir les coups sur le côté, au risque de tuer quelqu'un. Pied de Bœuf tirait bien, des deux mains, et il s'amusait à faire des duels avec les arbres, dégainant en croisé pour déchiqueter les troncs qui ne lui plaisaient pas. Puis nous avons été reçus par son voisin, un autre planteur de canne, qui nous a régalés jusqu'au milieu de l'après-midi avec de la cachaça de son cru. Nous étions complètement ivres quand le repas a été servi. Ivres et armés. Notre hôte, un homme déjà âgé, avait la particularité d'avoir une jeune épouse d'à peine treize ans, jolie comme un ange. Elle était assise à ses côtés durant le banquet, et nous pensions qu'elle était sa fille. Nous la regardions avec beaucoup de plaisir, et les copains ont même été prodigues en sourires, en toasts et en compliments envers la fillette. Jusqu'à ce que la bonne lui apporte un bébé, qu'elle se dégrafe pour allaiter comme une Vierge Marie, avec les seins les plus blancs qui soient, pendant que le vieux nous faisait remarquer la robustesse et l'appétit de son fils. Tous à la table suivaient fascinés les mouvements des lèvres du bébé, gourmands, l'eau à la bouche, dans un silence de communion par peur de manquer de respect. La maman s'offrait à nos regards, les yeux fermés et la bouche entrouverte, en laissant paraître ses dents écartées de petite fille. Heureusement que le fermier ne nous a pas tenu rigueur de notre méprise, sans doute très fier de voir sa jeune épouse attirer la convoitise de tous ces étrangers. Le plus drôle, c'est que ses autres fils étaient aussi grands que nous, et ils s'étaient montrés aussi sauvages que Pied de Bœuf pendant la chasse.

Le soir, de retour en ville, une des familles a donné une grande fête en notre honneur. Plus discrète, dans leur propre maison, et sans beuverie. Mais avec beaucoup de choses à manger, des fritures et des gâteaux à n'en plus finir. Toutes les filles de bonne famille y étaient réunies pour nous rencontrer, dans un déploiement de rires, de chuchotements et de froufrous de robes trop rembourrées. C'était à notre tour d'être chassés. Et, quoique sans revolver, ces filles paraissaient plus armées et plus décidées que Pied de Bœuf et ses copains. C'était très agréable d'être ainsi poursuivis.

Elles ne nous ont pas laissés le temps d'être gênés, nous traquant, passionnées, comme si c'était leur dernière chance de trouver un homme. Je n'avais jamais connu une proximité aussi intense avec des filles. Lorsque j'y pense, la sensation d'ivresse me revient tout entière, dans un mélange de parfums sucrés, d'haleine légèrement acide aux senteurs de salive et de fillette, se confondant avec les effluves de vanille, de chocolat et de jaunes d'œuf à la noix de coco. Dans la chaleur de la salle encombrée, de mignonnes gouttes coulaient sur les fronts et entre les seins. Puis ça se passait des mouchoirs parfumés à l'eau de Cologne, ça s'éventait, ça soufflait discrètement sur les aisselles et ça courait aux toilettes dans un enjouement strident et avide.

Dès notre arrivée, j'ai été attrapé par les filles; sans me laisser le temps de fuir, elles m'ont conduit dans le jardin pour me présenter à une petite qui était amoureuse de moi. Je ne sais pas en quel honneur, peut-être qu'elle m'avait vu en ville. Toutes les autres savaient déjà que je lui étais promis, même si je faisais semblant de ne pas être au courant. Dans leur tête, elles avaient arrangé tout le scénario, et j'ai été ainsi casé dès le départ. Ou peut-être que la fille m'avait gagné dans un tirage au sort, ou que Pied de Bœuf lui avait promis de me donner. Pendant ce temps, les copains étaient gavés de sucreries, accrochés pour danser, disputés pour la conversation en attendant qu'ils montrent leurs préférences. Pas moi. J'étais l'invité de Maria de Lourdes, la jolie fillette toute petite, mais très décidée à me garder. Après quelques secondes d'une gêne artificielle, elle m'a pris en sa possession pour le reste du séjour. Elle faisait comme si ça allait de soi, et elle m'a même grondé de ne pas être venu lui rendre visite plus tôt. Sa main ne lâchait pas la mienne. Elle m'a fait faire le tour de ses parents et amies, pour me présenter, à la façon d'une véritable fille de fermier; puis elle m'a mis devant une colossale assiette de petits fours et de gâteaux préparés spécialement à mon intention. Je me sentais plus ivre que le matin, très adouci. Au début, j'avais cru que ce n'était qu'une blague, comme l'histoire de mes pieds. Mais non. Maria de Lourdes me surveillait, elle ne me lâchait pas, les autres filles ne s'approchaient qu'avec des sourires complices, et malgré mes protestations il a fallu que je la laisse m'apprendre à danser. À la fin de la soirée, elle me regardait avec les yeux les plus amoureux du monde, en me disant des choses romantiques, auxquelles je répondais, en transe.

Plus tard, dans le bar, où j'avais enfin réussi à rejoindre les copains, j'ai encore été l'objet de blagues. Pied de Bœuf ne comprenait pas comment un gars aussi grand que moi pouvait se laisser prendre par une fille si petite. J'acceptais les verres, le sourire béat. La bière goûtait l'haleine de la fillette mélangée à la vanille.

Je l'ai revue le lendemain pour d'autres confidences, main dans la main, derrière son jardin. Puis le soir, avant la partie de basket-ball, où l'éclairage rudimentaire nous a permis de nous embrasser en bonne et due forme. La partie elle-même a été une horreur, je l'ai déjà dit. Même amortis par l'alcool nous étions de taille à les battre. Le plus grand de leur équipe n'arrivait pas à mon épaule. Les paniers étaient d'ailleurs placés trop bas pour être réglementaires. Sans rien soupçonner, nous avons commencé par faire monter dangereusement notre score. La foule s'agitait, de plus en plus agressive, armée et prête à défendre l'honneur du village. Leurs joueurs cognaient de plus en plus fort, l'arbitre ne voyait rien. Mais ils étaient incapables de faire des paniers. Quelques bagarres éclataient ici et là autour du terrain, la partie fut interrompue parce que les spectateurs ne voulaient pas rendre le ballon, et les cris de haine se faisaient chaque fois plus insistants. Des coups de feu partaient, encore isolés mais bien clairs, et chacun de nos paniers était hué. Notre professeur nous a donné l'ordre de ralentir le rythme, mais les autres ne marquaient toujours pas de points. Au cours d'une interruption, le policier nous a réunis pour mettre les choses au clair: il se dégageait de toute responsabilité si nous persistions à humilier de la sorte les habitants du village. Il nous ordonnait de perdre, coûte que coûte, quitte à mettre le ballon dans notre propre panier. La peur et le sort aidant, nous avons réussi à retourner complètement la situation. Au grand plaisir de l'autre équipe et de la foule enthousiaste. Ils s'en fichaient de nos manœuvres, de notre comédie, de nos mimiques de désespoir lorsque nous remettions le ballon entre leurs mains. Ou encore quand nous marquions des buts dans notre panier en feignant de mal contrôler les sauts pour le retour du ballon. Dès qu'ils eurent deux points d'avance, l'arbitre a sifflé pour signaler la fin de la partie. La joie de la foule était à son comble et, faute de feux d'artifice, on déchargeait les revolvers vers les étoiles. Nous avons été transportés à dos d'homme, en triomphe jusqu'au bar. La beuverie a duré toute la nuit. Nos adversaires étaient bien satisfaits de leur victoire, sans rancune, et même fiers d'avoir pu rattraper leur retard pour battre une équipe comme la nôtre. Le policier commentait avec le plus grand sérieux le revirement de la situation, en précisant que leur équipe avait l'habitude de se réveiller au milieu de la partie, pour mieux surprendre l'adversaire. Il paraît que ça se passait toujours de cette façon lorsqu'ils jouaient au football contre les équipes adverses. Mais c'était la première fois qu'ils avaient l'occasion d'appliquer leur tactique au basket-ball. En fait, c'était la première fois qu'ils jouaient un vrai match de basket. La veille au matin, ils cherchaient encore des joueurs et apprenaient en vitesse les règles avant de nous affronter. Mais comme c'était la tradition, ils avaient gagné avec acharnement malgré la marge serrée des points.

J'ai revu Maria de Lourdes le lendemain, et encore le soir pendant la fête d'adieu. Notre couple avait entretemps acquis la reconnaissance sociale; elle s'appuyait à mon bras en regardant alentour avec un air de propriétaire féodal. Naturellement, je lui ai promis de répondre à toutes ses lettres, de venir la voir pendant les vacances et de séjourner chez elle pour mieux connaître sa famille. N'importe quoi, pourvu qu'elle continue à me regarder avec ses yeux pleins de passion, qu'elle se colle encore à moi pendant la danse pour que je sente ses petits seins sur mon ventre. La fête d'adieu s'est terminée au bar. Au matin, Maria Lucia nous a encore embrassés sur le front; son mari nous a serré bien fort la main en nous invitant à revenir.

Depuis lors, je ressens un tas de sentiments nouveaux, aux odeurs insinuantes, et qui me dérangent comme une carence. Le collège est devenu bien fade, et dans mes rêveries tout est un peu confus. Avec la fin de l'année qui approche, les journées sont libres pour qu'on prépare les examens. Mais je ne fais que rêver. Les dortoirs restent ouverts à la journée longue, les sorties en ville se font plus nombreuses et le temps coule avec une douceur incroyable. Bientôt ce sera la fête, la fin de mon cours secondaire, avec les familles, des filles, les sœurs des copains et la danse. J'attends avec impatience, pour la première fois. Ça ne va pas être comme lorsque j'étais avec Maria de Lourdes, je le sais bien, mais ça me rend joyeux. Puis après, quelques jours seulement à la maison, le temps d'y passer Noël, et nous partons en voyage. Le prof Borborema nous emmène visiter le Nord-Est, dont il a tant parlé dans ses cours de géographie. Le père d'un copain, qui a de gros pistons au gouvernement, nous a promis de nous fournir les véhicules, et nous dormirons dans les garages de la Voirie, le long de la route Rio-Bahia qu'on est en train de construire. Si le temps nous le permet, nous irons jusqu'à Recife. Je n'ose pas encore y croire. Tout l'été loin de la cuisine! Cette perspective me fait oublier jusqu'aux filles qui viendront à la fête. Et tant pis si je n'ai pas de costume pour aller danser. L'uniforme fera l'affaire.

20

L'autoportrait est chaque fois un exercice d'humilité. Le résultat final peut paraître embelli aux
yeux des autres; en le faisant cependant l'artiste a touché plus profondément à sa fracture. S'il a l'air de ne
pas trop se massacrer, s'il réussit malgré tout à boucler
un semblant d'unité, c'est uniquement dans le but de
pouvoir continuer l'investigation. Comme l'homme de
science, l'artiste utilise des modèles, des hypothèses de
travail pour chercher son objet qui se dérobe. Chaque
nouveau portrait lui permet de ne pas lâcher la corde,
d'ajourner la plongée dans le gouffre. Lui seul connaît
le sens de chaque ride, des imperfections, la forme des
rictus et les distances par rapport à soi. Tout comme le
spéléologue se guide par les anfractuosités des surfaces
souterraines pour mieux poursuivre son exploration.
C'est, d'une certaine manière, une chute, puisqu'il n'y a
pas de retour, mais une chute lente, un glissement fait
de charmes et permettent de mieux s'approprier les

visages de la mort. Sa matière est le temps qui passe, gravé dans les plis et les cicatrices du visage. La fluidité du temps se perd cependant dans la matière, et ce qui reste est figé, davantage dévitalisé à chaque nouvel essai de ressemblance. On ne garde du mouvement de la vie que la succession de ses autoportraits, tout comme la trace de sang le long d'une paroi indique le mouvement d'une chute.

À chaque nouveau portrait, je cherche à décoller une nouvelle couche de cette identité faite de rajouts comme les vêtements d'un clochard. Je ne garde que les tics, les déformations, l'affaissement des chairs et les saillies des os. Si je conserve des accessoires, c'est en m'inspirant de Rembrandt, lui qui aimait tant les parures lorsqu'il scrutait les ravages du temps. Mais ces accessoires ne sont là que pour accentuer l'effet du dévoilement, pour préciser la mesure, de la même façon que le marteau suggère les dimensions du site sur les photos des géologues.

Les portraits sont des moments isolés avec lesquels je souhaite capter la vie. Elle se dérobe cependant, et seuls les moments demeurent. Chaque autoportrait est ainsi unique, en deçà du mouvement, imparfait et inachevé. Les observateurs devront les relier les uns aux autres par l'artifice de la chronologie; le collier qu'ils ont l'air de former n'existe qu'à cause de la ficelle du langage. Derrière le front qui est peint à chaque tableau, il n'y a qu'un semblant d'unité; en fait seules restent la succession d'images, de préoccupations et d'angoisses réunies par la démesure de vouloir fonder une identité. Et le dernier autoportrait n'achève rien. Chacun est ainsi son propre échec, dans une descente vers la mort. Voilà son unique beauté.

L'exercice a quelque chose d'analogue au démaquillage de l'acteur seul dans sa loge, après que le spectacle est fini. Et il se fait d'autant mieux que l'artiste est conscient de l'imperfection de son jeu. Il n'y a pas d'autoportrait lorsqu'on est heureux; il tombe à faux, comme l'acteur qui garderait son déguisement dans la vie de tous les jours. L'individu n'apparaît dans sa finitude que lorsqu'il dépose son masque. Les masques sont du registre du mythe, de la durée et de l'harmonie. La mort n'existe que pour l'homme démaquillé; sinon il se donne encore en spectacle, histrion jusqu'à la fin pour camoufler sa peur. Mais s'il est fait avec courage, l'acte de se démaquiller soulage son homme. Si ce n'est que par le mépris envers les spectateurs fascinés qui quittent la salle. L'acteur se sait acteur et, devant le miroir, il renoue avec l'acte même de jouer la comédie, mais à rebours cette fois, en se dépouillant du mythe pour retrouver sa finitude.

Le peintre donne le meilleur de son métier à chacun de ses portraits, même s'ils ont l'air de tomber en deçà de ses performances les plus spectaculaires, de ses machines les plus grandioses. Il le fait seul à seul avec la mort, en scrutant son objet comme l'anatomiste qui sait que l'enveloppe est vide. Du frottement entre la matière et l'espoir d'une conscience vient alors cette impression insolite que les autoportraits sont vivants. Il est très rare qu'un artiste arrive à cette vibration lumineuse dans un portrait d'autrui. C'est que les autres ne sont jamais aussi proches que notre propre finitude. Ils ont l'air de durer, ils font partie du spectacle, on pense qu'ils sont indispensables. Mais dès que la fête est finie, le soir devant le miroir, seul, le crâne est là qui demande notre considération. Et les autres disparaissent dans le fond de la mémoire. Le lendemain, de retour à la vie, entourés des mouches de la place publique, nous reprenons l'illusion que les gens sont réels; avec eux les masques sont à nouveau de mise pour cacher notre solitude. La connaissance de ce colin-maillard est peut-être l'atout le plus important d'un artiste, s'il veut dépasser un tant soit peu sa condition de marionnette.

Le dispensaire public, les bulles de gaz à la surface du canal Mangue, voilà mes premières rides. L'ivrogne

Camélias et mes amours esquissent les contours de l'ensemble, le mouvement du geste. Le dessin s'accentue singulièrement avec les gens que j'ai rencontrés à Castelo; plus que leur tendresse, ce fut leur désespoir qui me frappa, leur enfouissement dans la viscosité la plus bête. Pourquoi ne sortaient-ils pas de ce trou? La journée finissait inexorablement au bar, et même le jeu était soumis aux impératifs de l'immobilité. Aucun risque, aucune audace. Seul le mythe des jaguars d'autrefois les faisait encore frémir.

Puis ce fut la rencontre de la misère, face à face, pendant un long voyage dans le Nord-Est. Une expérience cruciale. Mes couleurs, mes lignes, les perspectives fuyantes, les diagonales agressives et le regard frontal des personnages y trouvent leurs origines, j'en suis certain. Après ce voyage, j'ai encore vécu d'autres choses, et avec la même avidité, en m'empiffrant d'images à chaque occasion comme j'en ai l'habitude. Mais je digérais désormais selon le canevas de cette route de misère. De la même façon que, lorsque j'aime une femme, ce sont les parfums et un goût anciens qui connotent mon abandon.

Les visages résignés, les plis partant des mains et s'étalant vers les pieds comme des crevasses après la pluie, le sol aride sous le soleil violet par trop de jaunes dans l'atmosphère, et avec ça le bourdonnement des mouches bleues sur le marécage vert des toilettes à ciel ouvert. Plus le rouge des plaies, toutes sortes de rouges, depuis les muqueuses jusqu'au sang, en passant par l'écarlate de la honte. Une misère nouvelle, purement animale. Une ignorance complète, et la survie pour seul souci. Sans révolte, avec de l'humilité et de la résignation, des êtres accrochés à la terre et aux bourgades, les yeux hagards. Avec un respect quasi religieux envers les policiers et les chauffeurs, dont la mobilité garantit le pouvoir. Des gens fondus définitivement dans la matérialité du monde, comme des choses, simple décor, et tout à fait tableaux. Partout le contraste saisissant entre la pauvreté des gens et l'exubérance de la nature, fût-elle désert, marécage, pustule, panier de fruits, carcasse, bourgeon de sein, tas d'ordures ou enfant estropié.

L'homme de la misère vit dans un monde différent de tout ce que l'on connaît. Les gens d'ici ont beau parler de communauté ou de culture autochtone, en jouant les ethnologues en bermuda, ce n'est que de la mauvaise foi pour éviter de dire la pauvreté et l'ignorance. Vouloir protéger le folklore et les modes de vie ancestraux, ne pas vouloir sortir les gens de là, relève d'une mentalité de directeur de zoo. Ça fait missionnaire, même si c'est de plus en plus à la mode. Mais il y a pire: ceux qui n'ont même pas de prétendue culture ni de folklore pour se cacher, qui ne sont que de la matière première. Du bétail humain, des volumes dans le paysage, au service de petits seigneurs qui se vendent à leur tour à d'autres petits seigneurs, successivement, jusqu'aux rapports abstraits des statistiques. Et notre haine qui s'estompe à mesure que le regard s'éloigne de la souffrance individuelle.

J'ai vu de ces blessures, de ces yeux de bête traquée, tant d'oppression et de patience que je ne peux plus croire à l'harmonie des petits villages ni à la sagesse des humbles. Des hommes réduits à n'être que des signes d'hommes, rien que des épouvantails. C'est comme ça que je les ai captés, avec l'illusion lointaine que je captais des hommes comme moi. Ce fut un renouement avec ma propre tuberculose, avec la mort minérale, avec l'exclusion. Ils sont revenus me hanter lorsque je suis devenu moi-même un étranger, pour m'aider à exprimer le fait d'être autre dans le décor des repus. Je les reproduis depuis lors sous la forme d'images plastiques, pour mieux m'approprier ma propre blessure.

L'engagement social qui, dit-on, existe dans mes œuvres n'est là que par le regard des autres, ce regard qui exprime leur propre malaise. Lorsque je les crée, ce n'est pas l'amour des hommes qui me guide, mais leur surface extérieure. Ces muscles qui se crispent en révélant des tendons, des squelettes, ces bouches qui crient, toutes ces mains qui pleurent restent malgré tout silencieux dans leur forme plastique. Je m'exerce à les rendre mobiles par la qualité de mon art, pour satisfaire ma propre peur de la minéralité. Au lieu de formes abstraites, je me plais avec les corps humains, l'anatomie et les regards pour accentuer le semblant de conscience chez mes mannequins.

Seule l'imagination me relie au désir. Mes innombrables modèles, ou tout corps féminin déshabillé, ne mobilisent en moi que des pulsions plastiques. Je ne ressens de désir véritable qu'à l'égard des corps que je peux dévoiler en rêve, vis-à-vis desquels je peux avoir l'illusion qu'ils cachent une identité. Les autres ne sont que des volumes que je me plais à organiser en apparences de corps. Et la souffrance, les rides et l'ossature sous-jacente sont un apport essentiel pour la ressemblance du portrait, pour l'illusion de son caractère. Après tout, l'anatomie extérieure est le dernier des masques nous protégeant de la souffrance animale, dès que toutes les autres couches sont enlevées.

Et l'homme de la misère dans tout ça ? L'injustice me répugne, c'est là un souvenir et un reliquat de mon enfance. Mais plus que l'injustice, la passivité. Et l'homme de la misère est si long à se mettre en branle. Je sais tout ce qui l'opprime, et j'éprouve envers lui, dès qu'il se révolte, une sympathie naturelle, même si je sais d'avance que ces élans vont encore me décevoir. Quelque chose comme un mélange bien dosé d'empathie, de compassion, avec du mépris envers la suffisance des repus. J'en reste généralement là. Mes tableaux me suffisent.

21

Nous sommes seulement neuf copains prêts à partir en voyage. Les autres n'ont pas eu le courage de venir. Ou bien ils avaient des choses plus intéressantes à faire pendant les vacances. Le professeur Borborema surveille les derniers préparatifs avant qu'on s'entasse tous dans la camionnette et la Jeep du ministère de la Voirie. Les deux chauffeurs qui nous accompagnent paraissent bien sympathiques; ils semblent s'amuser autant que nous, contents d'avoir été choisis pour se promener tout en gagnant de l'argent pendant l'été. Pintado, un grand roux d'âge moyen, et Nenem, un jeune Noir, sont tous les deux très costauds. Les gens de la Voirie nous ont garanti qu'ils connaissent la route comme leur poche et qu'ils sont assez débrouillards pour nous tirer de n'importe quel pétrin. Ces considérations ajoutent à notre impression de partir pour une grande aventure.

Le soleil vient à peine de se lever sur la plage de Botafogo, avec ses rayons rouges perçant la chaleur de l'air.

Les rues sont vides. Nous avons hâte de gagner la route; la journée s'annonce très chaude et, empilés les uns sur les autres comme nous le sommes, ça va être bien inconfortable. Dès les abords des usines de gaz, l'odeur de marais provenant du fond de la baie envahit l'air. Autour des favelas, les nuages d'urubus s'abattent sur les montagnes d'ordures dans une ambiance de fête. Puanteurs d'iode et de méthane. Ma chemise colle sur ma peau et sur le siège, pendant que je me laisse pénétrer par les images qui défilent derrière la vitre. Les masures en équilibre sur les marais semblent entourées d'une vapeur épaisse; on y distingue des essaims d'enfants presque nus qui jouent sur les planches. Ils ont l'air de flotter sur la boue noire des déchets en imitant les urubus. L'avenue Brasil, Ramos, la plage Caju, la misère qui se réveille. Puis les raffineries qui semblent, elles aussi, flotter à la surface des marais. Après Caxias, l'air est plus respirable, la plaine plus verte, et nous laissons derrière nous les brouillards toxiques et les masses d'habitants.

Nous traversons des villages moins peuplés, mais encore d'une certaine façon familiers, se ressemblant tous: Alem Paraiba, Leopoldina, Muriaé. D'une misère différente de notre misère urbaine, presque vides, les maisons délabrées, la terre battue remplaçant le pavé. Les gens vont nu-pieds; ici et là des mulets chargés circulent parmi les camions. Chaque fois plus de camions, aux bâches rouges de poussière, venant de très loin, chargés de bétail humain, et qu'on nomme «perchoir de perroquet». Des gens qui aboutiront aux marchés à esclaves des grandes villes du Sud, rouges et poussiéreux comme des statues, pour y chercher du travail et pour caser leurs fillettes.

Caratinga, notre première étape. La Jeep a besoin d'un réglage. Il n'est pas tard, mais la ville est aussi morte que les autres. Les rues principales sont en pierre, et il y a même des trottoirs. Dès que l'on bifurque sur les rues latérales, en s'éloignant de la grande route, elles deviennent de simples chemins de terre bordés de masures de boue séchée et aux toits de paille. Toutes ces villes me font penser à des insectes allongés, suivant le parcours de la route principale: gras au milieu, avec les pattes latérales en terre battue glissant vers l'indigence. Ce ne sont que des lieux de passage. Il importe peu aux camionneurs que la bourgade soit plus ou moins vétuste; le bar-restaurant, la station-service, l'auberge et le quartier des putes, voilà ce qui compte pour qu'il vaille la peine de s'y arrêter. Notre auberge est vide et fraîche avec son plancher de ciment, ses murs blanchis à la chaux et ses lits de campagne. Rien à voir dans la ville; tous les chemins débouchent sur le quartier des lumières rouges. Les bordels sont vides, et même les bruits de musique paraissent endormis, comme les fillettes maigres qui attendent devant les portes. Le clocher de l'église peint en couleur aluminium prend des teintes de cuivre incandescent au coucher du soleil. L'éclairage des rues est pratiquement inexistant, et de partout la route se détache comme une série de phares se déplaçant à haute vitesse parmi les nuages de poussière. Nous jouons aux cartes pour attendre le sommeil.

Petit déjeuner copieux parce qu'il fera trop chaud pour manger durant la journée. Pendant que nous rechargeons la Jeep, les gens se rassemblent pour nous contempler comme si nous étions une apparition religieuse. Ils sont simplement là, sans signe de curiosité, en silence pour participer en quelque sorte à cet événement insolite, avec des visages sérieux. Des enfants immobiles, des fillettes échevelées dévoilant des cuisses maigres sous les robes trop courtes. L'air du matin est déjà chaud et chargé de poussière rouge.

L'asphalte s'arrête à quelques mètres de la sortie de la ville. Nous prenons la véritable route, sans accotement, sans signalisation, peuplée de camions qui avancent difficilement. Il y a de plus en plus d'accidents interrompant la circulation. Puis les éboulements nous obligent à faire de grands détours par des sentiers de campagne, en nous guidant par les seules marques des roues dans la boue. Les bars se font rares, les étapes plus longues, et nous devons commencer à surveiller le carburant. Accrochés aux pare-chocs des camions apparaissent déjà les barils d'eau et les outres de cuir recouvertes de boue. Nous allons vers la sécheresse, à une journée à peine de la plage Botafogo.

Des enfants vendent des fruits le long de la route, et nous commençons à remarquer les fillettes qui saluent les occupants des véhicules. Elle sont habillées de haillons, en petits groupes aux abords des villages. Les chiens aussi ont l'air affamés et craintifs, tout comme le bétail qui broute l'herbe rachitique des champs. Le paysage est taché d'immenses étendues de terre rouge étalée à la surface des savanes, formant des tas qui peuvent parfois s'étendre sur des kilomètres. Ce sont des nids de *saüvas*, les fourmis rouges qui déciment systématiquement la végétation. Comme la lèpre. Rien ne leur résiste. Les paysans leur abandonnent le terrain pour aller planter ailleurs, jusqu'à ce qu'elles s'approchent de nouveau. Ravagé par les feux et les fourmis, le paysage tropical devient désert. Les arbres dénudés et noircis restent sur place tels des squelettes qui crient sous le soleil. La seule protestation visible. Le vert devient de plus en plus sale, plutôt gris, et l'oxyde de fer sous toutes ses teintes assomme le regard. Les habitants aussi se plient à cette hiérarchie des ocres: leur peau, les vêtements sales, les cuirs crus des chapeaux et des sandales, jusqu'au violet tête de mort autour des orbites des enfants. Au matin, le contraste de tous ces teints de terre avec le bleu du ciel est saisissant, et les nids de fourmis éclatent alors comme des taches de sang. Le bleu disparaît à mesure que le soleil monte pour laisser la place à l'ocre, jusqu'au soir, quand pour un instant les couleurs reviennent en des crépuscules spectaculaires. Les gens sont de simples figures immobiles dans le paysage. Ils défilent derrière la vitre sans activité aucune, et paraissent attendre un miracle dont on ne voit pas les signes.

Les fillettes au bord de la route ont les mêmes ocres pour parure, nu-pieds, tenant parfois un bébé ou un panier de fruits. Pintado nous explique que ce sont les passagères des camions. Elles se font transporter d'un village à l'autre, et reviennent par le même moyen. Elles se donnent à un des chauffeurs dans le lit de la cabine, pendant que l'autre conduit. Des petites d'à peine neuf ans, qui supportent la besogne comme des grandes pour rapporter de quoi manger à la maison. Sans aucun droit, au risque continuel de recevoir des coups ou d'être jetées par la fenêtre si elles font trop d'histoires. Comme on jette un mégot trop mâché. Des enfants sans jouets et sans sourires, qui ne se sont jamais émerveillées. Prises et larguées au bon plaisir des chauffeurs avant même d'être pubères. Car dès que viendront la grossesse et le bébé rachitique, ce sera la faim. « Faut pas avoir de poils », ajoute Pintado malgré la moue contrariée de Borborema. « Sinon c'est déjà femme; ça sert plus. C'est plein de petites putes toutes neuves chaque jour... Il faut que ça mange dans les familles. Les vieilles, elles restent pour s'occuper des petits. Ou bien dans les bordels, si elles sont jolies... seulement les meilleures. »

Pintado parle lentement, avec de longues pauses, comme s'il soupesait chaque propos avant de le livrer. Il nous fait la leçon comme s'il parlait tout seul, mais avec le souci d'attirer notre attention sur les détails de la route. Borborema reste silencieux, à regarder gravement le panorama qui défile. S'il s'agit d'un thème comme les *saüvas* ou la sécheresse, il complète alors les dires du chauffeur par des détails techniques. Sinon il se tait. Pintado est plus compétent pour décrire les choses de la vie. Mais Borborema souffre. Il a beau être honnête, il reste quand même catholique; et parfois il a l'air d'avoir honte de son Dieu. Nous regardons en silence, avec un sentiment de gêne nous aussi, malgré la curiosité et nos fantasmes. Mon admiration envers Borborema grandit chaque jour, envers son courage de nous montrer ce que les autres profs ne connaissent que par les livres.

Pintado poursuit ses leçons durant les arrêts. Dans les bars, il salue les gens et entame des conversations lentes, en monosyllabes et signes de tête. Les mêmes visages partout, les corps menus aux mains énormes, noueuses et crevassées. Les bouches édentées, aux sourires francs et gênés à la fois. Ici le calme atavique se confond avec la lenteur des gestes due à la malnutrition. Ils racontent leurs histoires par des juxtapositions et de longues pauses, tout en coupant le tabac en corde avec des couteaux ébréchés. Le geste de rouler les cigarettes dans la paille de maïs est particulièrement délicat, les grosses mains aux ongles ravagés entourant le tabac avec un soin d'artisan. Leurs muscles sont comme des tendons tirés sur les os, les pommettes percent les visages glabres d'Indiens métis. Les pieds sont aussi crevassés que les mains, encerclés de lanières de cuir qui tiennent des semelles découpées dans de vieux pneus. Ici et là, plus rarement, un Noir, en général plus actif que les autres, venu des villes, aide-mécanicien. Puis les vieillards tout courbés, squelettiques, aux yeux encore brillants de larmes, mais souvent aveuglés par des accumulations jaunâtres en forme d'anémones. Des vieux qui ne parlent plus, qui restent comme des volumes en équilibre sur des cannes aussi anciennes que leur corps. Partout des mendiants estropiés, enfants et adultes, exhibant des moignons et des plaies entourés de mouches. Luxuriants de variété et intrusifs, rôdant autour des groupes dans les bars et occupant avec confiance le paysage. Le trachome endémique s'étend au long de la route, la transformant en une gigantesque cour des miracles aux lunettes de soleil. La patrie est représentée par les détachements militaires responsables de l'ordre, permettant aux camions de continuer leur chemin. Des soldats aux tuniques ouvertes, sales et mal rasés, qui manient leurs armes comme des bâtons, arrogants et prêts à mater les gens. Ils boivent sans payer comme s'ils étaient les maîtres du monde.

Les voyageurs de la sécheresse s'étalent comme des troupeaux autour des camions. Empilés parmi leurs sacs, les visages maigres et trop sérieux, comme s'ils s'étaient habitués à ne regarder que l'horizon. Ils voyagent assis sur des bancs de bois, entassés, des familles entières sous les bâches des camions, à manger de la poussière durant des semaines en attendant la grande ville du sud. Mais ils peuvent passer encore d'autres semaines abandonnés aux relais lorsque le camion a besoin d'une réparation. Stoïques et pleins d'espoir. Assis par terre, ils cassent la croûte silencieusement, en puisant dans la farine des sacs avec leurs mains. Peu d'enfants, peu de vieux, quelques fillettes qui connaissent déjà la cabine du chauffeur. La plupart sont des hommes et des femmes jeunes, les yeux plissés, la peau tannée ressemblant au cuir de leurs sandales. Ils sortent lentement des camions pour s'étirer les jambes, ankylosés, craignant de rater le départ, mais d'une patience infinie devant les toilettes à ciel ouvert. Leurs enfants rachitiques et ventrus ne semblent pas savoir jouer, ne courent pas, ne rient pas. Petits et déjà avec la même gravité au fond des yeux. Le regard des passants ne semble pas les troubler, comme s'il les traversait sans toucher à la surface triste. Paysans sans terre. Fiers quand même d'avoir pu économiser l'argent du voyage et de s'en aller. Ils ne s'approchent des bars que pour demander de l'eau, évitant le regard des mendiants. La peur de ne jamais arriver à la terre promise ne les quitte pas. Ils s'identifient à leurs camions en formant des sortes de tribus d'autodéfense.

L'apparence des bars se modifie à mesure que nous avançons. Il y a moins de bière, mais de plus en plus de cachaça. De toutes les sortes. Les bouteilles sur les étagères contiennent aussi des herbes, des serpents et des reptiles en infusion, et même d'autres choses plus étranges encore, aux couleurs jaunâtres. Pintado se fait expliquer les vertus thérapeutiques des diverses bouteilles et s'empresse de nous en faire le compte rendu. Ici les bars font office de pharmacie, la cachaça étant la liqueur de base de la pharmacopée populaire la plus fantastique qui soit. Même les noms des maladies que ces potions sont censées guérir nous sont inconnus: « bile sale », « rate jaune », « chauffe pisse », « verge molle », « couilles lourdes », « rein tombé », « chiasse noire », « sang lourd ». Il y a aussi les « poumons rauques » et les cathares qui me font penser à ma mère; si nous habitions cette région, elle m'aurait rendu alcoolique. Toutes ces infusions sont bonnes; la preuve, c'est qu'elles se vendent continuellement. Même celles qui contiennent des serpents trouvent preneur, pour « durcir la bite des vieux », ou pour la « vessie paresseuse ». Souvent les bars vendent aussi des articles pour la macumba, livrant une rude concurrence aux rares églises délabrées. Avec les bordels, ils constituent alors les seuls lieux de culture dans ces parages; par leurs postes de radio le monde entier se fait connaître sous la forme de chansons criardes ou de prières radiophoniques.

Au fil des arrêts dans les garages de la Voirie, nous plongeons lentement vers l'intérieur du pays. Le carburateur de la Jeep a toujours besoin de réglages, ce qui nous oblige à faire des étapes plus courtes. Avec beaucoup de temps libre. Les villages ressemblent tous à la campagne environnante: arides. Le soir, nous faisons d'interminables parties de cartes en écoutant les gens des bars. Les bordels font l'objet de nos visites guidées, les deux chauffeurs en profitant toujours pour nous apprendre de nouvelles choses. Ce sont d'habitude des maisonnettes aussi pauvres que les autres, en tout point pareilles: sans électricité, un plancher de ciment ou de terre battue, les chambrettes des femmes installées autour de la cour où l'on danse les jours de fête. Les filles sont très jeunes, encore des enfants, mais avec une apparence de vieilles à cause de la lenteur des gestes, des épaules courbées et des yeux trop enfoncés dans les orbites. Elles ne se distinguent pas des fillettes qu'on voit au bord de la route, sauf que, parfois, elles gardent les blouses ouvertes, ou qu'elles se mettent du rouge à lèvres pour se déguiser en putes. Une ambiance très triste, désolée, que la présence de camionneurs bavards arrive pourtant à aviver. Les filles paraissent contentes de nous voir, même si nous venons seulement en visiteurs, rien que pour boire un verre en leur compagnie. Ça change quand même leur routine. Elles sont si jeunes que leurs yeux brillent parfois comme ceux d'un enfant qui joue. Je repars avec un sentiment vague de pitié, mais soulagé de ne pas appartenir à ce monde si proche de celui des minéraux. Quelque chose de cet ordre, que je ne peux pas mieux définir, mais qui s'empare de moi à mesure que le voyage avance.

Le paysage change parfois brusquement car nous longeons maintenant les contreforts de la sierra Espinhaço. Quand nous montons un peu, la végétation devient parfois plus touffue à cause des vents qui arrivent de la mer chargés d'humidité. Mais ces exceptions se font rares. La route à peine carrossable à plusieurs endroits nous oblige à attendre que les tracteurs colmatent les brèches, ou qu'ils aménagent un semblant d'accotement. Nous faisons de plus en plus de longs détours par les champs en friche, en suivant les traces des camions, et nous rencontrons des villages complètement abandonnés. Toujours entourés par les étendues brûlées et les nids de fourmis.

Il nous arrive de rouler la nuit pour profiter de la fraîcheur, éclairés seulement par les faisceaux des phares. Le ciel étoilé dans l'air sec est particulièrement brillant, très différent de celui que je connaissais jusqu'alors. Les grandes villes de Governador Valadares et de Theofilo Otoni s'avèrent être de simples bourgades mornes, envahies par les camions et remplies de stations-service. Leurs bars et leurs bordels, par contre, fonctionnent nuit et jour, drainant les fillettes de toute la région. On ne sait pas ce que font les hommes de l'endroit, puisqu'il n'y a pas d'usine et que leurs champs sont à peine cultivés. Peut-être qu'ils sont partis par la route des chauffeurs.

Nous fonçons ensuite sur le long tronçon fraîchement tracé à travers champs vers la frontière de l'État de Bahia. Le décor s'assèche pour de bon. Il nous faut quand même deux jours pour parcourir les quatre cents kilomètres qui nous en séparent puisque les deux seuls tronçons de route intacts sont les deux ponts qui traversent les fleuves Jequitinhonha et Pardo. Nous entrons maintenant dans le sertão. Les camions se font plus rares, le bétail plus maigre, la pauvreté plus nette. Les couleurs disparaissent définitivement. Même les habits perdent leurs dessins et deviennent du cuir brut. Vitoria da Conquista, la première grande ville de Bahia est tout aussi déserte que les bourgades. Les rares bars sont vides, les fenêtres closes, les seuls passants sont au bord de la route qui attendent un transport de fortune. Les visages rugueux sont plissés et noirs comme des pruneaux. Les rues sablonneuses prennent un aspect lunaire dès le crépuscule, et l'écho de nos pas résonne contre les murs effrités.

Puis Jequié : cent cinquante kilomètres qui n'en finissent plus sur des ornières de sable pour trouver une autre ville déserte. Les innombrables enclos pour le bétail sont vides. Tout a l'air ravagé par le temps et l'aridité. Le garagiste de la Voirie nous accueille avec plaisir dans les bâtiments sans véhicules, heureux de cet événement inattendu. Sur les murs, il y a encore de la publicité pour la campagne électorale du président Vargas, qui s'est suicidé il y a trois ans. Nous avons déjà vu ces affiches dans les bars et les bordels; même le prédécesseur de Vargas, le maréchal Dutra conserve encore sa place d'honneur dans certains établissements. Ces gens ont l'air de garder les affiches politiques comme ils gardent les images bénies, en les oubliant sur les murs. Une fois collées, elles restent là, pâlissant et se noircissant de saletés, les coins écornés tombant en poussière jaune. De vieilles coupures de presse ou des feuilles entières de journaux d'autrefois tapissent souvent les chambres, devenues illisibles, brunies par le temps et se confondant avec la boue séchée derrière le stuc qui s'effrite. Dans la cour du garage, les carcasses de tracteurs archaïques se tordent toutes seules, écaillées de rouille au soleil, presque enterrées sous leurs propres décombres. Des déchets rendus méconnaissables sont éparpillés comme dans le champ de bataille d'une guerre révolue. L'hélice de refroidissement d'un vieux radiateur, rouillé parmi les tas d'ossements de l'ancien abattoir ajoute une note de délabrement marin au paysage sablonneux. Des chèvres maigres grimpent sur ces tas d'ordures pour brouter les ronces, indifférentes à la ferraille qui se confond avec l'ocre rouge du latérite. Les chèvres dominent le paysage animal de la région. Depuis que nous sommes à Bahia, on nous sert toujours du bouc au petit déjeuner: grillé sur la braise, dégoulinant de graisse. C'est bien dur à mâcher, mais délicieux malgré l'odeur forte des animaux trop âgés. C'est d'ailleurs la seule viande qu'on nous sert à table, lorsqu'il y en a, pour accompagner le manioc et les haricots. Il n'y a pas de fruits ni de légumes. Le café transparent est sucré à la cassave broyée; et il est servi avec une goutte de cachaça, histoire de bien réveiller son homme.

Nous traversons le fleuve Contas en direction de Feira de Santana. À la sortie du pont, les camions sont arrêtés, pare-chocs contre pare-chocs à cause des accidents qui se succèdent. Le pont lui-même est précaire, un peu trop enfoncé dans le lit du fleuve, ce qui oblige les véhicules à remonter la berge sablonneuse avant de gagner la route. C'est à cet endroit que nous restons bloqués dans l'embouteillage. Aussitôt la horde d'enfants misérables qui assaillent les camions nous entourent. Ils sont une véritable légion, habitués à cette place dans une attente organisée et intrusive, aux sons de cris et de lamentations. Des enfants très jeunes, irrités, ricanant, se jetant sur les véhicules mains tendues, se bousculant pour garder leur place et poussés en arrière par d'autres encore. Plusieurs presque nus; les fillettes avec à peine un sac de coton en guise de robe courte. Des yeux énormes, écarquillés et inquisiteurs. Des blessures de toutes sortes, des eczémas qui suppurent sur les membres et la tête, attirant les mouches en plein soleil. Des estropiés, des yeux infectés aux larmes jaunes, des visages aux traits vieillis, plissés et livides, piqués de vérole, des ventres énormes sur des jambes maigres, les genoux gonflés. Ils sautent sur les pare-chocs pour mieux exhiber leurs plaies, presque joyeux, comme un carnaval de scélérats. Si nombreux qu'on dirait que tous les enfants de la région se sont rassemblés d'un coup pour exiger réparation. Leur vision se déroule très lentement derrière les vitres, comme un rêve. Ils sont expulsés des cabines des camions, d'autres sont jetés à terre et se relèvent en sautillant pour recommencer le siège; ils courent d'un véhicule à l'autre, se taquinant comme de vrais enfants ou des démons déguisés. Les boiteux se tiennent avec des béquilles de fortune en de grotesques acrobaties. D'autres se tordent de rire ou nous jettent des pierres. Lorsque les camions se remettent en mouvement, les enfants redoublent d'ardeur, poussant des cris plus aigus, frappant les vitres et crachant au passage dans un bruit de chauve-souris. Ils restent ainsi imprégnés dans ma rétine comme l'acide qui mord le métal trop brillant, pour que la poussière rouge puisse remplir les tailles de cette gravure brûlante. Le plus vieux pouvait avoir à peine sept ou huit ans, juste à la sortie de Jequié, le grand centre de rassemblement du bétail pour toute la région.

Se déroule ensuite la longue route vers Feira de Santana, cette fois sur un terrain plus plat et plus stable. Seule la poussière ne disparaît pas, ni le soleil qui tape dur en créant des reflets irisés et des mirages humides dans les champs. Nous sommes bien silencieux après la vision de l'essaim d'enfants misérables, et chacun de nous boit en solitaire le paysage sec. Je crois que mes copains aussi se mettent à la place de ces enfants, étonnés de ne pas faire partie de ce troupeau, soulagés et songeurs. Et si j'étais de l'autre bord de la vitre, et s'il me fallait crier de la sorte pour demander la charité, et si... ? Mes sentiments sont très confus, mélangés d'une rage certaine contre tous ces enfants; quelque chose aussi comme la peur, mais avec une envie de les effacer pour qu'ils ne soient pas vrais, pour qu'ils disparaissent de mes souvenirs. Pour que la possibilité que je sois de l'autre côté de la vitre ne soit pas concevable, pas même en cauchemar.

Borborema rompt enfin le silence pour nous donner des explications techniques sur le relief et sur la qualité du sol. Il attire notre attention sur des formations rocheuses, énormes et très anciennes, ayant résisté à l'érosion et aux chocs de température et contenant d'étranges grottes plates comme des églises futuristes. Il s'étend sur les habitudes des gens, l'agriculture de subsistance et sur les types de construction artisanale. Pintado aussi l'écoute, intéressé, et il pose à son tour des questions en déviant sur des considérations morales. En bon prolétaire, Pintado essaye de dénigrer les gens de ces régions arides, soulignant leur paresse, leur ignorance, leur passivité. Borborema est lui-même un homme de la caatinga, métis comme les paysans que nous croisons; il est sorti de sa condition par le savoir, sans toutefois s'en détacher complètement. Il ne cherche pas à contredire Pintado ni à engager de polémique. Il le fait d'une manière détournée, en exposant des considérations qui semblent éloignées du sujet, en brossant un tableau plus global et plus concret à la fois. Il ne paraît pas vouloir convaincre; il veut simplement nous apprendre à penser. Mais toujours avec une sympathie certaine envers la souffrance des gens. Il met même en relief la condition de Pintado pour capter l'essence du sous-développement, ici et dans les grandes villes. Pintado n'aime pas voir les choses sous cet angle; il tient à sa rage, à sa révolte spontanée. Mais il sent que Borborema est aussi de son bord, avec plus de patience cependant, et peut-être avec plus de foi dans la révolte. Lorsqu'il se sent lui aussi pris par les arguments de Borborema et qu'il se laisse un peu émouvoir par le sort des pauvres, Pintado se tait, mi-boudeur, mi-pensif. Naturellement, les propos de Pintado nous sont plus agréables; ils sont plus clairs, ils lèvent une barrière confortable entre nous et ce monde, tout en laissant de la place pour la rage et pour les blagues. Sauf que Borborema a raison.

La route menant à Feira de Santana comporte un arrêt obligatoire pour tous les véhicules, Milagres. Un vrai miracle en effet que cette bourgade perdue, isolée au beau milieu du chemin comme un tableau d'horreur. On la voit de très loin contre le soleil qui descend dans le ciel, brillant dans la poussière de la route. C'est un simple élargissement de la chaussée, des deux côtés, comme une large place de stationnement qui se serait formée d'elle-même autour du garage. Le sol est imbibé d'huile et de graisse, comme goudronné par des générations de camions. Les cases et les masures en boue séchée s'alignent en rangs désordonnés autour de cette sorte de place principale, au bord de la route, cédant la place à des taudis rudimentaires à mesure qu'on avance vers la sécheresse sablonneuse des environs. Le garage et le bar attenant ont ainsi l'air de bêtes primitives et languissantes qui se font parasiter par une faune grouillante en forme de favela. Le sens global de l'agglomération est d'ailleurs celui d'une infection, les misérables installés un peu partout cherchant à sucer leur maigre pitance de ce lieu d'arrêt. Ils se sont agglutinés là, de façon anarchique comme une vermine, limités dans leur nombre par les possibilités du garage, s'étiolant et disparaissant à leur tour pour céder la place à d'autres plus frais. Ils y sont pour les aumônes; les fillettes se vendent dans les cubicules ruinés, les femmes font à manger ou lavent le linge des voyageurs des « perchoirs de perroquet ». Les estropiés et les aveugles se battent entre eux pour attirer un grain de pitié.

Dès qu'un camion tombe en panne, ou qu'il ne peut plus avancer, il y laisse sa charge humaine plus ou moins clandestinement, avec la promesse de revenir. Quand il n'est pas simplement remorqué dans le secret de la nuit, ni vu, ni connu. Les pauvres payent d'avance leur transport, naïfs et ignorants des usages puisqu'ils ne font qu'une seule fois le voyage. Et souvent les chauffeurs ont d'autres choses à faire que de les transporter durant des semaines. Alors ils tombent en panne. Ou encore ils repartent vides à toute vitesse, au premier point d'eau, après avoir régalé leurs passagers de bonnes quantités de viande salée. Ils repartent ainsi vers d'autres cargaisons, en emmenant parfois les fillettes les moins maigres. Et ils laissent sur place les passagers qui grossiront l'infection de Milagres. Quelques hommes jeunes continuent alors la route à pied, résignés, pendant que les autres dépensent leurs dernières énergies et leurs derniers biens dans l'attente du retour du camion. Puis ils se fondent dans la masse, les fillettes fraîches prenant la place de celles qui sont déjà usées, les femmes moins affamées remplaçant celles de la dernière vague, dans un renouvellement constant et quasi biologique. Milagres est un dépotoir de viande humaine d'où l'on ne sort pas, dans la caatinga, à mi-chemin entre Jequié et Feira de Santana. Deux ou trois militaires désabusés veillent à ce que les camions ne repartent pas vides, sauf lorsque la place a besoin de nouveaux arrivants. Pintado connaît bien ce trafic, comme il connaît bien les militaires, et il nous décrit la situation en quelques mots pendant que le caporal édenté rigole comme un ivrogne. Il paraît que la place est connue de tous les chauffeurs qui en profitent, à l'occasion, pour doubler leurs revenus en alimentant les bordels de Salvador. Les pauvres ? Ils n'ont aucun droit. Et souvent, ils ne se rendent même pas compte de ce qui leur arrive; les pannes mécaniques font partie de la fatalité, comme la sécheresse, la maladie ou la faim.

Nos véhicules se garent n'importe comment parmi les familles réunies en grappes autour des camions. Les mendiants s'approchent aussitôt, feignant la curiosité mais décidés. Les fillettes esquissent des sourires dans l'espoir de trouver un transport, les mères exhibent des bébés maigres, les chauffeurs nous toisent avec méfiance, craignant la concurrence. Pintado et Nenem saluent leurs copains et se font reconnaître. Partout des visages fermés nous étudient avec respect à la vue des véhicules du gouvernement. Des toilettes à ciel ouvert dans un coin de la place montent une odeur nauséabonde et le bourdonnement de mouches repues. C'est là que se soulagent tous ceux qui n'ont pas accès au bar-restaurant, comme dans un marais, protégés à peine par quelques planches de cette liquidité stagnante irisée d'huiles, noire et bleutée. On dirait l'écoulement d'un puits de pétrole sur le sable du désert.

À l'entrée du bar, de nombreux aveugles attendent d'être appelés par les clients qui désirent avoir de la musique. Ils restent ensemble, les yeux cachés par les lunettes bleues, et s'amusent avec des chansons à répondre qu'ils accompagnent à la guitare ou à l'accordéon. Ils semblent moins misérables que les autres; leur musique est toujours la bienvenue, soit en route, soit dans le bordel, à la porte de l'église, à l'entrée du bar ou à l'enterrement. Leurs jeunes guides, des petits garçons de quatre ou cinq ans, recueillent les aumônes et s'occupent des aveugles; ils peuvent ainsi survivre s'ils sont jolis et intelligents. Pintado nous explique que les aveugles préfèrent les petits garçons aux fillettes ; ils les élèvent comme des chiens et les pervertissent. On croit que leur cécité développe leur sens du toucher et des caresses, et que certains garçons bien entraînés valent ensuite leur pesant d'or dans les bordels pour connaisseurs de Salvador. Certains s'initient à leur tour à ce rythme, avec des guimbardes improvisées, et il arrive qu'ils fuient avec les chauffeurs si l'aveugle ne les traite pas comme il faut.

Le bar est une pièce très vaste, encombrée de chaises et de bancs dépareillés autour d'énormes tables. L'air est continuellement enfumé par les émanations de friture des grils sans cheminée. Le plancher est d'une couleur indéfinissable, recouvert d'un mélange d'huile et de sable qui colle aux semelles ; sur les murs suinte une graisse pâteuse. Bière chaude, cachaça vert jaunâtre avec des reflets bleus ou roses selon l'inclinaison du soleil. Nous faisons le tour pour voir Pintado rencontrer de vieilles connaissances, histoire de s'informer de l'état de la route, ou pour connaître les derniers potins de la place depuis son dernier passage. Les pauvres qui n'ont plus d'argent sont entre-temps jetés dehors pour laisser la place aux nouveaux arrivants. Quelques mendiants sont tolérés dans l'établissement si leurs moignons sont présentables. Les femmes jeunes circulent librement même lorsqu'elles ont des bébés sur le bras et, si elles savent sourire, elles sont invitées à s'asseoir parmi les chauffeurs. Plusieurs d'entre elles sont d'ailleurs tassées dans un coin de la salle, les blouses ouvertes, les jupes relevées sur les genoux, attendant d'être appelées. Des fillettes accompagnées de leurs petits frères presque nus font le tour de la salle, pour glaner les restes en suppliant d'être emmenées. Des mouches à profusion se battent autour des verres de bière et des paupières des bébés. La chaleur insupportable renforce toutes sortes d'odeurs mélangées à la graisse de bouc dégoulinant des grils.

Dehors, en plein soleil, l'air paraît plus respirable. La musique des aveugles est très dolente et répétitive malgré le grattement irritant du métal sur les ressorts des guimbardes. Autour du garage, des camions fixés sur des pilotis de ciment, les ventres ouverts, laissent couler l'huile sale des moteurs. La foule étalée par terre attend patiemment, les yeux résignés et distants, les jambes gonflées et les torses maigres. Milagres porte bien son nom; sans église ni bordel, ce n'est qu'une étape pour ceux qui peuvent repartir. Les vrais miracles sont rares dans ces deux cents mètres à peine au bord de la route, dans cette bourgade qui a l'air d'une pustule suintante. Pour tous les autres, c'est le terminus, le moment de vérité. La route rouge se poursuit vers le nord, illuminée par le soleil qui décline et allonge les ombres de ces hommes en formes de croix. Nous repartons sous ce soleil jaune-violet malgré la nuit qui tombe. Il nous faudra rouler jusqu'à demain soir pour atteindre Feira de Santana. Toute la nuit, pour laisser décanter dans la fraîcheur les impressions acides des miracles dans nos yeux. Pintado et Nenem sont aussi contents de repartir; personne n'aime coucher à Milagres.

Nous ne roulons pas vite, mais le cône des phares nous guide de façon sûre. Pintado se souvient de ses séjours passés à Milagres. De sa voix rauque, il débite des phrases courtes que nous juxtaposons dans nos têtes pour former des récits. Comme dans les chansons des aveugles, il ne fait que donner le rythme et nous répondons, chacun pour soi, en faisant défiler les images que nous venons d'emmagasiner. Le thème est le même, dolent et répétitif; seul l'agencement varie à l'infini. La nuit passe ainsi en bavardages, et même Borborema y met du sien, incapable de se taire après ce que nous venons de voir.

Nous nous arrêtons à l'aube dans une auberge perdue, où une famille de paysans nous reçoit avec enthousiasme. Petit déjeuner au bouc grillé, lavage à grande eau au bord de la citerne, café à la cassave, cachaça et fumée de bois sec. Dans l'enclos, Grand-Père, le bouc de la maison, profite de la fraîcheur du matin pour monter trois chèvres, l'une après l'autre, sous les applaudissements des filles de l'aubergiste qui malgré nos airs embarrassés attirent notre attention sur cette performance matinale. Ce bouc est la fierté de toute la famille. Comme pour faire honneur aux vivats, il fonce ensuite à grands coups de cornes sur les poteaux de l'enclos. Tout ici est proche d'une nature ancestrale. Même leur souffrance semble différente, leur pudeur d'un autre genre, sans commune mesure avec notre propre monde. Les enfants de l'aubergiste commentent avec admiration la force de la verge et des couilles de Grand-Père; elles nous montrent, avec une certaine pitié dans la voix, les autres chèvres qui sont jalouses. L'aubergiste ajoute en riant que lui seul peut battre le bouc en puissance de couilles et que ses femmes sont aussi jalouses que les chèvres lorsqu'il sort rendre visite à d'autres copines. Sa femme et ses filles répondent par des rires discrets, les yeux brillants de fierté. L'aînée, dans les treize ans, a déjà un bébé dans les bras: le petit-fils.

Nous poursuivons notre route. Les histoires de misère cèdent la place aux récits d'exploits d'autres boucs, d'ânes, de taureaux, ou même d'aveugles et de nains célèbres. Pintado connaît des histoires extraordinaires de paysans qui auraient engrossé des villages entiers, leurs propres sœurs, filles et petites-filles, donnant naissance à des multitudes de tarés. Ou d'autres encore qui, à cause de la longueur de leur verge, n'étaient jamais capables de trouver une femme à leur pointure et qui devaient se contenter de mules ou de vaches, incapables de laisser une progéniture. Et dont les femmes trop jeunes mouraient les unes après les autres sans qu'on sache pourquoi. La lourdeur de la veille disparaît ainsi au fil des blagues sinistres, pendant que nous avalons la poussière jusqu'à Feira de Santana.

22

Maintenant je pense toujours dans une langue étrangère. Parce qu'avec le temps elles se sont toutes mêlées. Ça devient une sorte de traduction, parfois fiction ou tricherie. Souvent le mot juste ne me vient pas à l'esprit, ou il me vient dans une autre langue. Les phrases surtout exigent sans cesse un remaniement à haute voix, pour voir si c'est bien comme ça qu'on dit. Toujours le « on », qui veut dire « ils »; ou encore « ça », pour « ça se dit ». Si je me laisse aller, les phrases sont logiques, mais elles sortent dans un dialecte bâtard qui passe partout sans physionomie propre. Certaines tournures ou l'usage de l'argot dans un contexte inadéquat peuvent parfois choquer mes interlocuteurs; ils ne réagissent pas, cependant, à cause du naturel de mes propos. Ou bien si je veux accentuer une expression, je le fais d'une manière peu usitée, et je rate mon effet. Je sais bien toutes ces choses, que je perçois d'ailleurs avec éclat chez d'autres étrangers, mais je suis porté à les oublier lorsqu'il s'agit de moi. On ne peut pas s'y arrêter à tout moment, sinon le discours s'interrompt, la tête divague et l'on perd le fil. Il y a tant de choses à dire que la forme se doit de céder le pas. Même si j'ai souvent l'impression d'aller trop vite, comme s'il était urgent de m'exprimer.

Une fois, j'ai écouté un enregistrement de ma voix lorsque j'essayais de dicter pour mettre de l'ordre dans mes idées. C'était elliptique à l'extrême, avec de multiples divagations logiques d'une luxuriance tropicale. Très clair dans ma tête, abstrait et concret à la fois, mais extrêmement peu narratif, comme un intérieur baroque. Je ne suis pas encore revenu du sentiment d'étrangeté que m'a laissé cet extérieur de mes paroles. Le plus curieux, c'était la prosodie. J'avais l'impression d'écouter les gens de mon enfance, aux voyelles chantantes et aux césures artificielles pour marquer l'expression. Je devinais les gestes des mains et les mimiques du visage dans les pauses allongées. L'accent n'était presque pas apparent dans la prononciation, mais il était assommant dans le rythme, la mélodie. Même si je n'avais pas compris la langue, j'aurais su immédiatement qu'il s'agissait d'un compatriote. En tout cas, quelqu'un du tiers monde. La cadence, les pauses et l'étirement des voyelles s'infiltraient partout comme dans une conversation de bar, avec des amis. Si je prêtais attention au contenu, l'effet devenait plus bizarre encore, disloqué, tel le discours d'un enfant abordant de façon appropriée un thème d'adulte. La même impression que j'ai eue une fois, pendant un spectacle de marionnettes jouant des morceaux tragiques. Mes paroles ne me semblaient pas crédibles, comme une imposture.

Cette position déracinée m'est très familière, et la question du langage n'en est qu'une des facettes. En présence des misérables de mon enfance, je sentais déjà une distance, à la façon du spectateur d'un film; et leur discours m'arrivait comme une langue étrangère que je m'amusais à traduire. Leur intonation, leurs pauses, les juxtapositions par absence de syntaxe, tout m'intéressait et servait de paravent à cette identité fragile que je cherchais à protéger. C'était leur langue à eux, leur monde à eux, leur misère. Et bien avant ces expériences, je m'étais déjà étonné d'entendre les vieux oncles de mon père, séniles, ravagés par l'alcool. Ils avaient perdu leur langue d'adoption, et ne parlaient désormais qu'un mélange de letton et d'allemand parsemé d'injures ou d'obscénités bien tropicales. Leur détachement de la réalité me fascinait comme le symbole d'un projet existentiel. Même les clochards et les vagabonds me paraissaient plus vivants que les gens de bonne famille, pour qui la langue portugaise était une donnée éternelle. Je visais toujours le large.

La contradiction que je ressens en moi n'a pas l'air de paraître dans le quotidien. Mon extérieur assez neutre permet de dissimuler la faille qui me limite à la surface de la peau. Je me suis fait à cette absence d'unité, et je me laisse glisser dans les relations extérieures avec une certaine aisance. Je m'étonne, certes, que, malgré tout, les gens que je côtoie ne semblent pas se souvenir que je suis étranger. Et ce, même s'ils se montrent allergiques aux étrangers en général. Peut-être qu'ils ne savent pas d'où je viens, que mon accent est trop vague, composite, et qu'ils ne peuvent pas me comparer aux Noirs qui vendent des breloques sur les plages des destinations soleil. Ça aide, le fait d'être blanc. Pas même basané. Ça leur fait penser que je viens d'un pays riche, et ils se taisent. Le fait aussi de ne pas avoir besoin d'eux, et de ne pas extérioriser des nostalgies folkloriques. Ne pas être humble non plus, lorsqu'ils se mettent à discourir sur la richesse de leur propre civilisation. Savoir lire, avoir de l'instruction y est pour quelque chose, sans doute, comme le pensait mon père. Je remarque que les Blancs sont étonnés, voire craintifs, devant un métèque qui n'est pas analphabète. Le chauffeur de taxi antillais qui lit le journal est déjà suspect, parce qu'à l'exception de sa

Bible crasseuse, tout ce qui est imprimé risque de l'amener à l'arrogance.

Pas plus tard qu'hier, à mon travail, j'ai été invité comme mes collègues à assister à une présentation visant à sensibiliser le personnel à l'accueil des ressortissants des communautés dites ethniques, c'est-à-dire les Noirs et les gens du tiers monde. Comme j'ai rétorqué que je n'en avais pas besoin, du fait que je suis moi-même un ethnique, ils ont cru que je faisais une blague.

Maintenant c'est bien certain, je suis tout à fait transparent, presque invisible. Le progrès accompli dans ce sens depuis le temps de l'internat a été colossal, même si, à cette époque-là, j'étais bien content de mes petites performances. L'identité fracturée posait problème, cependant: j'étais jeune, fragile et encore plein d'illusions. Rien comme une bonne dose de vie pour nous ramener sur terre. Mes projets n'étaient pas clairs, plutôt par carence d'information et d'expérience, et mes propres résolutions me gênaient par leur manque de sérieux. J'étais surtout très sérieusement romantique. Mais c'est du passé. Depuis que je me suis fondu avec ceux de Babel, où tout est plus ou moins métèque, je sais que le monde est constitué de tièdes. Le tiède est plus confortable, plus facile à vivre, moins emmerdant.

Seuls mes tableaux sont restés fidèles aux images originales, sans velléités formelles ni désir de s'adapter au monde morne de l'hémisphère nord. En m'accrochant à eux comme à une langue maternelle, je peux me promener dehors, visiter la vie et me dire que j'appartiens à quelque part. Si ça va mal, si les coups me blessent, je cherche refuge dans l'atelier et je m'assure que j'existe. Des fois, ça compte beaucoup, car à force d'être transparent je manque parfois de prise, la réalité se dérobe. De plus en plus, à mesure que le temps passe. Puis je ressors, rhabillé, et ça ne se voit pas du tout.

C'est précisément ce que je n'avais pas à l'internat, quelque chose à quoi m'accrocher. J'y étais en fuite, et je goûtais l'encadrement comme une identité protectrice. Je pouvais même délaisser ma carapace, elle continuait néanmoins à se former spontanément. Le rêve dominait tout l'horizon du monde, tant que je voulais, puisque d'autres s'occupaient de l'ordre et du réel. Sans aucun engagement de ma part. Comme un tableau, qui par sa forme et les limites des pigments me permet de m'abandonner au bercement de mes images. Je retourne alors en arrière, je transforme ce que je veux. Mieux encore, j'accepte que ça se transforme devant mes yeux, que ça s'emboutisse ou que ça éclate, qu'importe? La discipline du dessin est trop ancrée; elle se bat d'elle-même et finit par plier le tout en produisant des objets. Le jeu des masques a ce même rôle de protéger la fissure entre le dedans et le dehors lorsque ma surface se montre trop perméable. Mais ces jeux non plus, je ne les maîtrisais pas très bien autrefois. Seuls la lecture et les films m'aidaient à créer ma fiction, plus par leur forme que par les contenus, en me montrant les avantages de voir le réel dans sa forme gigogne. En tricheries et trompel'œil, mais plus radicalement encore que les piètres maquillages et faux-semblants de mes tantes. Mon père aussi sortait gagnant de ces exercices: je suspendais mon jugement sur sa personne en me disant qu'il avait des existences dont je ne soupçonnais pas la richesse. Sinon, j'aurais été trop triste pour lui, trop blessé dans mon passé et peut-être paralysé dans mon élan. Même le risque et à la limite la mort devenaient un jeu, comme la tuberculose l'avait été quelque temps auparavant. Loin de la maison, cigarette au bec, je me rendais compte que mes poumons étaient formidables, et plus jamais je n'ai toussé la nuit.

23

Nous arrivons à Feira de Santana soulagés de retrouver une vraie ville, cette fois-ci, avec de larges rues pavées, des maisons basses et tout un labyrinthe de ruelles anciennes. Nous allons y rester deux jours. Pour nous reposer et pour vérifier les véhicules, en prévision de l'étape difficile qui commencera ensuite, sans route principale et en pleine caatinga. La Rio-Bahia bifurque ici vers Salvador, mais nous tenterons de gagner le barrage des chutes Paulo Afonso, sur le fleuve São Francisco.

Dans les rues, il y a le mouvement dense des gens venus pour ce marché réputé dans toute la région. On y trouve toutes sortes de choses étranges à nos yeux, aux couleurs et aux senteurs de sertão, et où abondent le cuir, les cotons et les articles pour les vachers. Tout a une allure artisanale, sauvage, rustre: les pailles tressées, les cornes polies, les terres cuites et même les casseroles en aluminium qui semblent rafistolées à la main.

Les ruelles sont débordantes de marchands ambulants offrant des fruits, des viandes séchées ou des plantes odorantes aux vertus mi-pharmaceutiques, mireligieuses. L'exubérance des variétés et l'abondance présentent un contraste extrême avec la misère des environs; de partout les meilleurs produits sont réservés pour être envoyés à Salvador. Les enclos de fortune au milieu des places sont remplis de chèvres et de volaille. D'énormes piles de tabac roulé en corde, de toutes les teintes, depuis le jaune pâle jusqu'au noir bitume, suintent un miel dont le parfum se mélange à l'odeur piquante des poudres à priser et à celle des huiles qui coulent des fromages trop gras. Partout des cages d'oiseaux bizarres, du noir le plus bleu jusqu'aux plumes multicolores qui se déplacent comme des fleurs secouées. La mélodie de leurs chants est particulièrement intense, cacophonique et rafraîchissante à la fois, comme dans une forêt. Je n'avais jamais entendu de chants aussi forts ni aussi soutenus. Mais, en examinant les oiseaux de plus près, je constate avec dégoût que la plupart ont des orbites vides à la place des yeux. Borborema nous explique la tradition cruelle voulant que les oiseaux chantent mieux lorsqu'on leur crève les yeux. Au lieu d'avoir peur dans les cages, ils peuvent alors concentrer toute leur énergie aux appels de détresse qu'ils émettent dans leur désespoir. En effet, ça donne des chants merveilleux, d'une puissance singulière. Mais je ne suis plus capable de les aimer. J'y découvre une tristesse que je ne connaissais pas dans les chants des oiseaux, et leurs mouvements me semblent définitivement privés de vie par leurs yeux-cicatrices. Étrange habitude que celle de blesser ces jolies créatures. Elle ne fait que s'ajouter à une multitude d'autres habitudes cruelles de ce monde de la misère. Les passants, par contre, s'attroupent avec plaisir autour des cages pour mieux les observer, en commentant la qualité des chants et le pathétique des cris. Pour moi, ce ne sont plus des oiseaux. Ils ressemblent trop aux musiciens aveugles, qui d'ailleurs abondent aussi dans ces rues en compagnie de leurs jeunes guides.

Nous déambulons toute la journée dans ce marché immense, nous imprégnant des couleurs et des odeurs qui nous entourent, suivant au hasard des troupeaux de mulets ou les porteurs chargés de corbeilles en paille. Je visite avec une curiosité de connaisseur les boutiques d'articles pour la macumba, qui sont toutes plus riches que celles de mon enfance, plus parfumées et exotiques, comme si l'Afrique s'était déplacée ici pour continuer ses rites. Elles sont encombrées d'images peintes, primitives et criardes, représentant des démons, de vieux esprits barbus, des animaux aux corps humanoïdes, des sorcières dénudées aux allures de Vierge Marie. Les bottes d'herbes odorantes sont présentées pêle-mêle avec les rosaires et les crucifix, les carcasses d'animaux séchées, les peaux et les plumages de toutes sortes. Sur les étagères s'alignent des collections complètes de bouteilles d'infusions où l'on distingue aussi des organes blanchâtres ou des chevelures parmi les serpents et autres reptiles. Les cachaças acquièrent ainsi toutes les colorations possibles, du jaune verdâtre au gris de plomb, et le client est sûr de trouver remède à son mal. De toute façon, c'est de la bonne cachaça, très alcoolisée, et la foi aidant il se soûlera quand même, avec peut-être plus de dévotion et d'espoir, ce qui n'est pas à négliger.

Au tournant d'une rue plus calme, nous découvrons une cour où sont posés d'énormes fardeaux de tabac pressé. La vaste maison en forme de hangar nous attire par son aspect ancien, les fenêtres touchant le plafond et le toit de tuiles. L'intérieur est sombre, à peine éclairé par les rayons de soleil filtrant à travers les vitres sales. L'odeur de tabac y est si forte que je me sens étourdi, allégé en quelque sorte. La poussière épaisse qui flotte dans l'air irrite le nez et la gorge, jusqu'aux poumons.

Tandis que mes yeux s'habituent un peu à l'obscurité, je reviens un siècle en arrière, au temps de l'esclavage. Autour d'une presse à large roue horizontale, se déplacent les torses nus brillants de sueur, les muscles tendus qui poussent et les corps inclinés par l'effort. Ils se tiennent accrochés aux bras de la roue, en tournant lentement pour que la presse réduise les bouquets de feuilles de tabac en larges blocs carrés. Ça se fait par étapes, le contremaître donnant l'ordre de dévisser la roue pour ajouter à chaque fois de nouvelles feuilles, les hommes revissant de nouveau, et ainsi jusqu'à ce que le bloc soit complet. Ils reprennent ensuite les gestes dans le même ordre pour faire un nouveau bloc. Et encore, et encore, tous les jours de l'année. Dans les coins, contre les murs, des tas gigantesques de feuilles suintent d'un miel enivrant. Le tout dans une chaleur infernale, les reflets du miel de tabac se confondant avec les torses des hommes en sueur qui poussent la roue. Seuls le fouet et la tristesse du temps des esclaves font défaut dans ce spectacle. Les hommes poussent spontanément, en souriant même de leurs dents trop brunes, amusés de notre curiosité. La vieille presse à bras paraît avoir été oubliée dans ce hangar depuis des centaines d'années. Sa structure est sûrement celle d'une construction bien ancienne, les pièces de bois très épaisses assemblées avec des chevilles triangulaires, et complètement recouverte de miel séché. On a l'impression que ces hommes tournent la roue autour d'une formidable chandelle brune dont la cire aurait trop coulé, presque comme un volcan. Les rayons du soleil salis par la poussière produisent des éclats subtils qui révèlent une richesse inusitée de nuances bitumineuses, huileuses, chocolatées et cuivrées, se déplaçant des feuilles aux torses, aux pièces de bois de la presse et jusqu'aux particules dorées flottant immobiles dans l'air épais. Nous sortons de là comme d'un rêve, ivres de tabac, complètement dépaysés devant les camions qui chargent les blocs dans la cour.

Le soir, la ville est plus fraîche, avec une atmosphère tranquille de promenade. Il y a plusieurs rues de bordels. Celui que nous avons choisi a l'apparence d'un bar ouvert, avec une piste de danse et des chaises en plein air, rempli de filles qui bavardent comme des oiseaux. Nous en avons visité d'autres avant, et notre groupe s'est dispersé un peu partout. Gordo a décidé de s'attabler ici à cause d'une grosse fille qui ressemble à sa sœur. Elle est bien drôle, et ils ont l'air de s'entendre. Trachtenberg n'a pas envie de baiser et, moi non plus, je n'y pensais pas. Mais Rosali, la petite Noire qui m'apporte ma bière est si joyeuse, sa peau si brune, que les odeurs de tabac me remontent spontanément à la tête. Elle doit avoir à peu près mon âge, un peu maigrichonne, avec un parfum d'herbes de macumba sur sa peau de chocolat. Nous pouvons prendre tout notre temps dans la petite chambre, et elle se laisse caresser en chantant à voix basse, les yeux fermés. Sa peau est lisse comme un bois poli, ses seins sont à peine des bourgeons qui tremblent doucement pendant qu'elle me chevauche en continuant à fredonner sa chanson. Nous jouons de la sorte longtemps pour satisfaire mes désirs de couleur bitume aux reflets gris. Elle trouve drôle mon goût de la chose et se plaît à m'exciter comme dans un jeu d'enfant. Jusqu'à l'abandon.

Nous retournons ensuite à notre table pour siroter nos bières en nous regardant dans les yeux. Gordo est toujours en compagnie de sa sœur, et Trachtenberg s'est décidé enfin à accompagner une petite Indienne aux longues tresses. Nous revenons dans la nuit par les ruelles anciennes de la ville endormie, un peu plus en paix et familiers avec ce monde nouveau.

Au-delà de Feira de Santana, nous rentrons dans une région complètement déserte, un paysage lunaire, sablonneux, parsemé de cactus et de ronces. La route devient un simple chemin de campagne, sans véhicules, cahoteux et étroit. Nous avançons lentement de peur de casser les suspensions. Les arrêts sont fréquents parce que le carburateur de la Jeep s'étouffe avec la chaleur, et même la camionnette a besoin de refroidir. En attendant, nous explorons les environs pour découvrir les rivières séchées, les cactus et les carcasses d'animaux. Tout ici a l'air propre, délavé, blanchi comme le sable granuleux et les pierres sans mousse. Durant le jour, il nous faut nous abriter du soleil trop lumineux qui nous donne la nausée. Mais dès le crépuscule, l'air frais modifie radicalement l'atmosphère, et nous devons enfiler une veste pour ne pas grelotter. Le sable reste quand même chaud une bonne partie de la nuit, et il fait bon se coucher par terre pour regarder le ciel étoilé. La fumée des cigarettes monte telle une chandelle, presque immobile dans l'air. Pas une lumière dans les environs. Seul le reflet de la lune ou des étoiles éclaire le sable d'une teinte bleuâtre aux ombres rouges. C'est un paysage irréel, fantasmagorique, avec des couleurs qui s'inversent ou qui brillent sans qu'on sache pourquoi. Les deux véhicules stationnés ont l'air de masses rocheuses, et la lanterne des chauffeurs éclairant le moteur de la Jeep brille comme un cierge d'église. Nous dormons en plein air lorsque les chauffeurs sont trop fatigués, ou qu'ils ont, eux aussi, envie de regarder les étoiles assis sur le sable chaud. Le noir rougeâtre des cactus et des ronces tranche sur le sable bleu tels des spectres aux bras levés.

Nous continuons lentement vers le nord, rencontrant des villages déserts aux maisons attachées les unes aux autres comme des serpents, délabrées, inhabitées, les volets fermés devant les larges étendues de terre battue en guise de chemin principal. Même les petites églises semblent closes pour toujours; quelques-unes sont en ruine et laissent voir leur structure de boue séchée derrière le stuc effrité. Des villages oubliés que nous traversons parfois en pleine nuit: Serrinha, Tucano, Pombal. En direction de Jeremoabo, dans le paysage lunaire qui mène à Canudos. Un véritable deuil écrasé par le soleil; midi de canicule durant toute la journée, des crépuscules féroces d'à peine quelques minutes suivis d'une nuit noire. De rares passants, surtout la nuit, à la peau gercée et tannée, avares de mots et de gestes, qui s'approchent en silence pour fumer une cigarette en compagnie de ces étrangers. Ils repartent dans la nuit en transportant leur baluchon sur la tête, sortis de nulle part.

On roule dans la pénombre en direction de Jeremoabo. La camionnette tire la Jeep avec un câble d'acier, lentement. Soudain, dans une descente légère, nous sentons une grande secousse. C'est le câble qui vient de se casser : il s'était enroulé dans l'essieu de la Jeep et, tiré trop brutalement, il a renversé le véhicule dans un ravin sablonneux. Beaucoup de poussière, les valises renversées, mais rien de bien grave. Sauf que la Jeep ne sortira pas de là sans l'aide d'une grue. On demandera de l'aide aussitôt arrivés à Paulo Afonso.

Sans cet accident nous ne nous serions même pas arrêtés à Jeremoabo. Et nous y voilà pour deux jours. C'est la bourgade la plus morne qui soit, asséchée, désertée, cuisant lentement au soleil. Dans le passé, elle a été une ville d'importance, la porte d'entrée des colonisateurs dans la caatinga. Maintenant l'énorme place en pierre taillée est vide, sans trottoirs ni circulation. Les maisons en stuc sont presque toutes en ruine ; les murs effrités dévoilent des intérieurs si sombres qu'il faut attendre longtemps pour que les pupilles s'y habituent. La vieille église n'ouvre que certains dimanches de fête. Des débris de carreaux de faïence d'une époque révolue sont encore visibles çà et là, craquelés par le temps. Les planchers de bois se confondent déjà avec la terre battue et la graisse laissée par des générations et des générations. Les gens qui sont restés sont tristes et silencieux, très maigres, noircis par le soleil et blanchissant aux articulations. Des sourires timides qui laissent apparaître les dents usées, des yeux profonds qui fixent sans méfiance. Des enfants tout aussi maigres, aux jeux très lents, qui observent tout de leurs yeux perdus dans des orbites démesurées.

Nous trouvons le gîte dans une espèce de bordel sans femmes ni clients, tout en chambrettes étroites et très sombres, enfumées par le feu de bois qui brûle dans la cuisine attenante. On fait cuire du manioc. Un vendeur de fruits nous laisse une énorme corbeille de cajous pour un prix ridicule, et il repart tout content d'avoir pu ainsi écouler la marchandise de la semaine. La pénombre de la pièce prend aussitôt des teintes violettes à cause des couleurs trop vives et des reflets huileux des fruits: jaunes, verts, rouges, desquels se dégage un parfum pénétrant.

La place du marché paraît figée dans le temps en un midi éternel, trop vaste pour si peu de marchands. Les produits sont étalés à même le sol, sur des draps, pour personne, en attendant un miracle ou la fin du monde. Le vendeur de tabac nous fait goûter des feuilles très noires, aux fumées âcres et enivrantes. D'autres marchands vendent d'insolites cubes de terre, comme des petites briques noires de la taille d'un bonbon. Borborema nous explique que ce sont des morceaux de terre cuite amenée de loin, que les gens de l'endroit mangent pour compenser le manque de sels minéraux. Leurs vertus thérapeutiques sont douteuses, mais l'habitude est prise depuis longtemps, même si ça ne résout pas le problème alimentaire. Nous les goûtons: on dirait d'abord du sable fin, légèrement amer et abrasif sur les dents, puis ça fond dans la bouche comme de la terre glaise.

Le barrage de Paulo Afonso est entièrement isolé de la misère environnante. C'est un endroit moderne: maisonnettes confortables pour le personnel technique, club social, installations souterraines de haute technologie et repas variés. Puis les chutes magnifiques des eaux boueuses du São Francisco parmi les berges désertiques, les tourbillons féeriques aux arcs-en-ciel fantaisistes. De l'énergie pour les villes de la côte, qui ne profite aucunement aux habitants de la misère. Les autorités nous reçoivent avec beaucoup de sympathie, pour nous montrer cette merveille du génie national. Sauf que, pour être fier du pays, il aurait fallu venir en avion, directement, sans rien voir de tout ce que nous avons vu. La ville est si moderne qu'elle n'a même pas de bordel. Le soir, les ouvriers s'amusent avec les filles et les musiciens des favelas avoisinantes, attirés là par toute cette abondance.

Aussitôt la Jeep réparée, nous reprenons la route, bien reposés mais rendus quelque peu cyniques par tout le confort de Paulo Afonso. Direction Recife. Le paysage se transforme lentement, le désert cédant la place au vert des champs, au coton et à la canne à sucre. À Arcoverde, la route redevient pavée après des milliers de kilomètres dans la poussière. Pesqueira, siège d'une grande usine d'aliments en conserve, bizarrement installée juste à côté de la famine. Caruaru, Gravata. De plus en plus de camions et d'usines, et moins de misère visible. À Vitoria de Santo Antão, nous visitons les dépôts de cachaça d'une distillerie très ancienne. Le gardien solitaire paraît si content de nous voir qu'il se met lui-même à goûter toutes les sortes d'eaux-de-vie à même les tonneaux, passionné. Le président Vargas aurait prisé cette cachaça, qui est maintenant condamnée à l'abandon à cause des distilleries modernes de la ville. Nous aussi nous buvons, euphoriques à l'idée de retrouver des villes véritables, éclairées à l'électricité, avec des gens qui paraissent moins affamés. C'est tellement bon de sentir l'humidité venant de la mer après cette indigestion d'ocres et de sécheresse! Le vert des champs de canne est si joyeux qu'il nous pousse à la fête. Le gardien nous remplit des bouteilles pour le voyage en prétextant qu'il est trop vieux à présent pour parvenir à boire seul le contenu de ces tonneaux confiés à sa garde.

Nous arrivons un peu ivres à Recife. Des copains de l'internat nous accueillent et nous hébergent. C'est comme si nous plongions dans une piscine après une journée suffocante. Ces copains sont riches et bien décidés à nous faire profiter de ce repos. Plage de Boa Viagem, les récifs de corail forment des anses d'eau transparente où l'on distingue des étoiles de mer, des poissons, des crabes et des algues couleur laitue. La mer me semble plus salée que dans le sud, plus propre aussi, aux couleurs riches venant d'un ciel plus lumineux. Pendant les repas en famille, nous sommes étonnés par le nombre incroyable de domestiques, par la beauté et les manières des servantes. Les copains qui nous reçoivent ne comprennent pas notre intérêt pour ce petit monde. Je pense que Rosali serait jolie dans un de ces uniformes si blancs et amidonnés, et si contente. Mais je me tais. Je pense aussi que la fille qui me sert le petit déjeuner serait bien à la place de Rosali, dans la chambrette de Feira de Santana. Tout se mêle désormais dans mon esprit, un peu comme les couleurs du ciel de Jeremoabo, et je me sens en possession de nouveaux yeux pour regarder le monde. Mes mesures ont été bousculées en si peu de temps qu'il me faut m'habituer à cette nouvelle nature. Une sensation de gêne proche de la honte m'assaille lorsqu'on me sert des sorbets dans des tasses d'argent, mais je ne la comprends pas encore tout à fait.

Au centre de Recife, nous retrouvons la même pauvreté qu'à Rio: urbaine et déguisée, plus discrète que dans le sertão. Les favelas s'étendent sur les marais boueux des rivières-égout de cette Venise du Nord-Est. Les enfants pataugent dans la glaise saumâtre, entre les marées, à la recherche de crabes palustres et de mollusques; lorsque l'eau monte, les cases reliées par des planches semblent flotter à la surface des immondices. Mais la ville est quand même très jolie: ses constructions anciennes, ses nombreux ponts, ses ruelles pavées de pierre, et même les reflets du crépuscule sur les marais font penser au temps passé, aux tropiques du siècle dernier. Le soir, loin du centre, les rues vides et fraîches

gardent encore une saveur de village paisible. Les copains nous font visiter un bordel de luxe, avec des filles
ravissantes, un orchestre et de la danse. Mais l'ambiance m'agace; elle me rappelle quelque chose d'une certaine cuisine du sud.

La route vers João Pessoa est bordée de cocotiers et de
champs de canne. Borborema a décidé de nous faire connaître sa ville natale. Il a même obtenu que notre séjour
là-bas soit pris en charge par le gouverneur de l'État.

On nous loge à l'hôtel Brasilia, juste en face du pa-
lais du gouvernement, en pleine place principale de
João Pessoa. Mais comme l'hôtel n'a pas d'eau courante,
nous sommes invités à nous servir des toilettes du pa-
lais: très curieuses et vieillottes, somptueuses comme
des salles de bal en faïence. Nous traversons matin et
soir la place, avec nos serviettes, le savon et la brosse à
dents, sans d'ailleurs éveiller la moindre curiosité. Nos
repas sont gratuits dans la petite salle à manger de l'hôtel, et même les cigarettes, la cachaça et la bière sont une
gracieuseté du gouverneur. Le journal local publie notre
photo de groupe; le gouverneur et quelques magistrats
nous convient à un banquet, sur la plage de Tambau. À
la fin du repas, les garçons nous offrent cérémonieuse-
ment des cigares et des cachaças vieillies, que nous ac-
ceptons sous le regard réprobateur de Borborema.

Ici, nous sommes en vacances, comme de vrais tou-
ristes. La plage de Tambau est vraiment magnifique. Elle
s'étend sur des dizaines de kilomètres, déserte et bordée
de cocotiers à l'état sauvage, pratiquement vide de toute
habitation. Le brise-lames de corail est très loin dans
l'océan; la mer est alors paisible, peu profonde et transparente comme un lac. Au loin, le sable tourne doucement vers le cap Branco qui pointe l'Afrique. Dans les
régions des salines, le sel brille dans les étangs d'eau
claire comme des diamants. Les ouvriers qui travaillent
nu-pieds et sans gants ont les extrémités corrodées et
blanchâtres, d'où suintent des filets de sang rose

lorsqu'ils sortent de l'eau. Les couleurs ont le don d'éclater avec une particulière beauté sous le soleil lumineux de ces latitudes.

Tous les soirs, nous allons dans un joli bordel un peu éloigné du centre, aux allures de cabaret colonial avec ses tables disposées sous les arbres. Les chambrettes de la cour intérieure sont aérées, presque ouvertes, et elles laissent entrer le vent de la nuit qui balance les arbres. Presque pas de clients. Nous passons la soirée à boire en compagnie des filles, au risque de défoncer définitivement nos budgets. Gordo trouve une fille robuste, qui lui rappelle aussi sa sœur, et il ne la quitte plus. Saldanha a attrapé une blennorragie à Feira de Santana, et doit se contenter de caresses et de danses. Velho cherche sa Brigitte Bardot en faisant le tour du personnel. Moi aussi, je cherche quelque chose, sans savoir au juste quoi; je me plais à découvrir, sans l'angoisse du début. De longues soirées très agréables où il ne se passe rien, sauf les bavardages les plus vagues, les filles qui racontent leurs histoires d'amour, leurs voyages depuis le sertão jusqu'à la grande ville. Cachaça et cajous sucrés.

Puis nous entreprenons le voyage de retour, avec une certaine irritation rien qu'à penser au chemin qu'il nous reste à faire. Il y a aussi les soucis d'argent, car nous ne sommes pas de bons administrateurs, et les filles des bordels nous ont trop donné de plaisir. Heureusement que nous quittons l'hôtel Brasilia avec de bonnes provisions de cigares et de cigarettes.

Carnaval à Recife, si différent de ce que nous connaissons. Plus familial, plein de défilés pendant que les gens regardent. Les rythmes aussi me semblent plus primitifs, plus agités, sans la riche cadence de la samba. Les pauvres se déguisent en animaux et en esprits mythiques de la caatinga, et ça fait plus indien qu'africain. Moins désespéré aussi.

Le dernier soir, Bicudo est blessé à la bouche. Il tient une serviette sur son visage ensanglanté sans trop de conviction, encore endormi, les yeux vitreux. Le taxi roule déjà depuis longtemps, mais l'hôpital est encore loin. Le chauffeur est sûr que c'est le bon hôpital, le seul qui s'occupe des blessés à cette époque de l'année. Borborema reste silencieux, les traits tirés, soucieux et peut-être un peu gêné d'avoir cogné si fort pour réveiller Bicudo de son coma. S'il n'était pas dans le coma, il n'en était pas loin. Il avait tellement respiré de «lança-perfume» que son teint était d'un jaune tirant sur le vert. Son front était couvert de sueur, et sa respiration paraissait saccadée. Il n'avait pas l'air de pouvoir se réveiller, tout froid. Nous l'avons mis sous la douche, mais seuls les coups de poing que lui a donnés Borborema l'ont remis à peu près d'aplomb. Maintenant il saigne beaucoup, mais il n'est pas mort. Il n'a pas l'air de sentir sa blessure; il rit d'une drôle de façon, sans comprendre ce qui lui est arrivé.

L'hôpital des urgences de Recife est un endroit extrêmement sale, pire encore que celui de la place Republica, et rempli comme pour un match de football. Il y a des gens partout, par terre, accotés contre les murs, couchés sur les bancs ou déposés à l'entrée, sans que personne s'en occupe. C'est drôle et étrange à la fois, tous ces blessés déguisés, aux visages tordus par la souffrance et aux corps trop bariolés de rouge. Les étudiants de médecine vont et viennent d'une démarche fatiguée, en choisissant ceux qui paraissent les plus malades et les femmes en train d'accoucher. Les autres attendent. Les policiers exaspérés ne se gênent pas pour distribuer des coups de gourdin aux ivrognes les plus excités. Les blessés qui ont reçu un coup de couteau passent plus vite lorsqu'ils saignent beaucoup, surtout ceux qui sont touchés au ventre. Des gars toussent et crachent leurs poumons, mais personne ne s'en fait, car il n'y a rien à faire. Les fards qui coulent avec la sueur donnent aux clowns une apparence de noyés. Les femmes enceintes tiennent leur ventre comme si elles avaient envie d'aller aux toilettes; les nombreux bébés à la peau livide ressemblent à Bicudo dans son sommeil. L'attente est longue parce qu'il n'y a pas assez d'étudiants pour s'occuper de tout le monde, et la soirée ne fait que commencer. Leurs blouses sont tachetées comme des tabliers de bouchers, leurs visages sont assombris, et ils ont l'air écœurés de ce travail. Comme il n'y a plus de place, les malades sont déposés le long des couloirs en compagnie des femmes qui viennent d'accoucher. Les bébés pleurent, ça gémit, ça crie. Puis ça marmonne tout bas lorsque les policiers interviennent pour rétablir l'ordre. Ça ressemble à un champ de bataille à cause des déguisements, ou au massacre d'un village indien dans les westerns, à cause des plumes et des corps presque nus par terre. La chaleur intense et les vapeurs d'éther ralentissent même le vol des mouches, qui deviennent ainsi plus collantes. Bicudo dormait, et il n'a rien remarqué pendant tout le temps que l'étudiant lui cousait sa lèvre.

Nous rejoignons les copains dans un club riche, où ils nous font entrer en tant qu'invités. La fête bat son plein dans une profusion de femmes aux nombrils fascinants, aux cuisses et aux seins humides de sueur, toutes déguisées comme pour inviter à mordre. Jeunes et jolies, le teint rehaussé par des fards éclatants, et leurs fesses qui vibrent, huilées par la transpiration, et qui attirent le reflet des lampes tels des fruits multicolores. Toute cette faune féminine est accompagnée de messieurs bien déguisés ou en smoking; ils commandent les boissons avec autorité en empoignant les chairs avec assurance, rythmiques, dans leur élément. Les jeunes filles sont adorables, aériennes et lascives, aux sourires mouillés et aux langues roses. Je reçois ce bal en marche comme une gifle. Me voici déplacé, trop gêné, étranger et intrus. Je me promène un peu à la ronde, l'air affairé parmi la foule qui danse, trop désireux d'y participer et sans savoir comment le faire. Ce monde différent, auquel je n'ai jamais eu accès, me renvoie à mon insécurité. Je me borne à regarder, fatigué et mal à l'aise, sans savoir comment m'adresser aux filles qui ne sont pas dans les bordels. Tout ce désir m'attriste, toutes ces couleurs m'aveuglent, et je ne sais que faire, sinon me soûler. Mes camarades sont déjà au bar; eux aussi boivent pour faire semblant de participer à la fête.

La route du retour est longue, fatigante, les yeux remplis de lumière dans une indigestion de misère. En silence, chacun se dégageant des autres pour plonger en soi après toutes ces expériences. Maintenant qu'il n'y a plus l'impact de la nouveauté, je peux tout étudier, me concentrer sur ce film se déroulant à l'envers derrière la vitre pour le regarder fixement, comme une évidence. J'apprends le détachement, la distance. Même ma cuisine aux portes fermées prend le sens d'un spectacle comme les autres, d'une misère hors de moi. Le réel peut n'être qu'une mise en scène, il peut désormais être n'importe quoi.

Tard dans la nuit, fatigué et amaigri, je suis de retour chez moi. C'est ma mère qui me reçoit, avec les réprimandes d'usage: je n'ai pas écrit, j'ai l'air malade, je suis de retour. Je ne sais plus trop ce que mes frères ont dit. Seule l'accolade de mon père restera dans ma mémoire, forte et sèche, sans poser de questions. La vie reprend son cours. Mais, à l'avenir, sans ma participation. Je viens d'apprendre à trouver enviable ma situation d'étranger, malgré la tristesse sournoise qui l'accompagne.

24

Je me verse de la vodka en me souvenant qu'il y a un quart de siècle que j'habite ce pays. Je n'ai pas vu le temps passer. Est-ce que je bois pour fêter ou pour oublier? Voilà une question que j'évite de me poser. Je ne suis jamais retourné là-bas. Pas même en vacances. Au début ce n'était pas possible, ou bien la situation y était trop instable et mes camarades me conseillaient d'attendre encore un peu. L'envie d'y aller me manquait, et toute excuse était bonne pour ajourner le retour. Sauf qu'on ne peut pas attendre indéfiniment dans la vie; on s'adapte malgré soi et on se transforme. Et puis, mon identité d'étranger s'était si bien renforcée que je préférais ne pas regarder en arrière, de peur de devenir une statue de sel. Je pouvais entreprendre n'importe quoi sans angoisse, puisque ce n'était à chaque fois que du provisoire, un simple jeu. La solitude enfin retrouvée, la liberté intégrale, me disais-je. Mais aussi une identité que j'évitais de considérer. J'étais différent des gens d'ici, autre; et pourquoi pas, me disais-je, meilleur. Tout au moins dans mes illusions. Voilà un état bien propice au rêve.

C'est ainsi que j'ai connu ce nouveau pays, comme un terrain de jeux, où mes mensonges n'étaient pas visibles. J'avais tout le loisir d'observer les gens d'ici. Leur différence était frappante au début, et je me laissais aller comme un vacancier qui tente de comprendre les costumes d'une peuplade inconnue. C'est curieux de parler de la sorte de gens si riches et si pacifiques, qui m'ont accueilli à bras ouverts. Mais c'est un fait. On est toujours l'étranger de quelqu'un d'autre, même si on ne le ressent pas. Au travail, dans la rue, partout je m'amusais à mon jeu, protégé désormais par l'uniforme impersonnel de l'immigration. Peut-être qu'autrefois certains misérables m'avaient étudié de la même façon.

Les gens d'ici me questionnaient, certes, et même très souvent, puisqu'ils ont du mal à comprendre comment quelqu'un peut quitter le soleil pour venir se réfugier dans ces immensités glacées. Mais ils n'insistent jamais. Leurs soucis les reprennent aussitôt, et vite ils retournent à ce qui les intéresse le plus. Mes camarades de travail, par exemple, sont hantés par la peur de perdre leur boulot, leur place, ou leur réputation. Ou ils sont jaloux de ceux qui sont plus compétents ou qui se font mieux pistonner. Des boulots idiots, sans aucune importance, puisqu'ici il n'y a pas de gens qui meurent de faim, pas de cadavre dans les rues, pas de police qui torture. Mais comme partout, ils sont consumés par la peur; il y va de leur identité. Et puis il leur faut être bien vus, avoir du pouvoir, acheter et acheter encore des marchandises dont ils n'ont pas le temps de jouir. La mode, les sorties, les restaurants, les femmes de luxe, les voyages éclair pour bronzer au soleil et faire l'envie des autres, voilà leurs rituels, leurs obligations quotidiennes. Faute d'autre dessein, toute leur richesse y passe, avec l'espoir suprême de paraître un jour à la télévision, dans l'un de ces shows débiles ou dans un concours. En attendant, ils font comme mes tantes, et se plaignent du temps qu'il fait, de la conjoncture, des étrangers ou de la chute du dollar. La peur est disséminée partout, surtout la frousse de la mort. Pas de la mort-cadavre, non, celle-là ils ne la connaissent pas. La mort en vie, plutôt, leur mort à eux: le manque d'argent superflu, le manque de popularité et la crainte de vieillir. Ils cherchent à exorciser leurs démons par des régimes de toutes sortes, depuis le régime sans cholestérol jusqu'au régime de retraite, les assurances multiples et les médecines douces. Ils font du jogging, ils bandent en faisant attention, ils s'efforcent de jouir sans sucre et s'associent en partenaires comptabilisés même pour leurs ébats extraconjugaux. C'est drôle, parfois je pense que les lubies de ma mère n'étaient pas si éloignées des horoscopes, des médecines naturelles ni des psychothérapies dont se gavent les gens d'ici. Comme si la bêtise était la même partout, changeant seulement d'habit en fonction des possibilités du portefeuille. Sauf que leurs infusions n'enivrent pas et que leur eau de lune se vend cent dollars l'heure. D'ailleurs, ici, j'ai acquis la certitude que plus on a, plus la carence est grande. Avec pour conséquence qu'ici les gens se plaignent plus que ceux qui vivent sous les tropiques et, bizarrement, plus on les rassure, plus ils ont besoin d'attention et peur de l'avenir. Ils me rappellent certains enfants de l'internat, si gâtés par leurs mères qu'ils n'arrivaient pas à se défendre une fois tout seuls. Et plus ils avaient, moins ils se sentaient aimés.

Ce qui m'attirait ici au début, c'était une tradition de pionniers, d'hommes errants, chasseurs et coureurs de bois, sans attaches, fêtards et insouciants. Du moins, c'est ce que j'avais gardé de mes lectures. Jack London, entre autres, mais aussi des histoires de types formidables comme Bethune ou Tom Thomson, en paix avec ces étendues immenses et vides, si propices à la solitude et à la rébellion. Mais ce père-là, l'ancêtre, le vagabond, il n'existe plus. Ce n'était peut-être qu'un mythe mensonger, voire une menace, créée dans leurs légendes et leurs chansons pour mieux les garder captifs sous le joug du curé et de la matrone. En vingt-cinq ans, je n'ai pas trouvé trace vive de cet esprit sauvage; même leurs sauvages vivent passivement des allocations sociales en grognant dans leur graisse. Tout pue l'échec, l'insatisfaction, la déprime, et ce, malgré tout le temps libre dont ils disposent. Ils s'attachent à une langue qu'ils méprisent, à leur passé et à leurs défaites comme moi aux cadavres de mon enfance. Tout le monde est beau, tout le monde est gentil. Pour cela ils sont prêts à féminiser tous les noms, à interdire le tabac et toute velléité virile, en se laissant gaver de légumes par leurs viragos maternelles. Conseillés par les nouveaux curés en civil, ils s'efforcent, pudibonds, de cacher leurs érections et leurs éclats de rire. Leurs tavernes elles-mêmes n'existent plus, ces lieux de beuveries et de libertinage!

L'étranger a ainsi beau jeu, naturellement, et il s'adapte à merveille, puisque faute d'identité les gens d'ici recherchent la variété. Il fait sa place, il s'intègre, tout en restant un étranger, pour toujours. En fait l'étranger n'est pas assez bête pour refuser cette belle identité qu'on lui offre, avec le droit en plus aux écarts de conduite et à toute la sympathie à cause de son passé de souffrances. Même qu'il a l'air de rendre les habitants de l'endroit un peu étrangers à leur tour, les fécondant de son air du large pour leur montrer que le monde est plus vaste que leur petite province. L'étranger les console ainsi de leurs défaites passées, et ils se disent qu'en fin de compte c'est peut-être mieux de ne pas changer. Ils se disent que, avec toute cette misère qu'on ne soupçonnait point, il est vrai qu'on est mieux ici, même si les couilles sont de plus en plus serrées dans les ceintures de chasteté. Puis les nouveaux curés, les consultants en savoir-vivre et les matrones veillent, partout, à la télévision, au travail, dans les journaux et leurs nombreuses ligues de vertu, à ce que le plaisir se réduise au loisir. Comme dans les jardins d'enfants.

J'observais leur façon de vivre et m'y conformais, en me disant que la fantaisie n'est pas une question d'argent. Je le savais déjà depuis longtemps. Cette attitude détachée, cette attente m'a permis de trouver du travail et de passer inaperçu puisque j'acceptais facilement, et de bonne grâce, les postes dont ils ne voulaient pas. Mon identité était ailleurs, bien solide quelque part, et je ne me souciais pas qu'on m'admire ou qu'on me méprise. Après Jeremoabo et Milagres, peu de chose pouvait me toucher, tellement je me sentais soulagé de ne pas appartenir au règne minéral.

Je m'adaptais au nouveau pays, mais sans passion. Mes compagnons de travail, jeunes et vieux, paraissaient tous décidés à avoir une vie très longue, la moins aventureuse possible, sans sauts qualitatifs autres que ceux qui sont apportés par l'accumulation quantitative. Une vision syndicale du monde, où l'ancienneté et la sécurité d'emploi sont les seules valeurs désirables. J'ai rencontré des exceptions, certes, et de très remarquables, dans divers domaines, soit des artistes ou des intellectuels, mais aussi des inventeurs farfelus comme mon père, des vagabonds et des bons vivants. Chaque fois, nos regards se sont croisés avec plaisir, nous nous sommes reconnus. Puis nous nous sommes quittés en bons solitaires, chacun suivant sa propre quête, car il n'y a pas de quête publique. C'étaient les immigrés de l'intérieur, les exilés dans leur propre maison, ceux qui n'ont pas confondu, comme moi, le départ avec l'espace, la solitude avec le décalage horaire. Ils se terrent chez eux, peut-être plus écœurés par leurs tièdes compatriotes que n'importe quel étranger.

Pendant tout ce temps, j'ai ainsi pris position envers les gens d'ici, en me disant autre et en me pensant meilleur. Mais lorsque la bouteille se vide, comme ce soir, je dois m'avouer qu'encore une fois j'ai triché. Les gens d'ici ne sont pour rien dans mon malaise. Ils ne m'ont jamais rien fait, bien au contraire. Simplement leur pays est aussi bourré de gens mornes, comme partout; et ça me rappelle trop ce que je cherche à fuir. Les clochards, par exemple, sont tout à fait semblables à ceux de ma cour, leur peur du vide aussi. Rien comme l'alcool pour délier la syntaxe. Ça nous met face à nos propres questions. Certain que j'aurais pu mieux m'adapter ici, m'entourer d'amis, peindre des trucs qu'ils auraient aimés. Ils sont même très généreux; et puis ils ne tolèrent pas de Milagres. On a beau les trouver ridicules, nous les étrangers, n'empêche que c'est ici qu'on est venus, pour rester.

Je sais que beaucoup d'étrangers pensent de cette manière, tout en se plaisant à dire du mal des gens de l'endroit. Comme mon père, qui justifiait ses échecs sur le dos des nègres et des mulâtres. Comme quoi on est toujours aussi le nègre de quelqu'un d'autre. Le passé se répète. C'est bien plus facile de le faire ici, certes, car les gens de ce pays sont eux-mêmes instables dans leur identité, et prêts dans leur détresse à croire aux charmes de l'étranger. Ils sont aussi mal dans leur peau que nous, les immigrés, dans la nôtre. Parfois ça m'agace quand j'entends d'autres étrangers se plaindre de tout ce qu'il y a ici. Mais je ne réponds pas. Je me fais vieux. Comme à l'internat, je n'avoue pas mon contentement, puisqu'après tout c'est l'exil. Et il ne faut pas qu'ils sachent que j'ai choisi de venir ici. Sinon ils risqueraient trop d'être détestables d'orgueil, et ça me mettrait face à ma fissure.

Les cadavres et la souffrance qui m'ont tant blessé autrefois me servent désormais de déguisement. Je crois que les étrangers font tous la même chose, où qu'ils soient, pour colmater leur surface trop frêle. Voilà ce que la vodka avive dans ces nuits d'hiver si silencieuses. Une nouvelle opposition se fait jour, que je ne m'avouais pas. Heureusement qu'il n'y a personne pour m'écouter dans ces moments de déracinement. À force de n'être nulle part, même le confort de la mauvaise foi se dérobe, et je reste dans mon trou à rêver de perfection.

Le poète Bandeira, seul, me revient à l'esprit, lui qui avait tant voyagé pour guérir sa tuberculose. Les départs n'ont rien à voir avec l'espace. Leur sens est plus vertical qu'horizontal, et la vraie descente est vers soi, dans le silence. Sans tenir compte des élans de ceux qui nous entourent, fussent-ils mornes ou ridicules. Il ne sert à rien de se comparer car chacun est seul face au vide. Le rêve, la passion, ce ne sont pas des choses réelles en dehors de notre tête. Ils exigent le silence, un silence qu'on peut atteindre uniquement lorsqu'on n'a pas besoin de spectateurs.

25

Il est certain que je vais être renvoyé de l'internat. Nous sommes plusieurs dans la même situation. Mes notes sont toujours bonnes, peut-être même un peu trop bonnes, comme celles des copains. Pour ça, nous avons dû voler les questions des examens à la fin du premier trimestre. Tout s'est bien passé, sans trace ni casse. Sauf qu'il a fallu partager avec plusieurs. Et certains imbéciles n'ont pas résisté à la tentation d'avoir les meilleures notes. Évidemment que c'était suspect. Les profs de physique et de maths se sont méfiés, et ils ont changé les questions à la dernière minute. Je m'en suis bien tiré quand même car j'avais tellement étudié pour répondre aux questions volées que j'étais un peu entraîné. Mais certains n'ont même pas lu les questions, se bornant à reproduire les réponses que nous leur avions données. Alors le complot a été découvert. Et les crétins ont avoué quelques noms. On a beau nier, les profs ont de méchants doutes. Ils me soupçonnent surtout en anglais et en français, parce qu'il me fallait améliorer de beaucoup ma moyenne dans ces matières et que les profs savent très bien que je ne comprends rien à leur charabia. En latin, même si là nous n'avons pas volé les questions, ils soupçonnent tout le monde. C'est que le prof Abreu est trop naïf. Chaque élève de la classe avait simplement appris par cœur un petit morceau d'une édition latine du *De bello gallico*. Puis on a trouvé le passage et on se l'est passé durant l'examen. Pour la version, on s'était donné le mot pour changer le texte portugais, chacun à sa manière, et la plupart ont frôlé la catastrophe, tellement ils ont voulu embellir, sous prétexte que César était trop avare d'adjectifs. Abreu croit cependant que nous avons volé ses questions; tous les thèmes étaient bons, même si chacun garantit qu'il a fait des erreurs exprès. Peut-être que Abreu ne connaît pas assez le latin et qu'il trouve nos copies trop bonnes.

Mais il n'y a pas que cette histoire d'examens. Ils comptent, de toute façon, nous coincer aux épreuves finales. Je reconnais que je n'ai plus la tête aux études depuis déjà longtemps. J'ai manqué trop de cours, et les profs remarquent ces absences, surtout lorsque nous sommes plusieurs à disparaître. Maintenant, avec leurs histoires d'autogestion, je n'ai qu'à demander des carnets entiers de permissions aux copains en charge, et je peux descendre en ville en toute tranquillité. Je me lève tard aussi, et j'en profite pour rester au dortoir et lire à longueur de journée. L'autogestion est une bonne chose, mais si les profs sont ennuyeux, que pouvons-nous faire d'autre? Nous, les grands, on a voté pour que quelques profs soient mis au rancart, mais sans succès. L'autogestion a des limites, a dit le directeur. Tant pis. J'en profite à ma façon. Jamais je n'ai eu autant de temps libre pour lire; il m'arrive d'aller aux cours de gym rien que pour me reposer les yeux après des heures et des heures de lecture.

Après la mort de Pafuncio, il y a eu une détérioration radicale de la discipline. Je ne sais pas s'il y a un rapport entre les deux événements, mais ça coïncide. C'était la première fois que quelqu'un mourait ici, et accidentellement en plus. Pafuncio était un nouveau, un gars sympathique qui partageait notre table commune au réfectoire. Un après-midi, alors qu'il s'était échappé pour aller en ville, il a glissé dans la chute de la petite rivière, et il est allé s'écraser sur les rochers en bas de la montagne. Cinquante mètres. Je n'ai pas vu le corps, mais je l'imagine rien qu'à penser à ces pierres que nous connaissons tous. Un coup de malchance, sans doute, car il n'était pas ivre. L'état de choc a duré deux semaines, à la suite de quoi les profs sont restés comme traumatisés, délaissant les persécutions et les exigences. Puis il y a eu l'incident avec le prof de chimie, qui est parti de façon intempestive après une bagarre dont seuls les échos nous sont parvenus. Quelque chose à voir avec la fiancée d'un prof de maths. Puis ça été au tour de Eules, le prof de géométrie descriptive que les élèves ont dû maîtriser parce qu'il voulait casser la gueule du prof de biologie. Ça concernait ses exploits à l'époque où il était officier de marine, exploits que l'autre avait mis en doute. De petits incidents aussi, comme le vol du stock de cigarettes à la cantine des professeurs, qui n'a peut-être même pas été l'œuvre d'un des nôtres. Personne parmi nous n'avait de cigarettes en surplus, je le sais bien. Mais comment le prouver ?

Depuis le début de cette année, la plupart des copains ont changé autant que moi. Ils sont devenus silencieux, moins enthousiastes pour le sport, plus critiques aussi. L'ambiance donne une impression générale de ras-le-bol, de laisser-aller qui éloigne les professeurs. Bientôt ce sera ma septième année d'internat ici. On a beau ne pas aimer la vie à la maison, n'empêche que l'ennui devient chaque jour plus intense. Depuis le voyage, le monde me semble différent de celui d'avant, comme si je ne devais plus rien à personne. Dans nos conversations, ce sont d'autres choses qui nous préoccupent, des trucs reliés à l'avenir, à ce que nous comptons faire de notre vie. Les copains parlent de leurs parents, de la vie minable qu'ils mènent, et peu à peu nous nous mettons à la place des adultes. Ce sont des choses dont on ne pouvait pas parler avant. Plus maintenant. C'est presque devenu la préoccupation générale. Et les profs ne viennent plus se vanter, de peur qu'on ne les questionne à fond, qu'on ne se mette à rigoler de leurs mensonges. Ils se font d'ailleurs très discrets, en singeant les camarades plus expérimentés, mais c'est évident qu'ils s'éloignent. Avec notre état d'âme, ils n'ont plus aucun pouvoir sur nous. Puis nous avons passé l'âge de nous en faire imposer, et une bagarre est vite arrivée.

Je garde mes histoires pour moi. J'ai honte, même si je ne suis pas responsable de ce qui se passe chez mes parents. Je pense beaucoup, je mets de l'ordre dans ma tête, je prends des résolutions, en me promettant de tirer le meilleur parti de la situation. J'ignore ce qui va se passer si je me fais renvoyer. Je sais que ça va gueuler à la maison, qu'on va me menacer, faire du chantage, et que je vais passer une période pas marrante du tout. Quand j'y vais pour la fin de semaine, on ne se parle presque plus. Mais ils s'attendent à ce que je reste à l'internat, et que mes visites soient brèves. Mon père est de plus en plus renfermé. On évite les regards, chacun s'occupant de ses propres affaires, presque comme dans une maison de chambres. La plupart du temps, il n'est pas là; il part à la campagne dans une petite maison qu'il est en train de se construire. Le grand frère non plus ne parle pas; il a ses propres amis et il se détache à sa façon. Je ne sais pas quel arrangement il a pu prendre avec ma mère, mais elle lui fiche la paix. Il est plutôt préoccupé de ses vêtements, qu'il soigne comme des trésors. Et il se moque de mes frusques trop courtes, bricolées avec des morceaux de l'uniforme. C'est d'ailleurs à cause d'elles qu'il ne m'invite jamais lorsqu'il va à des fêtes chez ses amis. Il dit que je ne suis pas présentable, que je pue la prison, que je ne saurais pas danser ni parler aux filles. Ce qui est un peu vrai. Les filles m'intimident, surtout les plus jolies. Pour danser aussi, même si je danse très bien. Mais, à ma façon, comme les putes m'ont appris pendant le voyage. J'ai déjà essayé de changer pour faire comme les autres, mais je deviens tout raide, je perds le rythme à force de me concentrer; je suis tellement gêné de serrer la fille qu'au bout de quelques instants nous nous tenons éloignés comme pour les valses dans les films. La proximité des filles me perturbe; leur parfum me donne des envies et je suis affreusement mal à l'aise de peur que ça ne paraisse. Et puis, je lutte continuellement contre le désir de les coller entre mes cuisses comme les putes. À bien y penser, je ne vois aucun autre motif pour danser, si ce n'est de serrer la fille contre moi; et je suis sûr que les autres pensent à la même chose. Sauf qu'ils sont entraînés à être hypocrites, à cacher leur jeu, par simple habitude de fréquenter les filles de bonne famille. Mon frère a raison de sortir sans moi. Je me promène alors la plupart du temps, seul. Je tourne en rond sans savoir que faire. Après quelques bières, je rentre me coucher, en souhaitant que le temps passe vite pour que je puisse retourner à l'internat.

Seules les femmes me font plaisir durant les séjours à la maison. Ma mère y a mis le temps; je n'ai pas pipé mot, et j'ai attendu plus qu'il ne fallait. Mais elle a fini par me le proposer elle-même, de peur que je ne puise sauvagement dans la marchandise. Je me suis fait copain avec une grosse, pas très jolie, mais bavarde comme tout, qui me faisait des confidences chaque fois qu'elle attendait dans la cuisine. Mine de rien, en bon camarade, je lui ai raconté quelques-unes de mes sorties durant le voyage. Et comment c'était dur de ne pas avoir d'argent pour retourner chez Sofia. Ça l'intéressait beaucoup de savoir comment c'était là-bas, le bordel presque en plein air, les filles si jeunes... curiosité professionnelle, sans doute. Elle comprenait mon problème, trouvant même que c'était bien dommage qu'un garçon gentil comme moi soit obligé de fréquenter des endroits dangereux, pleins de maladies. Et quel gaspillage ! J'en mettais, aussi, histoire d'aggraver la situation. Je lui ai alors demandé de m'inviter chez elle un de ces soirs pour que je puisse lui raconter les choses un peu plus en détail, à l'aise. Mais ça n'a pas marché. Son homme est jaloux. Il ne sait rien ; il pense qu'elle travaille, qu'elle vend de la lingerie chez des dames. Un truc du genre. Mais elle allait m'arranger ça, parce que mon frère, lui, avait des privilèges, elle le savait bien, et que ce ne serait que justice... Naturellement, elle serait discrète, elle ne dirait rien. Sauf qu'elle allait préparer le terrain, suggérer l'air de rien qu'il était déjà temps, qu'il fallait prévoir ces choses, pour éviter les maladies, pour me donner le goût des femmes. Parce qu'on ne sait jamais... J'avais aussi travaillé les autres, mais plus timidement, rien qu'avec le regard sur les robes ouvertes, sans intention aucune, pendant que je choisissais les moments les plus commodes pour blaguer un peu. On finissait par causer, inévitablement. On commentait l'allure vieillotte des messieurs ; je les plaignais, en bon copain. Elles me passaient des cigarettes pendant que je feignais de lire. Puis elles ne pouvaient pas s'empêcher de m'agacer avec des « regarde ici, non, là, là, c'est bleu ? Le vieux m'a mordu, le salaud. Touche pour voir... » et d'autres intimités bien juvéniles. Je reprenais mon livre, mine de rien. Je parlais lectures et elles répondaient par la fumée des cigarettes en prenant des poses. « Hop, excuse-moi, chéri, j'ai quelqu'un. » Et voilà qu'une partait pour la séance de gymnastique et qu'une autre venait se reposer. Le même bavardage se répétait, car elles n'ont rien d'autre dans la tête, moi non plus d'ailleurs. Ma mère a fini aussi par remarquer ma gentillesse envers la bonne Belinha. On est dans un bordel, oui ou merde ?

Après la longue conversation avec la vendeuse de lingerie, les choses se sont précipitées. Ça n'a pas pris de temps. Dès le mois suivant, ma mère m'a questionné sur mes besoins d'argent, avec des « il ne faut pas, les femmes sont dangereuses, nous sommes pauvres, mais il vaut mieux ça car les fillettes n'ont pas d'expérience et il ne faut pas en mettre une enceinte... » Tout un baratin décousu et à l'improviste. Elle a fini par me dire que, dès qu'elle serait sortie, je devais aller parler à une de ses amies qui avait quelque chose à me demander... La femme en question est très gentille, un peu baraquée du cul et des seins, blanche aux poils noirs, comme une Turque. Elle n'a jamais été trop bavarde, mais elle a sa clientèle à cause de son habileté et de ses tétons.

Seul avec la femme dans la chambre, j'ai été aussitôt assailli. Elle m'a déshabillé en soupirant, très attentionnée mais décidée, en m'assurant qu'il ne fallait pas avoir peur, que tout allait bien se passer. Elle m'a guidé un peu à la façon d'un sergent, pour être sûre de ne pas rater son coup. La grosse aux lingeries avait sûrement exagéré ma peur. Ce fut comme un viol délicieux. Ensuite, comme je ne disais toujours rien et que je ne me mettais pas à pleurer, elle m'a rassuré en me disant que j'étais tout un homme, que ça avait été très bon, qu'elle était jalouse de mes copines, qu'enfin je n'étais plus puceau, que je me souviendrais toujours d'elle — « la première, on l'oublie jamais » — et de ses beaux seins. « Je suis belle, non ? Dis, tu me trouves pas grosse, hein ? » J'ai fait le gêné, et on a remis ça, histoire d'être vraiment sûr que c'était bien comme ça qu'il fallait faire. En me faisant expliquer les détails, guider, dépuceler officiellement. C'était une vraie professionnelle, peut-être très compétente avec les vieux, mais je n'ai pas pu m'empêcher de penser qu'Yvonne était moins conne.

Deux autres filles ont suivi la Turque : une toute maigre avec un air anémique, endormie mais très jolie, et une belle mulâtresse un peu salope. Toutes les deux semblaient trouver très naturel que le garçon de la maison profite lui aussi de leurs services pendant la période creuse du samedi après-midi. Les filles sont bavardes et, en un rien de temps, j'ai été mis au courant de tout ce qui se passe chez moi, ou plutôt chez Ligia — c'est ainsi que ma mère se fait appeler en affaires. J'ai même appris que mon frère est très amoureux de Zuleyca et que, lorsque je suis au collège, il peut faire des scènes terribles si elle est avec certains clients. Des trucs du genre, comme dans tous les bordels. Mais plus discrets et distingués, parce que ce n'est pas un bordel, mais une maison de rencontres pour couples. Les filles ne sont là que pour dépanner, car la plupart des clients viennent déjà accompagnés de leurs secrétaires, de vendeuses qu'ils connaissent, ou de femmes mariées qui font leurs courses en ville. Après tout, c'est presque une maison de bains, comme nous avait dit Lili. D'ailleurs, Lili est repartie vivre avec son mari, et c'est dommage parce que j'aurais bien voulu la baiser, et l'occasion se serait sûrement présentée un de ces jours.

Si je suis renvoyé de l'internat, il y aura au moins ça de bon: je pourrai baiser plus souvent. Peut-être qu'une fois le fait accompli, je pourrai m'arranger avec mes parents, comme l'a fait mon frère. Comme ils lui paient quand même un collège, il leur serait difficile de me le refuser. Et ma mère n'a pas l'air trop malheureuse avec son affaire. Certains samedis, il y a tellement de clients que les filles sont épuisées lorsqu'arrive mon tour. Le plus dur, ça va être de me réhabituer à la ville. Tout ce temps passé ici m'a complètement transformé, m'a rendu insouciant, solitaire. Les gens du dehors m'agacent parce qu'ils ne savent pas respecter l'intimité d'un gars qui s'isole. Ils sont trop bavards. Ici, on a plus d'espace pour rêver; il suffit de se taire, et les autres s'éloignent. Puis, je ne sais pas comment ce serait dans un nouveau collège, avec mes habits, et sans argent pour sortir. Toutes ces pensées me rendent inquiet. Je ne le dis pas, mais je le pense. J'essaie de prévoir, sans jamais arriver à me faire une idée précise de la vie en dehors de ces murs. Ici, j'ai tout ce qu'il me faut, et je n'ai besoin de m'occuper de rien.

Mes copains parlent souvent de ce qu'ils vont faire une fois sortis d'ici. Il y en a même qui savent ce qu'ils veulent étudier. Pas moi. Je vais continuer à étudier uniquement par habitude. Je ne me vois pas en train de travailler quelque part, rien que pour travailler. Pour quoi faire? Si c'est pour gagner de l'argent, n'importe quel travail est bon. Et le meilleur est celui qui rapporte le plus avec le moins d'efforts. Question de ratio. Il me faut garder la tête froide, pour moi, pour continuer à penser. Je ne vois aucun intérêt à aider les autres, ni à les soigner, ni à construire des buildings. Enseigner, alors, je trouve ça complètement con; rien que de penser que je deviendrais comme mes profs, ça me dégoûte. Ça m'arrangerait d'être curé: une messe par jour, quelques confessions, et le restant de la journée à ne rien faire. Je pourrais aussi baiser toutes les femmes insatisfaites qui me feraient des confidences à la confession, les filles un peu salopes aussi. Parce qu'un curé, ça fait sérieux. Ça pardonne, et ça avive les désirs des femmes. Sauf que je ne crois pas en Dieu. Il me faudrait tricher durant de longues années avant qu'on me laisse entièrement libre. Les curés ont aussi l'avantage d'avoir toujours de bonnes bibliothèques; et, comme d'habitude ils sont assez pauvres d'esprit, on doit laisser assez de latitude à un curé qui aime les études. Mais il doit y avoir un piège quelconque, sinon tout le monde deviendrait curé.

Rien d'autre ne me vient à l'esprit. Capitaine au long cours, ou une spécialisation quelconque dans la marine, ça aussi peut être bon. Mais notre pays ne possède pas de marine marchande, et le peu qu'il y a doit être farci de trucs militaires à vous en dégoûter à tout jamais. Je ne me vois pas militaire, de toute façon. Rien que d'entendre l'hymne national, j'ai envie de rire. Je finirais fusillé. À part l'histoire et la géographie, seules les mathématiques me plaisent. Mais, encore là, seulement les mathématiques qui ne servent à rien, les jeux d'algèbre, les transformations interminables ou les géométries fantastiques que je développe par pur plaisir.

Je peux aussi bien me suicider. Il y a des jours où j'y pense sérieusement, surtout lorsqu'il pleut. La couleur du ciel influence mon état d'esprit, je l'ai déjà remarqué. Ce n'est pas exactement un désir de mourir, ni une peur de la vie. C'est plutôt une lassitude morne, une envie de dormir très longtemps, de ne plus avoir à me préoccuper de ce qui se passe, sans projets ni soucis. Simplement dormir. Quand je me soûle, c'est précisément cette sensation que je cherche à obtenir. Ce silence dans la tête, l'absence de pensées, le vide de souvenirs. Ça m'apaise. Le monde devient comme rempli de brouillard, les sourires de copains deviennent ralentis, pâteux. Même les histoires qu'on se raconte paraissent alors plus vraies, sans s'encombrer de la réalité. Comme dans les films ou les romans où, là non plus, on ne voit personne faire des courses ou laver les toilettes. Les repas apparaissent tout prêts; les gens n'ont jamais le rhume et, s'ils meurent, ils le font dans la logique de l'histoire. Il n'y a rien d'accidentel; ça se lie pour former un ensemble, sans temps mort. Tout au contraire de la vie, où les temps morts, les répétitions et l'absence de sens global prédominent. C'est bien ennuyeux. Cette morosité, voilà le problème. Il y a des jours où même l'idée de me trancher la gorge paraît préférable à continuer comme ça, en répétant les mêmes choses.

Mais, voilà, je ne me suicide pas. À force d'y penser, j'arrive à imaginer toute la scène, tous les détails, les flots de sang qui coulent de ma gorge comme une source, en pulsations, puis l'endormissement rapide, doux, comme avec l'alcool, jusqu'à la disparition complète dans le néant. L'idée me plaît tellement que je la retravaille de plusieurs façons, soit en me tranchant les poignets, pour que ça dure plus longtemps, soit en sautant en bas des rochers pour voir changer le décor. Puis, sans que je m'en rende compte, cette idée me conduit à d'autres; je passe à des variantes, où ce sont les copains qui se tranchent la gorge, pour que je puisse apprécier le tout dans les moindres détails. Lorsque je sors de ma rêverie, le temps a passé, mon ennui a disparu. Et parfois je suis même de bonne humeur à cause des idées drôles qui se sont glissées dans mon histoire. Si je suis seul dans la forêt, dans les cachettes que je connais depuis longtemps, il m'arrive d'avoir envie d'y rester, la gorge tranchée, sûr que personne ne viendra de sitôt pour déranger mon sommeil. Cette idée m'apaise, elle fait naître tant d'autres récits intéressants, qui dévient vers d'autres encore, qu'à la fin je me réveille en train de regarder les dessins que font les feuilles contre le ciel, ou ceux que forme la mousse sur les rochers, à la recherche de formes fantastiques pour continuer à rêvasser. Et l'envie de mourir disparaît d'elle-même. Parfois, je ne me trouve pas sérieux, incapable de poursuivre avec détermination un projet aussi important que celui de ma propre mort. Surtout si les filles viennent s'immiscer dans mes rêves. Je pense alors que c'est bête de mourir avant de baiser un tas de filles. Et cette idée prosaïque me fait honte. C'est comme ça. Même les fois où je suis décidé à m'en tenir aux idées sinistres et que l'ennui me brise le cœur, les pensées se retournent, elles deviennent si fascinantes que je dévie de ma tristesse. Je pense que si j'étais vide comme certains de mes camarades, ceux qui se déplacent comme des zombis, il me serait alors plus facile de me zigouiller. Rien ne les intéresse, ni les livres, ni les films, rien. Je suis sûr qu'ils se masturbent sans inventer des histoires, les yeux fixés sur les seins des photos, tout à fait obsédés. Je n'arrive pas à les imiter. Pour ma part, le simple fait de rencontrer une fourmilière sur mon chemin suffit pour changer le cours de mes pensées. Je me mets à l'observer, à étudier malgré moi le mouvement des fourmis ou le dessin des brindilles qui forment le nid. Je m'égare aussi en examinant les boursouflures des troncs d'arbre, les nuages trop floconneux formant des figures dans le ciel, ou les plantes épineuses qui s'accrochent au rocher. Ma pensée s'étale et je perds l'objectif que je m'étais donné. Ce manque de sérieux m'agace. Les choses qui comptent pour les autres ne m'intéressent pas; ce qui n'est pas important pour eux me captive. Le monde à l'envers. Et le plus souvent je ris tout seul de choses drôles qui sont plus fortes que ma tristesse...

La fin de l'année approche. Cette fois, je suis sûr de mon coup. Les profs avaient pris toutes les précautions; tous les examens étaient scellés dans des enveloppes et, pourtant, j'ai réussi à mettre la main sur le plus difficile, celui de physique. L'employé de l'imprimerie m'a mis dans le coup comme il me l'avait promis, et Gordo a accepté de garder le secret. Mais Trachtenberg s'est rendu compte de quelque chose. Hier soir, alors que nous nous apprêtions à aller en ville, il a voulu nous accompagner. Comme ça, sans motif, parce que d'habitude il ne sort pas beaucoup. C'est un excellent copain, très discret et solitaire; il me passe souvent des livres intéressants qu'il rapporte de chez lui. Il avait soupçonné que nous étions sur un bon coup, et il me surveillait depuis l'après-midi. Sans rien dire. Il n'a pas besoin de l'examen parce que ses notes sont bonnes, mais il sentait quelque chose de louche. Comme il ne nous lâchait pas, il a fallu le mettre au courant. On a eu de la veine, car, tous seuls, nous n'aurions pas pu résoudre les problèmes de l'examen. Le salaud de prof en avait préparé de très difficiles, histoire de se rattraper du premier trimestre et de couler toute la classe. Nous nous sommes installés dans un bar minable, sur le chemin qui sort de la ville, presque en pleine campagne. Et là, au fond, bien tranquilles, Gordo et moi nous avons bu pendant que Trachtenberg répondait aux questions. Ce fut une soirée très drôle. Le gars du bar nous trouvait tellement suspects qu'il nous demandait de payer tout de suite chaque fois qu'il nous servait une bière. Le bar était presque vide, seulement quelques buveurs qui nous regardaient à la dérobée après avoir discuté avec le serveur. Trachtenberg trimait, révolté contre la difficulté des questions, en chauffant sa règle à calculs tant il la secouait, pendant que nous nous racontions des blagues, de plus en plus joyeux. Il n'a pas résolu tous les problèmes, mais suffisamment pour que nous ayons la moyenne. De toute façon, ça paraîtrait vraiment louche si on avait de trop bonnes notes. Puis il fallait apprendre par cœur les solutions avant de se débarrasser des papiers compromettants. Mais nous avions déjà trop bu de bière et il nous était impossible de tout retenir. Trachtenberg a alors décidé de nous expliquer l'esprit de la chose; c'était plus sûr que de vouloir apprendre par cœur. Tout se mêlait dans notre tête, et notre esprit n'était plus capable de retenir quoi que ce soit. Gordo s'est mis à chanter, et même le serveur est venu s'asseoir à notre table pour nous raconter ses problèmes de famille. Il avait compris que nous étions en train de résoudre des problèmes, et il a profité de la présence d'un gars très calé comme Trachtenberg pour amener les siens. Sa femme ne pouvait plus baiser après son sixième enfant, quelque chose du genre utérus tombé, mais qu'il expliquait à sa façon. Gordo, très sérieux, lui donnait les conseils les plus cochons et le pauvre homme demandait des explications pour bien comprendre. Le gars voulait qu'on aille dire tout ça à sa femme, mais ça ne nous tentait pas. Nous étions trop ivres, trop joyeux, et il nous fallait encore apprendre les questions de l'examen. L'ambiance était fantastique: Gordo racontait des cochonneries au serveur, Trachtenberg m'expliquait des trucs de dynamique et, moi, j'étais incapable d'arrêter de rire à cause des idées étranges qui me passaient par l'esprit. Nous avons fini par l'aider à fermer le bar, et le serveur nous a accompagnés jusqu'au début de la montée, en copain, confondant les histoires d'utérus qui tombait avec les formules de force d'accélération, le facteur d'inertie des bites et le coefficient de friction. Trachtenberg ne reculait devant rien, mettant à profit les liquides les plus dégoûtants pour nous expliquer les formules d'hydraulique.

Une fois qu'on a eu la certitude d'avoir des notes honnêtes, les choses se sont précipitées de la façon la plus merveilleuse du monde. Plus moyen d'être triste. Heureusement que ça s'est passé tout seul, alors que j'étais ivre. Elle est venue à moi, sans m'avoir vu auparavant; et voilà que j'ai ma première petite amie. Je ne sais pas quoi faire quand je suis avec elle, ni même de quoi parler, mais ça ne semble pas avoir la moindre importance. Et c'est très bon d'être amoureux. Je ne trouve pas ça étrange; c'est comme si de tout temps j'avais éprouvé ces sensations, sauf qu'il n'y avait personne d'autre, rien que mes rêveries. Je pense que j'étais amoureux depuis longtemps. C'était ça, ma tristesse: j'étais amoureux à vide. Elle est jolie, la petite Ceres, un peu trop sérieuse, certes, mais ça ne fait rien. Une chance qu'elle soit jolie, sinon j'aurais été dans une situation difficile.

Les copains et moi, nous étions encore trop gênés pour aller tout de suite à la fête donnée au club social de la ville pour célébrer la fin de notre année scolaire. Comme les autres fois, et histoire de se donner du courage, nous avons fait la tournée des bars, en attendant que la fête avance. Cette fois, c'était du sérieux, il fallait qu'on y aille; d'autres copains nous avaient promis de nous présenter des filles et, malgré la chaleur de décembre, j'avais un beau pull-over que Schliemann m'avait passé. C'était si important que nous avons pris une cuite monumentale. Et ça s'est continué tout au long de la soirée, avec des nausées et des vomissements, mais sans nous arrêter. À chaque verre, l'idée de nous retrouver sur cette fameuse piste de danse se faisait plus lointaine dans notre esprit. Ratisbona était si ivre qu'il ne se tenait plus debout, et nous l'avons perdu quelque part. Des profs se sont approchés un peu, craintivement, pour regarder Schliemann qui s'était mis à nager nu dans le bassin de la place, mais ils sont vite repartis parce que Schliemann est costaud comme un cheval et n'aime pas beaucoup discuter. Comme c'est un sportif — il fait partie d'un club de natation à São Paulo —, il ne supporte pas l'alcool. Et quand il est soûl, il n'y a pas moyen de lui parler. En pleine nuit, sur cette place vide, c'était la situation idéale pour donner une raclée aux professeurs. Alors ils ont fait mine de ne rien voir. Sûrement qu'ils chercheront à se venger. Accompagnés de Schliemann tout mouillé, nous sommes allés trouver refuge au club social, pour nous mêler aux autres et nous faire moins remarquer. La fête tirait à sa fin. Dans cette salle de bal qui se vidait peu à peu, notre arrivée a causé un certain malaise. Schliemann s'est endormi dans le jardin, et les copains m'ont conduit à la mezzanine pour que je regarde la danse de loin. Gordo est allé chercher à boire. Mais il n'est pas revenu. Je suis resté assis là, rêveur et à moitié endormi, content d'avoir pu surmonter ma crainte et d'être enfin entré dans ce fameux club. Les copains me faisaient signe d'en bas, pendant la danse, les filles me saluaient. Je les trouvais très drôles; je riais en me souvenant des brasses de Schliemann, à genoux dans le bassin boueux, et de la frousse des professeurs.

C'est alors qu'une jolie fille, aux longs cheveux noirs, est apparue à mes côtés, pour me gronder de mes excès. Je ne sais pas qui avait pu l'envoyer. Très sérieuse, avec sa bouille d'enfant, elle s'est mise à essayer de me convaincre qu'il fallait que j'aie une vie plus saine, assurant que, si je continuais comme ça, je finirais mal, que mon père et ma mère seraient très tristes de me voir dans un tel état et que sûrement je ne fréquentais pas l'église. Pris au dépourvu, et encore dans les vapeurs, je cherchais à argumenter en déviant sur des propos philosophiques, romantiques, sur la vie et sur la mort. Mais très heureux de sa présence et de cette conversation me concernant. Ce n'était même pas gênant de la voir si près de moi puisque nous avions un sujet sérieux à débattre, tout comme il me paraissait bien naturel d'avoir ma main dans la sienne car elle y lisait des signes qui prouvaient ses arguments. D'ailleurs j'étais prêt à me laisser convaincre par ses considérations morales. Elle était si proche que je pouvais examiner sa peau, ses dents, la racine de ses cheveux. Je la trouvais de plus en plus jolie sous la lumière faible, et ses conseils me ramolissaient le cœur. Pendant ce temps, la fille étudiait d'une manière très studieuse les lignes de ma main pour savoir comment serait ma vie conjugale. J'étais prêt à tout, n'importe quoi, pourvu qu'elle continue à se coller à moi et à parler de sa petite voix douce. À la fin du bal, elle est descendue rejoindre ses parents. Petit baiser fraternel qui m'a inondé de parfum sucré, mes mains serrées dans les siennes, et rendez-vous le lendemain pour la matinée au cinéma.

Je me sentais exalté, dégrisé. J'avais un rendez-vous avec cette fille, sans même avoir dû danser ! Il est vrai qu'elle me paraissait un peu trop sérieuse, exigeante. Mais, après tout, je me sentais heureux de ma conquête, et la soirée n'était pas finie. Il me fallait fêter ça, arroser ma petite amie, même si par moments je me demandais si tout n'avait pas été qu'une illusion, car je sais que j'aime mes chimères. Pour rentrer au pensionnat, nous avons fait un bref détour en nous arrêtant dans tous les bars encore ouverts, d'abord du côté opposé, vers la gare et chez Sofia. Nous avons fini par le bar du gars dont la femme avait l'utérus tombé, qui nous a gardés jusqu'à la fermeture. Ce fut une longue ascension, et je ne me souviens plus comment j'ai pu trouver le chemin de mon lit. Le dortoir était encore éclairé. Plein de gens chantaient; d'autres jouaient au bowling avec les lourds poids dont on se sert pour le lancer et qui détruisaient tout sur leur passage. Sur les murs pendaient des enseignes de bars, des panneaux de circulation et des drapeaux déchirés.

Aujourd'hui, c'est dimanche. Ce matin, vers onze heures, j'ai été réveillé par mon petit frère. Il connaît la fille et il lui a même parlé après qu'elle m'a quitté. En me poussant vers la douche, il m'a rappelé son nom et notre rendez-vous. Je me sentais encore ivre, mais l'odeur de vomi et de vin aigre du dortoir, avec l'ammoniaque qui montait des toilettes ont eu gain de cause sur mon état. Le dortoir ressemblait à un champ de bataille: les lits détruits, les draps éparpillés et tachés de rouge, du plâtre qui tombait et les enseignes décrochées, comme après un bombardement. Des corps étendus pêle-mêle et des gémissements de gueule de bois. La fête avait été générale. Plusieurs camarades n'étaient arrivés qu'au petit matin, dégueulant partout, réveillant les dormeurs et continuant la casse et les bagarres. Le plancher était gluant, les douches étaient bouchées et débordaient d'une masse informe; les oreillers enfoncés dans les toilettes avaient l'air de cadavres en train de vomir.

Beaucoup d'eau pour étancher ma soif, puis je suis descendu manger quelque chose. Un copain m'a passé l'argent du cinéma, et me voilà en route, plus excité encore que le jour de ma visite chez Sofia. Mon frère m'a accompagné, en me racontant des tas de choses sur la fille; il m'a répété son nom plusieurs fois pour que je ne me trompe pas. Ceres est un prénom très inusité, que je n'avais jamais entendu auparavant. Pour être sûr de mon coup, je me promettais d'éviter les phrases qui m'obligeraient à dire son nom, de peur de mélanger avec Minerve ou Aphrodite, car il s'agit d'un truc mythologique.

Elle était là, toute sérieuse, avec ses longs cheveux, déjà assise et ayant gardé une place pour moi. Je n'ai pas eu à la chercher; les indications de mon frère étaient bien superflues. Je l'aurais reconnue n'importe où. Et j'étais content qu'elle soit vraiment aussi jolie que dans mes souvenirs. Des sourires discrets, quelques mots. Nous sommes restés silencieux durant tout le film en nous tenant par la main. Ses petites paumes étaient moites, elle évitait de me regarder, et j'en profitais pour l'examiner à la dérobée. Nous sommes ensuite sortis collés l'un contre l'autre, de peur de nous perdre, pour aller faire le tour de la place principale comme les autres couples. Ma seule crainte était qu'elle se mette à avoir des envies de gâteaux quand nous passions devant la pâtisserie. Mais non. Elle avait l'air d'avoir, comme moi, la tête dans les nuages. Pour elle aussi, c'était la première fois. Nous nous arrêtions ici et là pour saluer, pour qu'elle me présente à des dizaines de ses copines de l'école des sœurs. Un tas de filles, dont plusieurs très jolies, qui me regardaient d'une drôle de façon, chuchotant, et sans même se rendre compte que mon uniforme était dans un piètre état. Incroyable!

Je l'ai revue ces derniers jours. Comme ça, pour rien, pour nous tenir la main et nous regarder. Nous n'avons rien à nous dire, elle ne connaît rien de rien, mais c'est bon de rester en silence. Le temps passe vite, je ne pense pas; son parfum domine toute la place de la ville. Avec elle, la lumière autour paraît plus claire, même si le monde entier est hors focus. Lorsque nous nous quittons, je rentre lentement, comme si de tout temps j'avais été heureux. Je ne vais presque plus dans les bars avec mes copains et je bois alors seulement pour leur faire plaisir, pour m'amuser. C'est étrange d'être ainsi amoureux. Je ne la connais pas; je ne sais pas ce qu'elle aime faire si ce n'est rester en ma compagnie. Mais cela me suffit pour l'instant. Ça m'agace quand ses amies viennent nous déranger; je les trouve trop niaises, avec leurs façons infantiles, surtout les plus jolies, qui savent que je les regarde. Elles m'agacent parce qu'elles rompent le silence, qu'il faut parler, faire quelque chose. Je me remets alors à penser, je redeviens celui auquel je suis habitué, et le charme s'envole. Lorsque nous sommes seuls, elle reste timide, ne voulant pas que je l'embrasse et m'ordonnant, avec ses sourcils froncés de petite fille, de me tenir tranquille. Même ça, c'est très bon. Ensuite, je pense à elle toute la soirée, et je m'endors sans rêver.

Il est vrai que ma Ceres m'a troublé; elle a tout perturbé. Jusqu'à présent, je me fichais de la vie. J'étais sûr de me faire renvoyer de l'école, et j'avais un certain plaisir à la pensée de ne plus jamais revenir ici. Maintenant je me sens pris au piège. Il faut que je continue à la voir, il faut que je revienne l'an prochain, ce n'est pas vrai qu'on va me renvoyer. De toute façon, on ne m'a jamais pris sur le fait; j'ai toujours été discret. Il n'est même pas certain qu'on m'ait vu ivre plus souvent que les autres. Je fais des paris dans ma tête, un peu superstitieux, pour évaluer mes chances. Cette insécurité est très angoissante; je me sens moins libre. Mais c'est doux, et je n'arrive pas à la haïr. Le portier de la guérite d'entrée me laisse appeler chez elle, en cachette. Il m'a toujours apporté des cigarettes, c'est un vieux copain. Lorsque je l'appelle, je ne sais pas quoi lui dire après avoir convenu de notre rendez-vous. Le portier est là et c'est gênant parce qu'il sourit, tout content de me donner ce coup de main. Seul avec elle non plus, je ne sais pas quoi dire. Chaque jour, c'est pire, parce que la chose dont nous parlons, c'est de la longue période des vacances où nous ne pourrons nous voir. Mais ça va passer vite. On se fait un tas de promesses pour l'an prochain, et je sais que je mens. Pas tout à fait. J'espère vraiment que je ne serai pas mis à la porte de l'école, qu'on va seulement me demander d'améliorer ma conduite... ou des trucs du genre, sans grandes conséquences. Parce que, contrairement à la plupart, j'ai de bonnes notes, et ça compte quand même aux yeux des profs. Je m'invente ainsi toutes sortes de raisons, mais dans le fond j'ai peur. Et ça m'irrite d'avoir peur comme ça, de me sentir pris au piège.

Parfois, une nostalgie nouvelle m'envahit, une sorte de regret envers ce monde d'ici. Les moments passés, mes promenades en forêt, mes cachettes et les endroits où je me suis abandonné aux rêveries. Depuis que j'ai ma Ceres, les choses se gravent plus intensément dans mon esprit, et je suis plein de souvenirs. Les bagarres, mes nuits sans sommeil, les bains d'eau froide. Je parcours lentement la bibliothèque pour regarder les livres qui m'ont appris à lire, comme si j'étais en train de dire adieu à tout ce que j'aime. L'autre jour, je suis allé revoir ma première chambre dans le dortoir des petits. Tout m'a paru réduit, comme des jouets. Et la bouille curieuse des enfants qui étaient là, qui me regardaient avec respect m'a laissé attendri. Ému et triste à la fois, en pensant que je ne vais peut-être plus revenir. Mais je mens quand même à Ceres. Cette nostalgie n'était pas en moi auparavant, ni ce sentiment de perte. C'est venu avec elle. Et je n'aime pas ce côté de l'amour, même si c'est un piège doux. Par moments, je ne me reconnais plus.

Le temps a passé si vite que dejà la fête de fin d'année bat son plein dans la cafétéria. Mais rien ne m'intéresse plus. Ceres est repartie avec sa mère, en laissant derrière elle son parfum trop intense. C'était très doux de la tenir dans mes bras pendant qu'on dansait, sa tête contre ma poitrine, toute sérieuse, se collant timidement, ses mains moites, ses petits seins. Maintenant je me sens vide comme après les bagarres perdues, lorsque je n'ai pas pu évacuer toute ma rage. Vide et fatigué. Les copains sont venus avec des bouteilles de rhum pour qu'on attende le lever du jour. Mon colis de livres est déjà prêt; je n'ai rien d'autre à faire qu'à attendre. Tout le monde est un peu nostalgique, et l'on se promet de garder le contact même si nous sommes renvoyés. Mais chacun sait que ces projets sont de simples formules de politesse, pour mieux passer le temps qui nous reste.

Je descends seul vers la ville, peut-être pour la dernière fois. Il fait encore nuit. Je distingue malgré tout les détails de cette route que je connais depuis tant d'années. Chaque tournant, les raccourcis, les lumières trop espacées qui m'ont tant de fois protégé. Tout amplifie ma tristesse dans ce départ au ralenti; même le goût de rhum dans la bouche me paraît amer. Puis la ville endormie, les bars fermés, ces bars où j'ai commencé par m'acheter des caramels, puis des cigarettes, et où je prenais ensuite les derniers verres avant de monter. Le silence partout et la fraîcheur de la nuit. J'avance comme un automate avec mon bagage léger et ma tête lourde. Lentement. Sur la place principale, la lumière grise de l'aube ébauche des contours nébuleux. Et elle est là qui m'attend, assise sur un banc, un peu endormie, avec les yeux plissés d'un bébé qui se réveille. Toute attendrissante, pour me rappeler ses conseils et pour me dire adieu.

Assis dans mon compartiment, je la revois encore qui me fait signe de loin, à mesure que le train quitte la gare, toute seule, sa petite mèche sur le front, qui reste en arrière, comme un souvenir. Je ne la reverrai peut-être plus jamais.

26

Un an déjà que j'ai été renvoyé du collège, et voici la nuit de la Saint-Sylvestre. Je suis dans un autobus vide, en direction de la plage de Copacabana, pour assister à la fête de fin d'année, la fête d'Yemanja*. Pour voir les pauvres jeter des fleurs à la mer. Je n'ai rien d'autre à faire; je ne connais personne qui puisse m'inviter chez lui et, à la maison, ça fait bien longtemps qu'on ne fête plus rien. Les vieux sont allés se coucher de bonne heure, comme si c'était un jour normal. J'ai quand même aidé mon père à vider la bouteille de marc qu'il avait apportée pour l'occasion. Il aime boire en mangeant des harengs salés, avec les doigts, à même la boîte, pour pouvoir lécher le gros sel avec l'huile de lin. La seule habitude qu'il a héritée de la Baltique, et il y

---

*   Déesse des mers et des eaux dans les cultes animistes afro-brésiliens de rituel nago et yoruba. Mélange de Vierge Marie, de Vénus, de sirène et d'esprit de la mort pour l'imaginaire populaire.

tient. Mes frères étaient déjà partis chez leurs amis. Ma mère a regardé un peu la télévision, puis elle est allée dormir, sans rien dire. On est restés, mon père et moi, à se lécher les doigts et à siroter du marc, sans se regarder, complètement étrangers. Sans se déranger. J'ai un peu de mal à le laisser ainsi seul, tourné vers le vide. Mais j'avais hâte qu'il finisse la bouteille pour pouvoir m'en aller à mon tour en le sachant sonné. Il m'a même souhaité la bonne année, un peu mal à l'aise, les yeux de côté. On a tant de choses en commun, mais on ne sait pas les dire. Les harengs salés tiennent lieu de causerie.

Le vent chaud qui entre par la fenêtre de l'autobus, le goût de marc et des harengs dans la bouche me font penser à tout ce qui est arrivé. Cette année qui s'achève a été bien étrange. Pleine de choses nouvelles. J'ai tout de même survécu. Adapté, mieux que ce que j'avais cru au départ. On s'adapte toujours, de quelque façon que ce soit, en jetant du lest. Même si, dans le fond, on ne change pas.

Le retour à la cuisine est bien pénible, pire encore avec la perspective de devoir y rester. Autrefois je tolérais ces séjours à la maison en pensant au pensionnat, à la bibliothèque, à toute ma liberté là-bas. C'est plus difficile maintenant. Au début, la vie me semblait complètement bouleversée, et moi sans point d'attache. Je vagabondais sans but, incapable d'entreprendre quoi que ce soit. Les copains s'étaient dispersés dans leurs mondes respectifs, desquels j'étais exclu. Ils étaient retournés à leurs belles plages, à leurs clubs privés et, les rares fois où nous nous sommes revus pour échanger nos souvenirs, je les ai trouvés changés, avec des habitudes et des goûts trop coûteux pour mes moyens. Et bien vite, je les ai perdus de vue.

J'ai ainsi traîné ma mélancolie pendant toutes les vacances, cherchant à m'orienter. En silence, sans poser de questions. J'étais de nouveau dans le chemin des autres, de ma famille surtout. Je profitais discrètement des filles de la maison, mais je le faisais vite, gêné de rester là. Le temps passe ici avec une lenteur incroyable, car ce n'est pas ma place. Je me suis fondu dans le décor, j'ai trouvé quelques attaches, je continue à étudier. J'ai même de nouveaux copains. Mais je continue à penser comme dans le temps de l'internat. Je me faufile, solitaire, même si je ne suis plus protégé par l'uniforme. Là-bas au moins je pouvais me cacher dans la grisaille, les murs étaient de bons repères. Maintenant j'ai toute la ville devant moi. Mais sans argent, sans la liberté de mon dortoir, je suis condamné à me balader continuellement dans les rues.

Les livres me manquent plus encore que les films; je dois guetter les occasions pour demander à mes camarades de m'en prêter. Je ne suis pas habitué à solliciter des faveurs, et souvent je renonce aux lectures. Mon copain Eugenio m'en prête volontiers, ceux de son père. Lui-même ne lit pas beaucoup, mais ça l'amuse de montrer à ses parents qu'il a un copain sérieux. Sauf que je les ai déjà tous lus, même quelques-uns de médecine que son père ne consulte plus. Le docteur Pavao est un type bien sympathique. Il a l'air de comprendre ma situation. Il n'est pas content lorsque Eugenio rentre soûl après nos sorties, mais il ne proteste pas. Les parents des autres copains n'ont pas de livres, ou bien ils ne veulent pas en passer. Je suis toujours soigneux avec les livres, sauf que les gens ne me font pas confiance. En quoi ils n'ont pas tort. Si j'avais des livres, moi non plus je ne les prêterais pas à n'importe qui.

J'évite d'aller chez les gens. Eugenio est le seul copain que je fréquente un peu, parce qu'il ne m'a jamais posé de questions. Et il n'a jamais non plus montré le moindre désir de me rendre visite. Il habite Copacabana. Hors du collège, je le vois parfois à la plage. Je n'y vais pas souvent car ça me fait deux heures de voyage aller-retour, avec mon short mouillé toute la journée. Il n'est pas question de prendre de douche chez moi avant le soir. Je préfère ne pas aimer la plage ; plutôt sortir le soir pour prendre un verre, c'est mieux.

Les premiers mois, je ne connaissais personne. Je pouvais passer la journée entière sur les bancs publics à observer les gens, à les étudier. Ou je me promenais dans les librairies pour regarder les livres, pour en dénicher quelques-uns d'occasion, ou pour en piquer. Ce n'est pas facile de piquer des livres lorsqu'on aime les lire, lorsqu'on les désire beaucoup. Ça paraît sur le visage, et les commis se méfient aussitôt. J'en ai vu qui volaient avec un calme incroyable, en passant, sans même choisir. Ils avaient l'air de voler pour voler, ou pour revendre ailleurs, et ça ne paraissait pas dans leurs manières. Moi, au contraire, je tombe amoureux d'un livre après l'avoir feuilleté, après avoir lu quelques lignes par-ci, par-là ; je le manipule, je le caresse, je lis encore. Le commis s'approche, il me demande s'il peut m'aider, et je m'éloigne. Mais je lorgne le bouquin. Je reviens vers lui à la visite suivante, et je me fais repérer. On m'attend quasiment, avec le livre en appât comme si j'étais un poisson. Si je réussis à en piquer un, ce n'est jamais celui que je veux. Merde ! Ça m'enrage qu'il n'y ait pas de bibliothèque où je puisse prendre des livres et les lire en paix. Où je puisse rêver comme je le faisais à l'internat, sans que les autres s'en rendent compte. Ici, tout est public ; on ne peut jamais rester tranquille. Si un gars s'assoit sur un banc, c'est qu'il attend quelqu'un. S'il attend longtemps, les gens lui adressent la parole, s'imposent sans aucune gêne. Je dois toujours répondre avec une mine patibulaire pour avoir un peu d'intimité.

Les vacances ont été la période la plus longue à passer. Les bals avant le carnaval m'ont aidé un peu. J'allais à la Maison des étudiants, rue Santa Luzia, juste en face de l'hôpital des indigents. Des bals très sauvages, fréquentés par les bonnes et les putes du centre-ville, avec des soldats et des employés de commerce. Je m'amusais avec toute cette chaleur, ce marais de sueur, plein de fesses et de seins, tout le monde tassé à ne plus pouvoir bouger. Seul le coït y est interdit. Les bagarres aussi, qui sont immédiatement matées par la police militaire de la base de l'aéroport. Une ambiance agréable, mais qui met aussi les nerfs un peu à vif. On devait alors se calmer avec des vapeurs d'éther. Il faisait si chaud que la bière était aussitôt transpirée, sans qu'on ait jamais envie de pisser. Je pouvais alors me perdre, tout oublier, reprendre contact avec les copains du remblai et m'accrocher à des petites mulâtresses assez chaudes. Puis, je m'amusais à les regarder, toutes ces faces aux grimaces multiples, les nombrils dynamiques et mouillés de sueur, le tremblement des fesses et les maquillages qui dégoulinent. Avec l'éther, le silence s'installe immédiatement, les corps bougent au ralenti en poses étranges, et seuls les battements du cœur dans les oreilles accompagnés d'une sirène aiguë persistent, le temps de l'intoxication. Ça finit par passer, et même très vite; les couples se remettent à bouger au son de la musique, et on garde une lassitude intense, une agréable envie de dormir.

Les semaines se suivaient, moroses, pendant que je cherchais ma place. Toujours assailli par le souvenir de l'internat, comme d'un paradis perdu. Dès la fin de janvier, j'avais été averti que ma présence là-bas serait désormais indésirable. Quatre-vingts élèves ont ainsi été virés, pour refaire l'image de l'établissement, ont-ils dit, pour changer de cap. Ce ne sera plus une maison de correction, mais un truc moderne, à tendances américaines, comme les *homes* anglais. Ça m'a beaucoup attristé parce que je perdais ma Ceres. Elle m'a envoyé, au premier Noël, une carte très parfumée, sans rien d'autre que sa signature en calligraphie de petite fille. Elle attendait de mes nouvelles. Une fois qu'elle a su que je ne reviendrais pas, elle a dû m'effacer, en attendant un prochain garçon à qui donner des conseils. Dommage. Je la trouvais mignonne, même si je ne savais pas quoi lui dire. Tout a été gâché par mon renvoi, par la distance.

Ma mère a boudé tant qu'elle a pu; mon père est resté silencieux et grave devant ce que la direction avait à lui communiquer. Des plaintes contre moi, contre ma nature revêche: ce n'était pas ma place, il ne fallait pas insister puisque mon agressivité risquait alors de mal tourner et, de toute façon, le service militaire se chargerait bientôt de me mettre sur le bon chemin. Du vague, des opinions générales d'ordre moral sans aucune accusation concrète, mais d'autant plus blessantes et chargées de menaces. Le petit frère pouvait y retourner, mais il n'a pas voulu.

Dès lors il fallait bien que je règle la question de mes études, que je m'inscrive à un nouveau collège. Mes parents jugent que trois collèges à payer, c'est trop. D'autant plus que le grand frère se fait déjà payer des cours privés, pour se préparer aux examens d'entrée à l'université. Il veut devenir architecte; c'est le truc le plus à la mode depuis qu'on a commencé la construction de Brasília. Tous les jeunes qui ne savent pas quel métier choisir, ou qui n'ont pas de piston, deviendront architectes. Gordo, mon copain, pense aussi à l'architecture; il croit que c'est un métier artistique, où il pourra tout à loisir rester sur la plage et s'entretenir avec les gens riches au sujet de leurs nouvelles maisons. Il passe ainsi ses journées à la plage en attendant que les choses arrivent. C'est lui qui m'a passé le tuyau de cet examen pour aller dans un collège public. C'est un endroit où les étudiants de la faculté de philosophie s'entraînent à donner des cours. Et c'est gratuit. Mais il faut passer un examen d'entrée parce que le collège a une si bonne réputation que c'est plein de gens riches.

C'était au mois de mars. Les autres avaient déjà commencé leur année et je n'avais toujours pas de collège. Comme je n'avais rien à perdre, je me suis inscrit au fameux concours. Gordo était inscrit dans un autre collège, mais il se présentait lui aussi à l'examen pour faire plaisir à ses parents, pour leur montrer que son renvoi du pensionnat avait été une injustice. Sauf qu'il aimait trop la plage et qu'il a oublié de venir le jour des épreuves. Je me sentais coincé; et, à force de travail, j'ai réussi à avoir une place. En apprenant le résultat, ma mère, au lieu d'être contente, s'est bornée à déclarer que c'était bien la preuve que mon renvoi était justifié. Que les natures comme la mienne, il faut les mater.

J'ai commencé les cours la semaine suivante, et aussitôt un tas de difficultés se sont présentées. D'abord les livres que je n'ai pas pu acheter. Je me disais, avec l'expérience de l'internat, que les livres scolaires ne sont pas si importants que ça, qu'on peut toujours copier ce qui est écrit sur le tableau, et qu'à la limite les copains peuvent nous dépanner. De toute façon, ma mère ne voulait rien savoir de ces dépenses inutiles. Sauf qu'ici les profs ont des méthodes nouvelles, des exigences pour la didactique des apprentis professeurs, et que c'est nous qui devons donner l'exemple. Alors, il faut que tout soit bien ordonné, souligné d'encre de diverses couleurs, avec des tas de cahiers spéciaux pour que ça paraisse bien, pour ne pas que ça s'écorne, pour faciliter l'apprentissage, la consultation et l'esprit de synthèse. Il faut aussi plusieurs livres très beaux, reliés, sans quoi il n'y a pas moyen d'avancer, et c'est la crise de nerfs. Les livres de français et d'anglais sont importés de l'étranger et coûtent une fortune. C'est sûr qu'avec mon seul cartable à peu près vide j'ai mal commencé. J'ai dû improviser toute l'année, et j'ai indisposé plusieurs profs en renforçant leur opinion au sujet de ma paresse.

Le temps passait et j'avais toujours mon cartable et mon stylo bleu, en espérant qu'ils allaient s'y habituer. J'ai quand même dû me procurer un gros manuel de mathématiques — cher, relié, contenant tout ce qu'on a à apprendre durant les trois années d'études. Mais ce n'était pas la bonne édition, et la pagination était différente. Je ne pouvais même pas l'échanger puisque je l'avais piqué. Les autres étudiants m'appelaient « le touriste », parce qu'ils se connaissaient tous depuis le cours secondaire, et que j'étais arrivé après le début des cours, presque sans bagages. Il y a eu aussi mon uniforme que j'ai dû arranger avec le pantalon de l'internat et qui a été long à se constituer. Il reste rapiécé, d'autant plus que je le modifie dès que je sors de l'école. Je ne vais tout de même pas rentrer dans mon quartier habillé comme un pitre, avec petit écusson sur la poche de la chemise. Au bord de la lagune, dans une région très belle juste à côté du Jockey Club, ça passe encore. Les gens riches sont habitués à ces choses. Mais, là où j'habite, j'aurais l'air d'un livreur de télégrammes.

Ça commençait vraiment mal. Je me suis réfugié au fond de la salle, histoire de m'effacer et de cacher mon pupitre vide. J'avais une vue plongeante sur les têtes des autres, et je pouvais même surveiller les professeurs en toute sécurité. De là, en regardant comme il faut, j'ai repéré les filles. Ça, c'est le pire, les filles. Étant d'un naturel curieux, elles m'observaient à leur tour. Je ne m'étais pas retrouvé dans une classe mixte depuis l'école primaire et, après toutes ces années d'enfermement, je me sentais très dépaysé. De mon poste d'observation, je ne voyais rien d'autre que les filles. Toutes adorables, avec la nuque pleine de petits cheveux au vent, des manières nerveuses, des regards provocateurs et des petits doigts besogneux plongeant sous les chemisiers pour arranger les soutiens-gorge. Leurs effets sur ma concentration n'ont cessé de se faire sentir. Surtout depuis qu'elles m'adressent la parole, qu'elles remarquent mes regards et qu'elles se sont mises à me passer leurs cahiers pour que je rattrape le temps perdu. Même les moins jolies sont pleines de charme; elles compensent par des formes plantureuses, par des manières invitantes, par des odeurs de transpiration insolites. Et pas seulement celles de ma classe. Le collège est farci de beaux visages, de fillettes en croissance accélérée, de maigres élancées et de rondelettes aux plis mystérieux. Toutes. Les plus jeunes aussi, qui me font penser à ma Ceres, mais en mieux, en plus moderne, en moins campagnard. J'ai eu beau essayer de me cacher, ça s'est tout de suite vu que j'étais étonné, en manque, pas habitué, bouche bée. Je ne sais toujours pas quoi leur dire, leur présence m'intimide encore. Je suis trop attiré par leurs visages, leurs corps, surtout lorsqu'elles me frôlent sans s'en rendre compte, en passant. Ou quand on se cogne ou qu'on s'embrasse durant les parties de volley-ball. Pendant la récréation, elles prennent des poses pour mettre en relief les hanches, elles fument en regardant droit dans les yeux à travers la fumée, elles se promènent parmi les garçons, en chuchotant et en souriant, à la fois distraites, dédaigneuses et aux aguets. Heureusement qu'elles sont bavardes, qu'elles prennent d'elles-mêmes les initiatives, en me distrayant des silencieuses aux regards perçants. Je ne peux pas m'empêcher de les observer lorsqu'elles sont assises, les jambes ouvertes protégées par leurs jupes plissées qu'elles agitent pour se rafraîchir comme le faisaient les filles des bordels. Malgré moi, je vois au travers de leurs jupes; je me les représente en peignoirs ouverts avec le même naturel qu'elles ont là. Sauf que leurs jolies bouilles me bouleversent. Elles semblent percer à leur tour le fond de mes pensées. Je confonds tout, assailli par des images délicieuses et défendues; de retour en classe, ça me tracasse, sans laisser la moindre place pour les leçons. Il y a en outre les femmes professeurs, dont plusieurs encore très jeunes, aux allures modernes, qui se laissent regarder avec un naturel désarmant. Ou encore les étudiantes de la faculté qui sont extrêmement sérieuses lorsqu'elles donnent leurs cours, mais qui ne peuvent pas cacher la nervosité de se voir ainsi observées et qui sautillent alors comme si elles avaient envie de pisser. Il n'y a pas moyen d'apprendre dans ce collège, surtout pour un gars comme moi. Mais le spectacle est merveilleux, sans cesse renouvelé, exaltant.

Lorsque je suis avec une pute dans les moments creux du samedi après-midi, les images de l'école se mélangent dans ma tête. Si je ferme les yeux, toutes mes camarades de cours défilent systématiquement dans mes bras, les seins d'une se joignant aux fesses d'une autre, à la voix d'une troisième, qui à son tour place ses cheveux avec le mouvement de tête d'une petite blonde, tout en donnant des leçons de chimie en jupette plissée de gymnastique. Il faut alors que je me reprenne, que je recommence immédiatement, histoire de bien les tâter de nouveau, pour reconnaître les coins de telles lèvres, ou ces aisselles qui transpirent, en empoignant le cul de la petite qui rit d'une drôle de façon, avec les soupirs d'une copine rêveuse du cours classique. Je me surpasse ainsi en recherches imaginaires, et la pute qui me reçoit se réjouit à chaque fois de mon appétit. Certaines sont assez expérimentées pour reconnaître la nature de mes élans; elles me demandent parfois, lorsque je rouvre les yeux, si elles ont bien joué le rôle de ma petite amie. Il arrive aussi qu'elles ferment leurs yeux pour penser à leurs amoureux, ou aux acteurs de cinéma dont elles ont vu les photos dans des journaux illustrés. Ce sont les meilleurs moments; et chacun offre à l'autre une véritable fête, en bon copain. Puis, de retour au collège, j'ai la nette impression de connaître intimement mes camarades les plus distantes.

Ce sont des mondes différents, desquels je profite comme je peux. Je rêve aussi que je les emmène danser le samedi soir, lorsque je vais au dancing Acapulco, en pleine Lapa, parmi les putes et les boniches, ou au dancing Avenida, où l'on paye les danseuses à cachet. Ce sont des soirées chaudes, sans timidité, dans mon élément, où l'on danse comme je sais le faire. Parfois ces exercices exacerbent mes passions et, durant cette première année, il ne s'est pas passé une seule semaine sans que je sois amoureux d'au moins une fille. Il est vrai qu'il m'a fallu faire gaffe, mieux cacher mon jeu pour ne pas avoir l'apparence d'un sauvage cannibale, et même feindre l'indifférence avec la mort dans l'âme.

Avec le temps, je m'y suis fait. J'ai réussi à avoir deux petites amies durant cette période; elles ont avantageusement pris la place de Ceres dans mes rêveries les plus innocentes. Mais à force d'intimité, de jour en jour, inévitablement, elles aussi ont été mélangées aux ébats avec les filles de chez Ligia. À la fin, leur charme s'est défait. J'ai le coup de foudre facile, et très foudroyant, mais la routine vient ensuite tout corrompre par l'absence d'intérêts communs, de sujets de discussion. Même les lectures, elles n'aiment pas, les fillettes qui me blessent le cœur. Au début ça va; elles ont l'air d'aimer discuter de sujets élevés, et ça fait romantique à leurs yeux. D'autant plus que je m'enthousiasme, je deviens bavard à mon tour, peut-être simplement pour remplir les silences. Pendant que je parle, ça remplit les vides entre les longs moments de passion et de baisers à couper le souffle. On ne peut tout de même pas passer le temps juste à s'embrasser et à se caresser. C'est ensuite que le silence s'installe. On n'a rien à faire. Et c'est alors que les idées de sorties apparaissent: on devrait aller au cinéma avec une amie, ou bien dans telle pâtisserie à la mode, ou encore aller voir des copines pour faire des virées intéressantes. Et pourquoi ne pas rencontrer maman-papa? Là, je ne marche plus. Ce n'est pas toujours l'envie qui manque, mais l'argent. Seul à seul, et l'amour aidant, mon pantalon passe encore inaperçu. Et puis le temps de s'embrasser, de se caresser dans les salles de cinéma discrètes, de se faire une idée tactile de nos formes, et voilà la sortie réussie. Lorsque vient le moment des lassitudes, alors qu'il serait bon de rester silencieux ou de se promener tranquillement en rêvant, alors elles se réveillent d'un coup. Comme si de rien n'était, entièrement sportives. Ah! La fête d'anniversaire d'une amie, ou la piscine du club à papa! «Viens souper chez nous, ma sœur veut te connaître; on va danser, t'as pas envie de connaître ma mère?» Ou encore cette rencontre sur telle plage qui m'obligera à faire une heure d'autobus rien que pour l'aller et où il faudra l'attendre tout l'avant-midi en plein soleil parce qu'elle n'est jamais à l'heure. Et où elle finira par arriver avec une ribambelle d'amis et de copines qui se connaissent depuis qu'ils sont aux couches et qui se retrouvent souvent dans ce club chic, où même dans mille ans je n'aurais pas accès. De petits trucs du genre, saupoudrés de bières, de glaces et de pizzas hors de prix, dans des endroits où je n'entrerais seul que pour demander un emploi comme laveur de vaisselle, jamais comme client. «Viens, fais pas cette tête-là, tout le monde y va, ça va être formidable…», alors que je sais d'avance que je vais m'ennuyer à mort. Mes promenades solitaires m'apparaissent alors comme les escapades les plus merveilleuses du monde. Et lire sur un banc public devient à mes yeux le truc le plus extraordinaire qui soit. Si j'accepte leurs invitations et que je change d'avis entre-temps sans rien dire, alors le lendemain c'est la catastrophe. Une tragédie qui me coûtera tout l'argent du mois pour essayer de réparer. Il n'y a pas d'amour qui résiste à cette médecine radicale.

D'abord Julia, une fille de ma classe. Dès le début, elle a été très gentille avec moi, me passant ses cahiers ou me présentant d'autres filles. Elle est un peu plus âgée que moi, et déjà assez expérimentée en choses amoureuses à cause d'une longue histoire qui a failli aboutir au mariage. Elle sort avec un copain de la classe, un gars très populaire, avec lequel elle compte sans doute se rattraper. Sauf qu'elle avait besoin de plus, et que Borges est vraiment un type sérieux, respectueux, qui pense aussi à l'épouser. Mais plus tard, après les études. Alors Julia languissait. Son ancien fiancé l'avait entraînée aux intimités permises par leur statut, et les habitudes ça compte beaucoup. Mais elle n'allait pas gâcher ses chances, en initiant à son tour Borges, et elle souffrait de devoir jouer la prude. Julia est devenue de plus en plus ma copine, pour m'aider à rattraper mon retard, et ce, même si elle n'est pas très douée pour les études. Nous avons fini par nous retrouver le soir, rien que pour bavarder un peu, pour que je lui remette ses cahiers, pour qu'elle me fasse des confidences sur Borges ou me raconte combien son ancien fiancé avait été salaud. En un rien de temps, nos soirées se sont transformées en ébats sérieux, où elle s'occupait désormais de m'apprendre tout ce que je ne savais pas sur les filles. Les débuts ont été hésitants, certes, avec des regrets et des promesses de ne plus recommencer, mais aussi très enflammés, et nous avons atteint bientôt une vitesse de croisière étouffante. C'était confortable, puisque, en tant que clandestin, je ne devais pas trop me montrer, et nous nous contentions alors des jardins au bord de la lagune. Le plus drôle, c'est que, malgré tout, elle continuait à me parler de Borges, sérieusement; et même aux moments les plus critiques, elle arrivait à balbutier son nom en gémissements tout à fait matrimoniaux. Ça m'a fait sursauter les premières fois, ça m'a rendu très jaloux, malheureux. Mais j'ai fini par m'y faire. Il était impossible de se fâcher avec elle à cause de son sourire, de sa spontanéité. Elle ne demandait rien d'autre que des caresses, et elle s'étonnait sincèrement de mes questions. Parce qu'en même temps elle continuait à sortir avec Borges, avec conviction et sans le moindre dévergondage. Ça lui allait si bien, cette double relation, que chaque jour elle était plus ravissante, apaisée, et avec Borges tout allait de mieux en mieux. À l'écouter, je n'étais qu'un simple copain, une espèce d'ami et confident; et si j'insistais, elle cherchait à me persuader que nos sorties étaient des plus innocentes.

Cette capacité de compartimenter les choses me paraissait très insolite, même si j'avais déjà rencontré cette même habileté parmi certaines filles de chez Ligia. Là aussi, et juste après l'amour, il arrive que les filles parlent de leurs maris ou de leurs amours en termes bien attendrissants, avec à peine une pointe d'ironie. Et tout à fait détachées. J'avais cru que ce n'étaient que des lubies de putes, des fantasmes ou des mensonges pour embellir la vie. Or, voilà Julia, ma camarade de classe, fillette riche, qui en faisait autant. Très amoureuse de son Borges. Je les voyais au collège, enlacés, et ils me saluaient avec plaisir. Borges ne semblait pas voir d'un mauvais œil nos relations, qu'il croyait certainement très fraternelles d'après ce qu'elle devait lui raconter. Encore maintenant, même si je ne la vois plus, il ne paraît se douter de rien. Un soir, nous nous sommes retrouvés tous les trois dans un bar; ils étaient venus pour rencontrer le groupe de notre classe et d'autres copines. Tout en étant dans les bras de son futur fiancé, Julia me jetait des regards furibonds parce que je m'amusais avec les filles. J'ai peut-être exagéré un peu, pour l'embêter, particulièrement avec Leila, qui est par ailleurs sa meilleure amie. Leila se laissait faire avec plaisir, comme si elle était au courant des doubles amours de Julia. Les filles sont impitoyables entre elles.

Peu de temps après, j'ai rencontré Ilka. Ça a été le coup de foudre de part et d'autre. Julia n'avait aucune chance, même si elle s'est montrée très jalouse, agressive, disant que je n'étais qu'un ingrat et un monstre de la laisser tomber de la sorte. Et puis elle disait souffrir, et ses pleurs ont même retardé un peu ma décision, car elle devenait si jolie que je cédais pour un soir. Mais j'avais l'avantage de ne pas exister, de n'être qu'un bon copain, presque un jeune frère. Et Ilka était très jolie, blonde et grande, bien en chair sans être grosse, et tout entière à moi, sans complications ni besoin de se cacher. Ça s'est fait tout seul. Ilka n'avait qu'une idée en tête: trouver un mari, le plus vite possible. Puis le cultiver comme on cultive une plante, en attendant le moment propice pour convoler en justes noces. Comme je la regardais, foudroyé, elle a décidé que c'était moi le prince charmant. Mais, trop inexpérimentée, elle n'a pas considéré les détails qui ne faisaient pas de moi un bon parti. Elle s'en est tenue à ses rêves, sûre qu'elle allait pouvoir tout arranger à la fin. Cette confiance qu'ont les filles dans le pouvoir de leur beauté m'a toujours sidéré. Sa mère ne cessait pas de lui répéter qu'elle avait tort, que je n'étais pas un bon candidat, que j'hésitais trop à lui présenter ma famille, que mes études dureraient des dizaines d'années, et qu'il suffisait de regarder mes fringues pour savoir qu'elle finirait un jour par devoir travailler. Oh, l'horreur! Mais la fillette était têtue et, éveillée par les caresses, elle n'abandonnait pas facilement l'idée de me convaincre. Peut-être aussi pour emmerder sa mère, envers laquelle elle entretenait une révolte boudeuse.

Je ne savais rien de tout cela au début. J'étais simplement amoureux. Et très étonné qu'une fille si belle ait daigné me remarquer. Entraîné par le bonheur, je répondais par l'affirmative à tout ce qu'elle voulait me faire promettre. Pourvu qu'elle ne disparaisse pas comme une illusion. Sauf qu'elle n'avait aucune intention de disparaître. Un vrai piège, un véritable gouffre de tendresse, pourvu que je ne disparaisse pas à mon tour comme une illusion. À armes égales, en quelque sorte. Mais elle avait l'air plus décidée que moi. Au début, c'était parfait: promenades silencieuses, salles de cinéma sombres, beaucoup de passion, ses grands yeux et toute la fierté de la voir pendue à mon bras. On évoluait cependant en parallèle et je n'avais rien à lui dire. À part les caresses ardentes, jusqu'à l'épuisement, il ne se passait rien. Je commençais petit à petit à regarder le paysage malgré les reproches voilés de ses grands yeux de poisson. Déjà, au bout d'un mois, nos rapports se refroidissaient: elle me surprenait de plus en plus souvent avec la tête ailleurs, las de caresser ses seins et son petit con marécageux, et je ne l'écoutais plus. Elle se sentait rassurée quand je répondais que c'étaient mes études qui me préoccupaient, et un petit sourire victorieux se dessinait alors sur ses lèvres trop mordues. Elle se laissait parfois aller à des rêveries conjugales d'un réalisme effroyable: elle avait décidé que nous serions très riches, que je travaillerais beaucoup, dans quelque chose comme la diplomatie ou le droit, puisque son oncle ministre allait m'aider à faire carrière. Elle m'habillerait avec le plus grand soin, et nous serions tout le temps dehors, en promenades avec nos enfants, en d'éternelles courses dans les magasins ou en visites mondaines. Nous allions d'ailleurs habiter près de sa mère, dans un quartier très beau, au bord de la plage, parce qu'elle irait se faire bronzer tous les matins. Dès la fin des classes, elle partait à la plage, pour profiter du soleil, sans aucun autre souci que de se faire belle.

Voilà ce que j'avais tant souhaité, et plus encore, et pire encore. Il ne fallait pas me fâcher. La fille la plus jolie, la plus blonde, l'objet d'éloges de tous les copains. La femme de ma vie, quoi! Mon romantisme se desséchait à grande allure. Il fallait que je l'appelle tous les jours, ce que j'essayais de faire pour éviter les crises de larmes. Mais pour ça je devais attendre pendant des heures que le téléphone public se libère. Et chez elle, ça sonnait tout le temps occupé à cause des bavardages interminables de sa mère et de ses sœurs. Il fallait aussi sortir le samedi et le dimanche, et je commençais à manquer d'imagination pour trouver où l'emmener. Ma bourse n'était pas à la hauteur de cette épreuve, mes excuses devenaient décousues.

Il y avait surtout sa mère, madame Lahmke, qui se posait trop de questions sur mes intentions. Elle m'a avoué son veuvage d'un air très contrit et à brûle-pourpoint, de même que les soucis que lui causait sa fille. Du même coup, elle a manifesté sa ferme intention de connaître mes parents. Ah, la blague! Puis la fillette était trop amoureuse, elle dormait mal, délaissait ses études, mangeait peu et commençait à devenir insolente. Tout ça à cause de moi. Son ton devenait si intime en me parlant de la passion de sa fille que, l'espace d'un instant, j'ai cru que la maman allait me faire une passe. Elle disait comprendre si bien ces choses, qu'elle aussi était encore jeune, qu'il ne fallait pas aller trop loin avec sa fille, qu'elle était prête à en discuter avec moi, et d'autres choses du genre. J'ai mal compris sur le moment, tout occupé à penser à la façon dont j'allais me sortir de ces sables mouvants. C'en était trop. Elle n'était pas en train de me faire une passe, au contraire. Elle exigeait que je lui présente mes parents au plus vite ou que je déguerpisse.

Ilka ne voulait rien savoir, elle était sûre de son choix. Mais les conflits à la maison l'aigrissaient en aiguisant son sens critique envers moi. Elle commençait à bouder, elle devenait irritable, jalouse, possessive, et le gouffre apparaissait de plus en plus béant à mes yeux. J'ai beau être romantique en rêve, la réalité concrète de l'amour me semble assez pénible, surtout après quelques mois. Et c'était toujours de ma faute, parce qu'elle était parfaite en tout point, incapable de me laisser un peu d'air. Elle voulait même que j'aille à la messe du dimanche; ça faisait un peu mariage à ses yeux. Et sa beauté m'écœurait comme lorsqu'on a trop bu.

L'avantage de ma Ceres sur toutes les autres, c'est que je ne l'ai pas fréquentée plus de dix jours et que je ne l'ai jamais embrassée. Puis, que je l'ai perdue. Ma belle Ilka a donc fini par passer aussi, en me guérissant un peu de ma passion pour les jolis visages. Elle m'a aidé, peut-être plus que Julia, à m'adapter à ce monde d'ici. Désormais, je me sens un peu moins sauvage. De mes deux petites amies, que je vois encore de loin, j'ai gardé le goût de leur salive sur les lèvres trop mordues. Avec un soupçon d'eau de Cologne sucrée. Mélangés à l'odeur de la sueur, ces parfums font comme un zeste de citron dans un verre de rhum brun. Ces deux accès de fièvre m'ont en quelque sorte vacciné, et je tolère maintenant mieux la présence des filles. Ça m'a permis de réussir mon année, ce qui dans mon cas n'est pas peu dire.

Malgré ces expériences, je suis resté à peu près celui que j'étais à l'internat. Un peu moins timide, certainement, moins craintif devant mes secrets, et un peu plus sûr de mes possibilités. Je trouve moins laids mes vêtements, ou plutôt je n'y pense plus. Ou à peine. Parfois si, lorsqu'une fillette plus jolie m'invite quelque part et qu'elle mentionne le complet-cravate en regardant discrètement mes souliers. Mais ça passe vite. Généralement, ça ne gâche plus ma journée. De la même façon, je m'habitue aussi à la vie chez moi, en me disant qu'après tout ce n'est pas si mauvais que ça d'habiter dans un bordel. Chez Ligia. Un jour, je partirai. De toute façon, ce ne sont pas mes affaires.

Il reste mon père. Non pas que ce soit difficile, ni embêtant. On ne se parle pratiquement plus. Il y aurait des choses à se dire, comme ce soir, en mangeant les harengs, seuls. Mais on demeure silencieux, et j'ai de la peine pour lui. Comme si c'était moi en quelque sorte, incapable de s'en sortir, trop bouffé par le gouffre ou par une espèce plus vorace que les Ilka, qui l'aurait laissé nu avec ses rêves fluorescents et une amertume énorme au fond du cœur. Je me souviens comme il pouvait être enthousiaste, et de toute la vie qui se dégageait de lui dans nos promenades. Qui sait, peut-être que je m'invente aussi ces souvenirs. Il paraît content lorsque je me décide à colorier ses cartes d'affaires, ou que je fais ses plans pour l'installation de ses chantiers, au demeurant de plus en plus rares. Mais nous échangeons uniquement quelques mots. Il sait que je ne sais pas ce que je veux faire et, curieusement, ça aussi semble le rassurer. Parfois je glisse un petit mot au sujet de mes rêves de voyage, et ses yeux deviennent pétillants. Mais là non plus, je ne suis pas sûr de moi; il se pourrait que j'invente cela aussi. L'éclat de ses yeux peut très bien venir des larmes, ou de la vieillesse. Mais, les soirs comme celui-ci, il me fait de la peine de le laisser seul. Il paraissait content de ma compagnie pour finir sa bouteille de marc en léchant le gros sel des harengs. Échoués comme lui, de si loin, sous ces tropiques de merde. Son visage trop rouge était presque heureux. Pauvre papa.

Le vent de la mer rafraîchit la nuit chaude à mesure que je m'approche de la plage. Je ne sais pas ce qui m'attire ici, sinon la possibilité de trouver une femme pour ne pas être seul en cette nuit de fête. J'ai l'impression d'être tiraillé comme mon père, entre le nord et les tropiques, entre le savoir et le mysticisme, toujours à mi-chemin des choses. Entre le monde des riches et celui des vagabonds, entre les filles et les putes. Blond et noir. Et si l'idée d'Yemanja me plaisait tant à cause des pièges que sont les femmes, amour et mort?

Sur la plage de Copacabana, les fenêtres des immeubles sont toutes illuminées, et l'on devine leurs fêtes, le bruit lointain des voix joyeuses, la musique. Ici, sur le sable, c'est encore le silence. L'air humide et salé me fait penser aux harengs de mon père. La plage, parsemée d'innombrables chandelles, est envahie par une foule de plus en plus nombreuse, aux mouvements lents, pleins d'attente et de respect. Presque cérémonieux. Les célébrants se tiennent en groupes, chacun entourant l'enceinte magique de leurs propres offrandes à Yemanja, la déesse des mers. Des tambours discrets marquent à voix basse un rythme sourd, en harmonie avec le battement des vagues. Il n'y a pas encore de danse. Les gens s'affairent à arranger les fleurs, les cadeaux, autour des chandelles; d'autres prient, contrits, en regardant la mer, le lit de la sainte. Presque tous en blanc. Les larges robes des femmes tournent autour d'elles en éventail selon le mouvement des pieds sur le sable; ça fait bouger les hanches, entrouvrir les jambes, dans une élégance sensuelle qui atteint même les plus vieilles. La déesse est femme. Des prières murmurées en groupe montent la fumée des cigares et le cliquetis discret des bouteilles de cachaça.

Je me déplace lentement parmi les offrandes, en me fondant dans cette foule que je ne connais pas. Depuis le trottoir de l'avenue, les taches blanches qui descendent vers nous sont de plus en plus nombreuses, parfois en groupes compacts qui transportent de lourdes charges. Le sable est chaque fois plus décoré, comme un marché aux fleurs. Ici et là, de véritables repas, avec des gâteaux à profusion, des assiettes bien garnies, des bijoux et de nombreux rubans multicolores pour cette amante capricieuse. D'autres présentent leurs offrandes sur de petits bateaux ou des radeaux destinés à affronter les vagues de la plage. Pour qu'ils aillent loin, au large, pour se perdre dans la mer et rejoindre Yemanja dans son royaume liquide. Déesse des mers, vierge de l'amour, sirène et Vierge Marie à la fois; goulue et tendre, insatiable et généreuse. Femme sensuelle aux cheveux noirs qui engouffrent, amoureuse jalouse à qui il faut rendre hommage et demander protection. Femelle d'Ogum* et mère éternelle. Sa fête est en février, mais elle reçoit ses cadeaux à la Saint-Sylvestre, pour mieux se souvenir toute l'année.

Ces gens qui m'entourent sont les bonnes et les cuisinières de ceux qui fêtent dans les immeubles, leurs mécaniciens, chauffeurs, ouvriers et serviteurs. Mais sur la plage, ils se sentent aussi riches que les autres. Riches de cadeaux et de demandes, généreux et pauvres à la fois. D'aucuns se tiennent humblement avec leurs petits bouquets de fleurs. D'autres s'affairent autour de corbeilles immenses décorées comme pour le carnaval, où le vin mousseux côtoie la cachaça et les poulets jaunes des dépêches. Il y a même une guitare entourée de papier d'aluminium, cadeau d'une veuve pour son mari

---

*   Roi de la guerre dans le culte animiste afro-brésilien de rituel nago.

musicien disparu dans les bras liquides. Ou ce n'est qu'un souhait.

Le respect est de mise, la dévotion aussi, mais la liturgie est libre, parfois même très fantaisiste, selon les moyens de chacun. Au fur et à mesure que le temps passe, les incantations deviennent plus sonores, les voix commencent à s'élever pour évoquer sa présence. Quelque chose comme un plain-chant d'église, mais en plus joyeux; les voix féminines sont plus dolentes et chantantes, sans cris. Les prières aussi prennent plus d'essor, plus de vigueur. Sans la direction d'un curé pour casser le naturel, ça devient murmure, chuchotements divers, conversation d'enfants, comptine et ronde; l'on distingue, ici et là, des morceaux chantés d'Avé Maria ou de Salve Regina parmi les dialectes africains. Il y en a qui dansent sur place en priant. Le rythme des pieds caressant le sable transmet à tout leur corps ce que les perles des rosaires communiquent seulement à la main. Ça prie en entier, ça se balance, ça se fond, ça s'agite en mouvements aquatiques, ça nage, ça coule, ça flotte… La tête haute renversée en arrière se laisse envahir; elle abandonne le corps pour libérer les hanches en vibrations mouillées. La prière devient danse, et la danse devient caresses, jusqu'aux spasmes. C'est l'heure.

Tout s'anime sans que personne sache ce qui a déclenché l'émotion. Les gens s'élancent vers les vagues, transportant les offrandes en cortège, comme une vaste procession en blanc. Sans soutane ni crucifix, souriants et émus, empressés comme quelqu'un qui offre un cadeau à l'être aimé. Comme une étreinte. Les femmes relèvent à peine leurs jupes pour entrer dans la mer jusqu'aux genoux, se faire mouiller, se perdre en se balançant, en riant de l'eau salée qui monte entre les jambes jusqu'aux hanches. Les vieilles et les jeunes, toutes, pour se donner, pour mieux donner parmi l'écume qui flotte en dentelles autour du corps. Les hommes pénètrent dans l'onde à leur tour, avec soin, les muscles tendus, les orteils griffant le sable pour ne pas perdre l'équilibre, en tenant les offrandes, en poussant doucement les bateaux et les corbeilles pour écarter les vagues, fendre le lit liquide qui soupire, jusqu'au fond, aussi loin que possible. Les femmes jettent des fleurs, et la noirceur de la nuit s'illumine du reflet brillant des crêtes écumantes. C'est un mouvement sans fin, dans le battement des vagues, en allers et retours de plus en plus mouillés et empressés, comme s'ils allaient tous se noyer, de peur que les offrandes ne soient refusées par la mer. Ils les poussent de toutes leurs forces, se débattant contre l'onde comme s'ils embrassaient des corps, décidés à lui faire accepter le don, pour que rien n'échoue sur le sable. Dans cette chorégraphie de marées, les danseurs mouillés soutiennent les femmes, aux jupes collées devenues transparentes, visqueuses et flottantes sur la surface blanche. Des soupirs, des cris et des gémissements se mélangent aux rires, sur le fond de la percussion sourde des vagues. Des offrandes partout, en va-et-vient, qui disparaissent au loin ou qui coulent sur place; la surface est tapissée de fleurs comme pour un bal. Les moins hardis jettent leurs cadeaux, ou ils lancent des pétales sur l'eau qui recule. Pendant que d'autres, déjà de retour sur la plage, ouvrent les bouteilles, supportent les femmes en les empoignant fermement, de peur qu'elles ne glissent. Puis ils restent là, émus, à regarder les offrandes qui tanguent vers le lit de la vierge sinistre. Les gens reviennent pour s'abandonner sur le sable; d'autres restent dans l'eau, figés, à jouir encore des caresses sur les jambes, du frisson de l'au-delà. Une fois les cadeaux offerts, le sable reste jonché de fleurs éparpillées. Les groupes se forment autour des chandelles; ils se sèchent, s'embrassent, les femmes ajustent leurs vêtements avec langueur.

Moi aussi, je reprends connaissance. Tout redevient concret autour de moi: la chaleur de la nuit, le sable sous mes pieds, les lumières des fenêtres pleines d'observateurs qui ont interrompu leurs fêtes pour regarder les nègres. Le silence persiste dans la ville au-delà de la plage; je n'ai même pas entendu les pétards annonçant le coup de minuit. Les fenêtres se vident de nouveau. Les fêtes des riches reprennent de plus belle; vus d'ici, ils sont comme des marionnettes de laterna magica se profilant dans les petits carrés illuminés. Ils ont vu. Demain ils seront encore les patrons. Et les nègres viendront faire le ménage de toute leur joie bourgeoise, en cuisinières, bonnes, laveuses et chauffeurs. Ils se plaindront quand même de l'allure fatiguée de leurs esclaves, du manque de respect, du gaspillage de fleurs et de leur plage devenue toute sale, jonchée de bouts de chandelles. Mais surtout de l'ignorance de ces gens-là, danseurs de macumba.

Plusieurs des célébrants d'Yemanja se préparent déjà à partir. Surtout les plus vieux. Le chemin peut être long pour regagner leurs cabanes dans les collines, les favelas ou les faubourgs d'où ils sont venus. Ceux qui restent se reposent dans l'extase de la communion, en s'arrosant de cachaça au son des tambours. Ici et là, des cercles s'élargissent pour la venue des esprits, et l'on se met à danser afin de les aider à apparaître. Les bouteilles circulent parmi la fumée des cigares; les femmes entrent en transe, assistées par des hommes expérimentés dans la liturgie de l'au-delà. Les jeunes femmes aux traits contorsionnés, tournent en dansant, grotesques et sensuelles à la fois, les yeux renversés dans les orbites, finissant par tomber avec des mouvements épileptiques, se secouant sur le sable. D'autres tournent sans tomber, telles des girouettes autour de leurs maîtres, en humant les cigares qu'on leur offre pour activer la frénésie. Comme des derviches aux robes blanches. Et elles crient avec des voix rauques, pendant que le maître les embrasse en leur faisant de l'air avec des éventails.

Je me promène sur la plage avec les autres curieux pour contempler ces transes, fasciné par cette passion et par la variété des esprits qui surgissent pour la fête. Les femmes parlent, gémissent, chantent encore et frémissent des hanches. D'autres, couchées, agitées par des spasmes légers, racontent des histoires de morts dans le but de les ramener à la vie depuis le temps et les espaces liquides de la déesse. Les morts viennent ainsi pour prévoir les événements, pour conseiller; et ils promettent, et ils consolent. Le vent de la mer au goût d'iode salé paraît ramener de loin leurs voix étranges qui ne me concernent pas.

La nuit avance. Les groupes se font moins denses, les chants deviennent plus profanes, et les rythmes des tambours gagnent en couleurs, déviant vers la samba. Les couples et les buveurs s'étendent sur le sable pour regarder le ciel, se caresser, boire encore pour faire durer la nuit. Le sable humide, les images dans la tête et le battement des vagues s'estompent à mesure que les bouteilles passent de main en main. Mes cigarettes brûlent trop vite à cause du vent, ou parce que je les oublie entre mes doigts. Le ciel prend des teintes violettes, le noir devient d'un bleu intense, et le rouge de l'horizon éloigne définitivement Yemanja vers le fond de la mer. Je ressens la nostalgie de désirs lointains mêlée à la déception de devoir retourner chez moi. Sans même pouvoir demander quelque chose à Yemanja. Car je ne suis pas de ce monde, d'aucun de ces mondes. Et qu'en plus je ne sais pas quoi demander. Je me sens très heureux, ou complètement ivre.

27

L'étranger arrive dans une ville inconnue. En début d'après-midi, sous un soleil qui lui semble différent, moins brillant. Chaque pays a son propre soleil. Tout l'impressionne, mais il ne regarde pas d'un œil nouveau. Il ne fait que comparer, juger, peser selon les mesures de sa mémoire. Ainsi il ne regarde pas les nombreuses voitures stationnées en rangs uniformes de la même façon que les autres: elles sont neuves, modernes, sans rouille, plus grandes, trop grandes, quelque chose d'exagéré par rapport à ce qu'est pour lui une automobile. Qu'est-ce qu'ils ont à vouloir des autos si lourdes, si voyantes, si désirables? N'ont-ils pas honte de s'exhiber de la sorte? Alors, c'est ça, le pays du nord, avec tant de richesse, tant de gaspillage, de pouvoir et de vanité.

Personne ne le regarde. Tous poursuivent leur chemin et le laissent là, à regarder et à juger, tout seul avec son étonnement. Les gens semblent vaquer à leurs occupations, ils ont même l'air de se prendre au sérieux. Ils vont et viennent, affairés comme si cela était nécessaire, et donnent l'impression de dominer leur monde avec un sans-gêne désarmant. Leurs façons sont drôles, et ils s'habillent avec un mauvais goût criard; il y a même des vestons à carreaux comme dans les pires caricatures de gringos. Puis, il y a quelque chose d'insolite dans cette homogénéité. Ah, ils sont presque tous de la même couleur. C'est ça, il n'y a pas de Noirs... Même le chauffeur de l'autobus est blanc, et si distingué dans ses vêtements propres que le voyageur baisse les yeux en lui adressant la parole. Et si courtois qu'on n'ose pas lui demander de répéter son explication. De toute façon, il parle si vite, avec un accent si drôle, que l'étranger ne comprend rien. Ce regard hautain, c'est aussi ça leur monde.

L'étranger les observe pour capter les lois de leur fourmilière, et si attentivement qu'il s'étonne de ne pas être remarqué. Au début, tout est flou, et le temps de se repérer dans l'espace, déjà il a capté un tout petit peu de ce qui l'entoure. Il se fait discret, feignant de ne pas les remarquer, ces autres qui passent plus vite et qui savent où ils vont. Ils ne se soucient pas de lui, et c'est peut-être mieux ainsi, car l'étranger a la nette impression que son regard est indiscret. Il a beau se dire qu'il commence à les comprendre, sa solitude reste entière, puisqu'en fait il ne réussit qu'à mieux s'orienter. Les gens de l'endroit restent distants, dans leur monde, insérés quelque part dans une existence palpable; tandis que lui, il flotte. Après tout, c'est lui le déplacé, pas les autres. Ils ont l'air d'être bien à l'aise tels qu'ils sont, où ils sont. Ils ont de la matière, tandis que l'étranger n'a que mémoire et carence d'attaches. Et puis cette insécurité si grande, qui fait sursauter durant la nuit au moindre cliquetis du chauffage.

L'angoisse des premières nuits passée, l'étranger se rend compte que leur monde est stable, durable. Chaque matin, il est de nouveau là, sans disparaître comme les rêves. Ça rassure tellement qu'il est gêné de se l'avouer. Un semblant de routine s'attache à ses pieds en lui donnant l'impression d'un lest. Rien qu'une ancre, mais apaisante dans ces eaux pourtant calmes. Puis ça a l'air d'un endroit paisible, sans trop de misère, sans corps étendus, sans cette crainte lorsqu'on croise les policiers. Bizarre, il n'y a pas de militaires dans les rues, rien que des civils. Ça fait comme un dimanche en promenade.

Ils paraissent arrogants, mais sans haine. Ils sont plutôt pressés, affairés. Tout ici va vite: la façon dont ils parlent, les indications qu'ils donnent, leur manière de manipuler les choses. Même leur café trop pâle, ils le boivent en travaillant, sans rire ni bavarder. Et puis ils ne se retournent jamais pour regarder les fesses des femmes; et pourtant, qu'elles sont belles, leurs femmes! Elles non plus ne se déhanchent pas en croisant un homme, et ne paraissent jamais remarquer l'œil expert de l'étranger. Tout est si pressé, organisé, que l'étranger est continuellement en retard, bousculé, l'air perdu dans ce spectacle que lui seul perçoit.

Toujours sans avoir l'air de le remarquer, ils lui font une place. Il veut parler de lui, mais ça n'intéresse personne. Ils ne lui font pas une place à lui, personnellement; non, ils le laissent seulement combler un poste vide. L'homme ne compte pas, et même son sourire du matin a l'air déplacé. Mais la place qu'ils lui laissent occuper est bonne, et l'étranger ne s'attendait pas à ce que ce soit si facile. Si ce n'était pas du froid. Ce froid terrible, pénétrant, qui fige les gestes. Un froid que pourtant les gens de l'endroit n'ont pas l'air de remarquer. Comme tout le reste.

Le temps de se mettre à l'aise, de se rendre compte qu'on ne le bouffera pas, et déjà l'étranger remarque moins. Il se met même à singer les autres, dans un mimétisme naturel qui lui fait oublier ses premiers haut-le-cœur. Surtout lorsqu'il croise d'autres étrangers, visiblement à peine arrivés, moins expérimentés que lui, ridicules dans leur manque d'orientation. C'est d'ailleurs la chose qu'il remarque avec le plus de facilité, quelqu'un de plus étranger que lui-même. Et il presse alors le pas, redresse la tête, arrête de trembler et se promène sur la neige en fumant sans gants. Comme si le monde était à lui, rien que pour se distinguer de cet autre, plus étranger encore. Voilà qu'il est en train de changer. Il était temps, avec tous ces étrangers qui s'amènent... On a toujours honte de ses premiers pas d'enfant.

S'il se trouve une planque, le voilà casé. Il rencontre d'autres personnes comme lui, et il parle de choses vagues, sans encore critiquer ouvertement le nouveau pays. Avec respect et circonspection, car il n'est pas sûr d'être accepté. Les critiques, les révoltes, le mépris, tout cela viendra plus tard, lorsque l'angoisse aura cédé la place au sentiment insolite de n'être que ce qu'on est. Lorsque l'aventure sera devenue routine. Au début, l'insécurité est trop grande; l'étranger a tellement envie de cet avenir qui se dessine qu'il croit être en mesure d'oublier le passé.

Puis le temps roule, roule, lentement. Combien déjà? Tant que ça? Je m'en souviens comme si c'était hier. Qu'est-ce qui s'est passé entre-temps? Le temps, rien d'autre. Des images se fixent dans sa tête, par les yeux, par les oreilles, par la peau, puis elles pâlissent à mesure que le temps passe. La neige, le soleil, le jour du marché, le bureau de l'immigration, la jolie fille dans l'autobus, la voisine qui le regarde, les choses à la télévision, le facteur qui lui apporte des enveloppes aux timbres exotiques. L'étranger est quelqu'un qui classe un fatras avec un sens de l'ordre que ceux de l'endroit ne connaissent pas. Dans son esprit, il retrouve les objets qui semblent inconnus aux yeux des autres, mais il ne remarque pas les évidences publiques. Il vit ailleurs; c'est pour ça qu'il a des allures brouillonnes. Ses règles du jeu sont différentes. Mais lorsqu'on le voit dans son intimité, seul face à lui-même, le voilà qui se remet à jouer comme il avait appris, il y a longtemps. La seule façon qui est bonne à ses yeux, la seule qui lui procure du plaisir. J'ai connu des étrangers qui chauffaient à bloc, en plein hiver, leurs logis minuscules, pour pouvoir rester en short, sans chemise et nu-pieds. D'autres qui passaient tout le dimanche en pyjama de coton, comme les retraités de mon enfance. Et l'étranger peut aller à l'autre bout de la ville pour acheter à prix fort des fruits tropicaux verts et moches qu'il n'aimait même pas dans son propre pays. Ces choses rassurent, mettent de l'ordre, et elles aident à passer le temps sans qu'on disparaisse dans le tic tac des horloges.

Ce déraciné oscille ainsi entre deux temps, le sien et le réel, en arrière et en avant, sans pouvoir se fixer. C'est que le temps s'allonge drôlement, il devient élastique et visqueux à la fois, fuyant et assommant, dès qu'on s'en va de sa maison. De toute maison, ailleurs. Il passe désormais sans toutefois passer, car l'identité n'est plus en harmonie avec le monde palpable. Ses repères sont restés en arrière et lui tirent les pieds comme les fantômes d'autrefois. L'étranger ne peut pas toujours se détacher vers l'avenir; il reste souvent embourbé entre cette identité qui fut et la béance de devoir devenir autre. Il n'aime pas son passé; c'est un mauvais passé qu'il cherche à repasser. C'est d'ailleurs à cause du passé qu'il n'est plus là-bas, mais ici, déplacé. Ça l'agace, le passé tel qu'il fut. Et comme le présent ne coule que si l'on va d'amont en aval, l'exilé ne le ressent pas comme les autres. Il cherche sans cesse à remonter, à dévier, à corriger ce passé, sans toutefois pouvoir le revivre. Cette nostalgie d'un passé qu'on n'ose pas affronter amène l'étranger à l'embellir, à le refaire dans sa tête. Il se déguise et se fige dans un mouvement de pendule entre le plus-que-parfait et le futur antérieur. Son passé se retrouve ainsi mal passé, dévorant l'énergie qu'il pourrait consacrer à l'avenir. Cet homme de l'éternité critique ainsi l'autrefois à chaque instant, en le mesurant à ce qu'il aurait dû être, pour justifier le fait de ne pas avoir été. Il le fignole, en ne gardant que ce qui fait son affaire. À la fin, ce passé fictif est si parfait que les gens et les choses de son pays d'adoption pâlissent et perdent de la valeur. L'étranger est ainsi, souvent, un véritable artiste du temps. Surtout lorsque l'avenir devient routine, et qu'il se rend compte qu'il n'a rien gagné d'essentiel avec tous ses déplacements.

Comme les étrangers que j'ai connus, moi aussi je me suis figé. J'étais peut-être déjà figé depuis toujours; depuis le temps où je me cachais sous le grand lit pour rêver, pour arranger le monde à ma façon. Le présent m'attirait moins; je collectionnais. Tout. Particulièrement les images, que je classais pour en faire de nouvelles, comme un casse-tête. Sans emprise sur la vie, je me laissais aller à ces jeux symboliques en vase clos. Ça tournait dans ma tête, et il n'était pas important que ça ne se meuve pas dans la vie. Mon présent a toujours été mobile, sauf qu'il est un présent intérieur, une sorte de présent antérieur ou de passé conditionnel. L'avenir? Seul l'espoir d'enrichir encore ma collection compte dans la recherche de nouvelles expériences. Je crois que c'est à cause de cette manie qu'il m'est difficile de raconter les choses. Je me sens mieux en les décrivant. Figées, elles aussi, comme les images: de simples surfaces où j'agence les détails pour le plaisir des harmonies. Des jeux de miroir, un colin-maillard avec des ombres et des reflets.

J'ai toujours vécu un peu par procuration. Les livres sont plus importants à mes yeux que les choses vraies, je le reconnais. Je préfère un bon roman à un voyage, et je refuse les meilleures sorties si je peux m'enfermer seul pour rêvasser. Une bonne histoire est une meilleure garantie de plaisir que les balades les plus exotiques. Je le sais parce que je me suis beaucoup baladé, et j'ai vu des choses, et j'ai connu des gens. Mais, à chaque fois, il m'a semblé que le réel gagnerait beaucoup s'il était un peu fignolé. Même les histoires d'amour peuvent me plaire, lorsqu'elles sont racontées, essentielles, bien découpées, sans l'ennui du quotidien. L'artiste découpe dans les choses, il ne copie jamais. Puis il les recrée, il les arrange avec artifice, de façon que seul l'essentiel demeure. Ça devient plus essentiel que la vie. Voilà le sens propre de l'art: dépouiller pour mieux montrer. Du mensonge? Si l'on veut. Plutôt de l'artifice, du dédain envers les parties mornes et molles de la réalité.

Comme c'est souvent le cas pour ceux qui viennent de loin, dépouillés et sans attaches, je soigne ma collection de souvenirs. Et j'oscille alors entre ce que j'aurais dû être et le désir d'une récompense pour la peine d'avoir été. Quelque part dans le néant. Mais seul, comme je l'avais voulu, même si je ne l'avais pas voulu à ce point-là. C'est pour ça que les exilés sont en général si fascinants au début, mais ennuyeux à la longue. Ce sont des mélancoliques, leur temps est fermé et, lorsqu'ils parlent d'avenir, c'est pour venir à ce passé duquel ils ne sont jamais sortis. Comme un acteur masqué, qui a perdu prise à force de se déguiser et qui s'attache à ses masques. Ceux-ci ont cette capacité mimétique d'ouvrir l'espace, de permettre les déplacements en cachette. Mais les masques qu'on enfile laissent leur empreinte, ils déforment, ils changent le sens du monde pour celui même qui cherche à tricher. Il devient acteur, artiste, jongleur, acrobate, et il gagne l'illusion de dominer le flot. Ça lui permet de se distinguer des spectateurs attachés à la vie, tout en se cachant pour qu'on ne vienne pas fouiller dans ses blessures.

C'est que les meilleures nostalgies cachent des cicatrices et des haines. Puis ces choses finissent par faire surface, et celui qui a tant cherché à partir ne s'habitue pas ensuite à la solitude des grands espaces. Les palmiers de son enfance redeviennent d'un vert magnifique; les cajous ou les mangues qu'il dédaignait autrefois réapparaissent juteux et désirables dans les soirées de gel.

Voilà ce qui m'est arrivé. Lorsque les grands espaces se sont réduits à la routine, et que je me suis fondu dans la masse d'ici, le voyage s'est transformé en exil. Et je n'avais plus à me battre pour devenir un étranger. Ce fut alors, comme pour beaucoup d'étrangers, que ma hantise de la mort s'est réveillée. Pour la première fois, je me sentais pris dans le bourbier. Ici il n'y a pas de mort, pas de danger, peu de mouvement, et l'on se laisse aller facilement à une vie végétale. Jusqu'alors, je n'étais que de passage, partout où j'allais, avec une identité flexible, au jour le jour. Mais très à l'aise dans ma carapace. La mort en vie, l'ennui et la minéralité étaient le lot des autres. La mort des masques, des rôles figés et des destinées closes, cette mort-là était seulement leur mort, pas la mienne. Je l'avais toujours observée du fond de mon trou avec minutie et attention, fût-elle cadavre, perte de soi dans l'euphorie du carnaval, déchéance sociale, dépendance ou attente du temps qui passe au bord de la grande route. Les volumes dans le paysage, la senteur de femme enfermée, la langueur des après-midi où l'on fait des patiences, voilà la mort dans quelques-unes de ses manifestations. Mais aussi ma tuberculose, le dispensaire, les bons emplois, les citoyens honorables, le mariage des filles que je voulais baiser, l'ennui de la prison et le respect de l'hymne national. J'enregistrais ces images de mort, pires que la mort physique, tout en étant fasciné par la matérialité absente des cadavres et des anatomies. Je le faisais par hantise. Je cueillais mes images pour les faire bouger, clandestin dans mes combats souterrains contre l'immobilité de la mort en vie. Je plongeais seulement pour voir, même si je devais courir plus de risques et me faire une réputation de fonceur. C'était mon exorcisme à moi, mon eau de lune et mes messes funèbres.

Pendant ce temps, la vie continuait, avec une sensation suffisante de réalité et de mouvement. Toujours vivant, dans la mesure où je ne m'arrêtais pas. Le goût du risque, les lectures, le fait de voyager sans bagages, prêt à jeter du lest si le mouvement menaçait de ralentir. L'arrêt n'avait qu'un seul sens, qu'il garde toujours: l'arrêt, c'est la mort; le repos, c'est la fin. Toute cessation d'activité revient à ces corps figés, aux vies stéréotypées, aux situations fermées tant de fois transformées en images. Je bougeais, donc je vivais. Je n'étais pas comme les autres, même s'il fallait parfois m'enivrer ou casser des gueules. Et plus les choses étaient difficiles, avec de nouvelles tâches et obligations, mieux c'était, car la quête se poursuivait. Je finissais ainsi par obtenir ce que je voulais, et déjà un autre défi se dessinait, en gage de mouvement. La jouissance, la dégustation, le repos, rien de cela ne m'a jamais inspiré. C'est l'au-delà du mouvement qui compte; et dès que j'avais ramassé mes images, j'étais prêt à partir, à céder la place, à laisser à d'autres l'inertie de la possession. Mon butin secret m'est toujours apparu comme étant plus riche que celui des autres, ainsi que mon identité de vagabond.

Ici, c'était comme un immense trou où je n'avais plus besoin de me cacher, où je n'étais dans le chemin de personne. J'ai alors commencé à devenir insouciant, à me fondre dans la viscosité guimauve. À m'adapter, voilà le problème. Le confort. J'étais très bien, et l'exil ne m'était pas pénible. Désormais se posait la question du sens des choses, des avantages de ne pas se suicider immédiatement. Ma collection d'images s'appauvrissait. Puis la question de l'identité, de bouger et de s'arrêter. Le bien-être, la perspective d'un vrai passeport pour remplacer celui, trop maquillé, qui me servait de passe-partout, voire un fonds de retraite et des vacances en Floride! J'aurais pu apprendre le golf si j'avais voulu! Et, rien que d'y penser, je ressens de violentes secousses m'électrisant jusqu'au tréfonds. Ironie du sort: j'avais dédaigné la mort des tropiques, baroque et luxuriante, pour la troquer contre une mort comptoir-enplastique parmi les nains de la passion. Le royaume de l'incandescence tout entier en tubes fluorescents, blafard et éternel, ennuyeux et prétentieux.

Cette garde baissée a déclenché une véritable activité tellurique dans mes images, comme lorsqu'un étranglé se met à gigoter avec une force extraordinaire en sentant l'approche de la mort. Ces secousses me faisaient penser aux bœufs qui se succédaient à l'abattoir d'un petit village où habitaient les oncles de mon père. Pendant l'abattage des troupeaux, j'observais avec les autres enfants le travail des bouchers. L'ouvrier se mettait à cheval en haut des planches du couloir, et il liquidait ainsi les bêtes d'un coup d'épieu sur la nuque, méthodiquement. Au début de la séance, et tant qu'il visait bien, tout se passait très proprement. Les animaux entraient d'eux-mêmes dans le couloir fatidique, calmes et sages, se laissant abattre sans sourciller ni protester, comme tous les troupeaux. Mais l'homme prenait par-ci par-là une grande gorgée de cachaça. De véritables lampées à même le goulot, parce qu'il faisait chaud et que la routine rendait ses gestes trop mécaniques. Gestes qui devenaient ainsi de moins en moins précis. Soudain il ratait le point de la moelle sur une bête jusqu'alors très stoïque. Peut-être que l'odeur de sang et d'excréments avait fait bouger l'animal à la dernière seconde, ou bien c'était la cachaça qui montait à la tête de l'ouvrier. L'épieu frôlait alors le cou, blessant sans tuer, et il réveillait chez la bête la peur ancestrale de la mort. Le bœuf comprenait d'un coup le supplice: c'était son tour, loin du troupeau. Il se mettait à sauter comme un possédé, révolté, fuyant le pic et cherchant à encorner les jambes de l'homme, à détruire l'enclos à coups de flancs et de sabots dressés. Impossible de l'abattre proprement. D'exécution, cela devenait combat, carnage, insoumission punie et chambre de tortures. La bête maintes fois blessée attaquait toujours, en ameutant le reste du troupeau qui attendait, tassé à l'entrée du couloir. Dans sa rage, l'ouvrier finissait par attraper une massue à long manche, comme une bêche colossale, et il fracassait le crâne de l'animal récalcitrant. Celui-ci glissait dans son sang, tout broyé, jusqu'au couteau des autres bouchers en bas, sur la dalle de ciment. Un spectacle sinistre, pire encore que le Vendredi saint dans l'église. Très sale, très rouge, attirant une légion d'urubus autour des rigoles qui écoulaient le sang vers le ruisseau. Rouge et noir. Odeur des excréments aigris par la peur, puanteurs de sueur, de sang et de mort se mélangeant à celles de la fournaise qui brûlait les os pour faire de l'engrais. Ça se figeait dans ma rétine en grillant à travers le crâne: les yeux du bœuf blessé tournés vers le haut, sa langue à côté de la mâchoire, dans un rictus de douleur et de désespoir. Ça se gravait dans mes sensations pour pâlir tous les Guernica à venir. Son impuissance terrible à se soustraire au pic enragé, et son horreur devant les gestes inattendus de l'homme insolitement transformé. L'ouvrier insultait la bête de tous les noms sacrés et profanes, à la fois ému devant tant de souffrance et furieux de cet incident qui gâchait son travail. Double désespoir, celui du bœuf et celui de l'homme, tous deux unis dans cette besogne qui attirait les urubus. «Meurs, bœuf, fils de pute! Meurs, pour l'amour de Dieu! J'ai une famille, sale bœuf! Meurs, petite bête, meurs, mon fils! Je t'écrase la tête, je te tue! Ah, que la Sainte Vierge me vienne en aide! Meurs, bœuf maudit! C'est toi ou moi, bête immonde!» L'homme s'acharnait à achever l'animal, n'importe comment, sous les protestations et les quolibets des bouchers qui s'impatientaient en bas: «Ivrogne! Enculé! Incapable de tuer un bœuf de merde! On te paie rien si tu gâches la cervelle, enculé de nègre! Ivrogne! Pédé, froussard!»

Toute cette agitation était accompagnée par les plaintes des animaux qui se doutaient de leur sort, qui mugissaient comme des violoncelles pour faire danser les urubus. Taches noires battant des ailes, becs crochus sur têtes chauves, se détachant sur l'ocre de la terre battue, rehaussée de rigoles rouges et de moucherons vert métallique. L'herbe était grasse comme les urubus: vert et noir. Je restais figé devant ce combat, devenu tout entier rétine. La danse continuait de plus belle à mesure qu'avançait la matinée. L'ouvrier pleurait en manœuvrant l'épieu. Je souffrais à la fois des yeux du bœuf et du désespoir de l'homme qui visait mal. Était-ce la cachaça ou son amour des bêtes? Tout confondu. Il ne m'était pas indifférent, cet homme-là, qui essuyait ses larmes en avalant la cachaça comme si c'était de l'eau. «Meurs, mon bœuf, mon petit bœuf, mon veau! Meurs, fils de pute! Pour l'amour du Christ, va-t'en! Va-t'en!»

J'ai cru d'abord à un ressac, plus fort, qui allait s'apaiser, du même genre que celui que j'avais déjà ressenti autrefois. Mais non. Au fur et à mesure que je m'installais dans le confort de ces hivers, mes images gagnaient en sauvagerie. Toute la sarabande des souvenirs se mettait alors en branle, avec des visages allant et venant comme des camions sur la route, les paysages et les gens glissant sur la latérite et devenant des taches de sang, des enflures. Ça ne voulait pas se faire oublier, ça me rappelait à l'ordre, ça ne voulait pas mourir tranquillement. Comme les bœufs trop blessés. Il m'a fallu céder pour éviter les failles tectoniques dans ma conscience, les canyons dans mon cerveau. Il m'a fallu trouver un truc pour continuer mon voyage, comme le font les exilés. Une sorte de compromis entre le passé et le présent, quitte à lâcher le futur.

Le voyageur tombé du train, à la gare de Quintino, a fait naître d'autres images dans la même veine, à mon insu, d'autres scènes qui sont venues me surprendre. Au lieu de l'homme étendu, j'ai alors exploré systématiquement les débuts de la chute, les divers états de déséquilibre, l'étonnement du visage, l'horreur de celui qui sait qu'il trébuche, son manque d'élégance et la désarticulation des marionnettes. Cela s'est présenté par des suites d'images, les unes poussant les autres comme dans un défilé de carnaval. Et la chaîne s'est poursuivie en pendus de toutes sortes, des torturés, exposés, interrogés, accrochés à des « perchoirs de perroquets » ou à des cabines de camions. Des familles entières, des enfants, des clowns qui pleurent et des matrones déguisées. Des acrobates en vol plané, des morts et des masques se transformant en une formidable danse macabre. Puis le dédale des portraits, qui me captivent tant que je les croque partout sans que les gens s'en rendent compte. Très vite, comme un photographe, pour me délecter ensuite dans l'acte de les décortiquer. Ou bien je travaille à partir de photos, en refaisant à ma façon le portrait des poètes que j'aime. Et même de ceux dont on ne connaît pas le visage. Qu'importe ? Il me suffit de découvrir la forme du crâne dans leurs poèmes, pour composer le tout à partir de ces indices, comme dans les laboratoires de médecine légale.

C'est incroyable ce que peut contenir un simple crâne d'homme. Plus mystérieux encore est le fait que malgré l'épaisseur de ce crâne et la richesse du dehors, l'on puisse être hanté de façon si profonde, si continuelle. Le reste ? Le reste, pour moi, ce sont ces images que j'entasse et qui se calment, comme si je bêchais dans mon crâne pour les extraire sans endommager la cervelle.

Après tout, ces images sont une forme palpable de transcendance, la seule que je connaisse. C'est un langage qui se manifeste, pour mettre de l'ordre. J'avais voulu voir pour ne pas sombrer, alors je dessine et je peins pour ne pas me noyer. Comme une espèce de vaisseau fantôme qui navigue sur de la térébenthine. Ça me garde vagabond et bâtard même dans ce monde d'ici, et ça envoûte la camarde qui guette. De l'art ? Si je regarde leurs musées vides de sens, remplis de cris

étouffés, de gestes timides, d'éjaculations précoces, bariolés de caca et de bave sans crachat, je dois conclure
que ça n'a rien à voir avec ça. Leurs canons abstraits et
leurs larbins diplômés n'ont jamais vu de bœuf blessé,
ni la boursouflure de la route qui devenait Milagres. Ils
chantent alors les yeux bandés, les gens d'ici, comme les
oiseaux aveugles. Parce que, s'ils les ouvraient, je crois
qu'il y aurait quand même des petites choses à voir
dans leur pays si propre, des petits trucs les concernant.
Quelque chose en forme de viols et de ghettos, de gens
parqués, de mariages sinistres par milliers, de nègres
qui voguent, de déchéances intraveineuses, de fillettes
vendues, de suicides en chaîne et même un petit grain
de famine. Des gens cravatés en masse, branchés aux
écouteurs-ordinateurs et froussards du muscle cardiaque, qui courent vers nulle part et se font charcuter
par la chirurgie embellissante; pleins de graisse et
d'avoir, s'ennuyant à mort, avec des femmes grotesques
et des vieillards roublards qui gardent leur place en gémissant. Il y aurait certainement quelque chose à faire
avec tout cela, en décors McDonald, centres commerciaux et asiles de luxe. Sans doute, si seulement l'on ap-
prenait encore le dessin aux jeunes rêveurs d'ici. Mais
ces choses-là, ce ne sont pas mes affaires. Je me contente
de ce qui me blesse. Puis, qu'est-ce que l'art, sinon la recherche du temps perdu, du non-vécu, de ce qui ne fut
jamais présent? Je ferme ainsi les yeux à ce qui m'entoure pour me sentir vivant. J'enfile mon masque du
passé et je reviens à mes images dans l'atelier fermé.
Mon costume de sous-développé.

Tout cet itinéraire pour m'habituer à la mort, toutes
ces images pour l'apprivoiser. Les autres? Ont-ils existé
ou est-ce que ce ne fut que du langage, des impressions
lumineuses dans mon cerveau fatigué? Le facteur ne
m'apporte jamais leurs lettres, mais je le guette toujours. Est-ce que j'ai oublié de leur envoyer mon adresse
depuis toutes ces années? Ils sont peut-être en train de

dormir. Il ne reste que leurs images déformées dans les miroirs de ma mémoire, leurs surfaces glissantes et un écho de ce qui fut. Je me rends compte que c'est ma propre image que je regarde, sous toutes ces métamorphoses. Elles forment un tissu de souvenirs que j'appelle identité. La vie n'est d'ailleurs qu'une succession de morts, de moments qui se figent en forme de cicatrices. C'est moi-même que je cherchais à travers tous ces moments du passé, pour savoir qui je suis, d'où je viens. Maintenant je sais: je viens de loin, de nulle part. Je ne suis rien d'autre que le contenant d'un contenu de souvenirs, la forme qu'ils prennent en s'agençant en récit. Sans eux, je suis vide et sans volume.

La nuit, ainsi isolé, lorsque les autres sont bien morts, je me promène dans mon atelier pour les voir bouger, ces marionnettes, ces cadavres, ces putes qui furent mes amours, l'odeur de la cour mélangée à celle d'une haleine de jeune fille. Et je ne sais plus si cela a vraiment existé ou si c'est une pure invention de mes chimères. Qu'importe! Tel Narcisse se regardant dans le pavillon des miroirs d'un Luna Park misérable, je me reconnais dans les déformations. Des cicatrices de la mémoire, qui ne chantent ni les armes ni les hommes. Comme l'ivrogne Camélias, je suis devenu, à ma façon, une simple chanson. N'est-ce pas ce que j'ai toujours cherché?

Cet ouvrage composé en Palatino corps 12 sur 14
a été achevé d'imprimer
en novembre mil neuf cent quatre-vingt-quatorze.

«L'IMPRIMEUR»

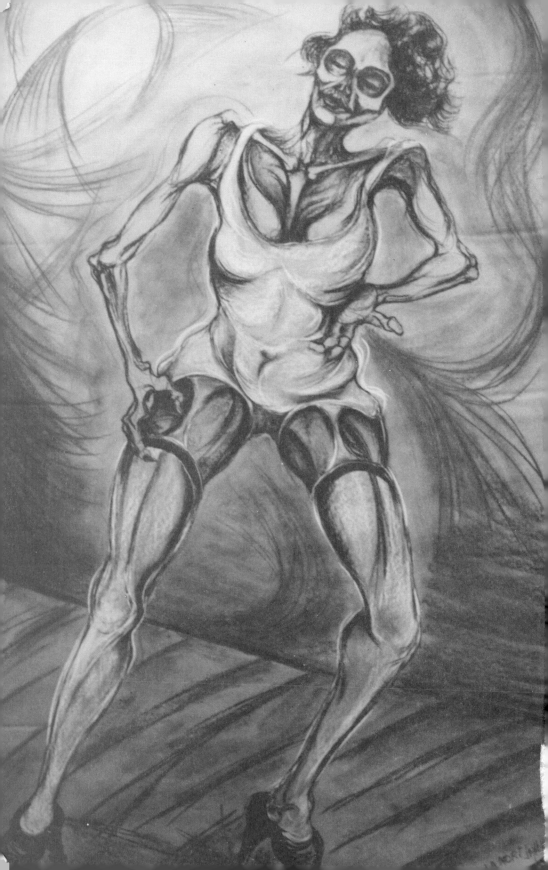